Manhattan avant le 11 septembre 2001

Chronique
de l'année
2001

« Chronique de l'année 2001 »
a été conçu et réalisé sous la direction de Catherine Legrand

Rédacteur en chef : Bruno Larebière,
avec la collaboration de Michel Marmin

Iconographie : système « Online » (Sipa Press)
Direction technique : Catherine Balouet
Secrétariat de rédaction : Sandrine Bautista, Laurence Cattin,
Pierre-Henri Gras
Infographie et illustrations : Olivier Barbut
Index : Emmanuel Lange

***Directeur département :* Philippe Wanpouille**

Notes de l'éditeur :

*Le lecteur trouvera en bas de chaque colonne de chronologie hebdomadaire la valeur
de l'indice CAC 40 (* 📊 *), de l'euro (€) par rapport au dollar américain et le prix du baril
de pétrole (* 🛢 *) (sources le Figaro).*

*Les cotations sont celles du vendredi soir — ou du jeudi soir si le vendredi est férié —,
jour de la clôture hebdomadaire de la Bourse.*

*Les flèches de renvoi (→) signifient que l'événement traité connaît un développement
ultérieur à la date ainsi indiquée.*

© 2002 — Editions Chronique-Dargaud s.a.
ISBN : 2205-05317-5

Dépôt légal : janvier 2002
Achevé d'imprimer en janvier 2002
sur les presses de Brepols, Turnhout (Belgique)

**Editions Chronique
Dargaud s.a.**
Aéroport de Périgueux
BP1 — 24330 Bassillac
Tél. : 05 53 35 91 21
Fax : 05 53 35 14 06
e-mail : chronic@easynet.fr

Chronique
de l'année
2001

Avec la collaboration exceptionnelle de :

Editions
Chronique

Janvier

Lu	Ma	Me	Je	Ve	Sa	Di
1	2	3	4	5	6	7
8	9	10	11	12	13	14
15	16	17	18	19	20	21
22	23	24	25	26	27	28
29	30	31				

France, lundi 1er
Le recyclage des piles usagées devient obligatoire.

France, lundi 1er
Un Français sur deux possède un téléphone mobile. Près de la moitié relève d'Itinéris.

Grèce, lundi 1er
Le pays entre dans la zone euro.

Salvador, lundi 1er
Le dollar remplace le colon comme monnaie officielle.

Bruxelles, lundi 1er
La Suède prend pour six mois la présidence de l'UE. (→ 1.7)

Quemoy, mardi 2
Première liaison maritime autorisée entre la Chine et Taiwan depuis 51 ans.

France, mardi 2
Le dépistage systématique de l'ESB chez les bovins de plus de 30 mois est lancé. (→ 9)

Ghana, mardi 2
Jerry Rawlins, chef de l'Etat depuis 1981, quitte le pouvoir. John Agyekum Kuffuor, élu démocratiquement, lui succède.

Villejuif, mercredi 3
Un convoyeur de fonds est tué lors d'un braquage.

Corse, jeudi 4
Dans une lettre publiée par *l'Est républicain*, Yvan Colonna nie avoir tué le préfet Erignac.

Bruxelles, vendredi 5
Selon un rapport sénatorial, le désamiantage du siège de l'UE a coûté 1,1 milliard d'euros, au lieu des 161 millions prévus.

Paris, vendredi 5
Un rapport d'étape du Bureau enquêtes-accidents estime que l'accident du Concorde est bien dû à une lamelle métallique tombée d'un DC 10. (→ 18)

Japon, samedi 6
Début d'une réforme visant à supprimer 100 000 des 540 000 fonctionnaires en dix ans.

DECES

Paris, lundi 1er
Madeleine Barbulée, comédienne (*2.9.1910).

Paris, jeudi 4
Pierre Leyris, traducteur et angliciste (*16.7.1907).

Bruxelles, dimanche 7
Robert Hurbain, président du groupe Rossel (*8.4.1929).

 5 758,02   25,97 $

€ 0,9578 $

Gendarmerie et polices belges fusionnent

Belgique, lundi 1er
Depuis 1830, en Belgique, les forces de l'ordre étaient réparties en deux corps distincts : la gendarmerie et les polices communales, auxquelles une police judiciaire avait été adjointe en 1919. C'en est presque fini depuis ce matin, avec la mise en place du premier stade de la nouvelle police intégrée. Gendarmes et policiers ont fusionné au niveau fédéral dans un seul corps de 9 000 hommes dirigés par le commissaire général Herman Fransen. Plus délicate à mettre en œuvre, l'intégration au niveau local ne sera opérationnelle que pour le 1er janvier 2002, les policiers devant être répartis en 196 zones. Les deux échelons agiront sous l'autorité d'un unique parquet fédéral. (→ 30.3)

Un même logo, mi-flamme, mi-main, pour une police dite « intégrée ».

Londres, la ville la plus chère d'Europe

Londres, lundi 1er
Londres est devenue, à égalité avec la capitale danoise Copenhague, la ville la plus chère d'Europe. Il n'est pas rare qu'une maison de quatre pièces se négocie à dix, voire vingt millions de francs dans le centre. La flambée des prix est proportionnelle à la prospérité des institutions de la City, qui ont distribué en 2000 près de 11 milliards de francs de primes à leurs cadres les plus performants. Les salariés qui n'appartiennent pas à ce cercle restreint sont contraints de trouver refuge en banlieue.

L'Algérie s'enfonce dans la sale guerre

Alger, jeudi 4
Les chiffres sont issus d'un rapport confidentiel de l'armée algérienne : en 2000, la guerre qui ensanglante l'Algérie aurait fait 9 006 victimes, dont 1 025 terroristes islamistes et 603 militaires. Les autres sont des civils, officiellement assassinés par les combattants d'Allah. L'échec est cuisant pour le président Abdelaziz Bouteflika qui avait choisi la voie de la « concorde civile », permettant la libération de centaines de membres des GIA en échange, espérait-il, de l'instauration de la paix. (→ 8.2)

Profonde réforme de la justice en France

France, lundi 1er
Dès la première heure de la garde à vue, le suspect pourra s'entretenir avec son avocat, au lieu de devoir attendre la vingtième heure. Quant à la décision d'incarcération, elle ne dépendra plus du juge d'instruction mais d'un nouveau juge des libertés et de la détention (JLD), qui pourra être tenu de rendre son avis motivé en séance publique. Et la détention provisoire, dont la durée est limitée, ne pourra plus être imposée à une personne encourant moins de trois ans de prison. Les interrogatoires de mineurs, enfin, seront enregistrés en vidéo. Toutes ces dispositions sont entrées en vigueur ce matin.

Révélations sur la répression à Pékin

New York, vendredi 5
« Putains de salauds ! Ils se prennent pour qui ? Tous ceux qui essayent de renverser le parti méritent la mort, et sans enterrement ! » Ainsi se serait exprimé le général Wang Zhen, peu avant que soit donné l'ordre de tirer sur la foule massée, en juin 1989, sur la place Tiananmen. *The Tiananmen Papers*, dont les bonnes feuilles sont déjà sur Internet, révèle les propos tenus à huis clos par les dirigeants chinois alors que le « Printemps de Pékin » faisait rage. L'un des plus répressifs aurait été Li Peng. (→ 9)

Le 1er, les 20 000 ampoules de la tour Eiffel se mettent à scintiller en bleu, la couleur du faisceau de son nouveau phare. (→ 14.7)

Le 5, le rocher de 500 tonnes qui menaçait de s'effondrer au-dessus de Menton depuis une semaine est dynamité. L'autoroute A8 est rouverte.

Syndrome des Balkans : l'uranium accusé

L'uranium appauvri permet de transpercer les blindages les plus résistants.

Bruxelles, vendredi 5
Après le syndrome du Golfe, voici le syndrome des Balkans. En Italie, six soldats sont morts de leucémie. Ils avaient servi en ex-Yougoslavie. En France, cinq sont soignés pour le même mal. La Belgique a lancé une enquête après la mort de cinq de ses hommes d'un étrange cancer.

L'utilisation de munitions – surtout des obus – à uranium appauvri a-t-elle eu des effets secondaires pour le moins indésirables ? L'Otan, qui en a utilisé plus de 40 000 en Bosnie et au Kosovo, le nie. Et le Pentagone refuse de cesser de les utiliser. Une « enquête informelle » a été ouverte par la Commission européenne.

Expulsion rocambolesque de clandestins

Almaty, samedi 6
Les 33 clandestins kazakhs sur les 34 qui avaient tenté d'obtenir l'asile en Belgique ont finalement atterri à 12 h 30 au sud-est du Kazakhstan, rapatriés par un Airbus de la Force aérienne belge. Hier, le même avion

avait dû faire demi-tour peu avant Moscou, officiellement en raison du mauvais temps, une explication qui n'a guère convaincu. Il semble que la Belgique ait eu le plus grand mal à convaincre les autorités kazakhes de reprendre ses ressortissants.

Le 5 à Prague, des milliers de Tchèques manifestent devant le siège de la télévision pour exiger le départ du directeur général, Jiri Hodac. (→ 11)

Les Bretons encore les pieds dans l'eau

Troisième inondation à Quimperlé en un mois. Les habitants désespèrent.

Bretagne, dimanche 7
Comme en décembre 2000, comme, aussi, en 1995, qui est restée dans toutes les mémoires, la Bretagne est à nouveau submergée par les crues. Le Finistère, le Morbihan et l'Ille-et-Vilaine sont sinistrés. Les pluies qui se sont abattues ces derniers jours n'ont pas pu être absorbées par des nappes phréatiques saturées depuis le mois dernier. Le président de la République a tenu à exprimer aux Bretons sa « profonde sympathie » et sa « solidarité », mais les victimes cherchent des explications, afin de déterminer les remèdes, à l'ampleur de ces inondations. La pluviométrie inhabituelle n'est pas seule en cause, même s'il a plu deux à trois fois plus en un mois qu'à la normale. Alors à

qui la faute ? Plusieurs explications sont avancées, qui mettent en cause plusieurs décennies d'aménagement du territoire. Depuis quarante ans, les remembrements successifs, dont le but était de faciliter la production intensive grâce au regroupement des parcelles, ont fait disparaître haies et talus qui freinaient les eaux et qui permettaient au moins aux habitants de se préparer aux inondations. De même nombre de zones humides ont-elles été asséchées pour y cultiver du maïs. L'autre accusé principal est la politique d'urbanisation, symbolisée par un goudronnage massif de sols jusqu'alors perméables : les chemins de terre absorbaient l'eau, les routes goudronnées la voient glisser vers le bas... vers les villes. (→ 23.3)

Le 6, Jean-Paul II ferme la porte sainte de la basilique Saint-Pierre. Le Jubilé, qui a attiré à Rome plus de 25 millions de pèlerins, est clos.

Lu	Ma	Me	Je	Ve	Sa	Di
1	2	3	4	5	6	7
8	9	10	11	12	13	14
15	16	17	18	19	20	21
22	23	24	25	26	27	28
29	30	31				

Aude, lundi 8
Déjà condamné par contumace pour meurtre, Albert Foulcher tue quatre personnes dont deux policiers. (→ 17)

Londres, lundi 8
Le rachat de Blue Circle fait du groupe français Lafarge le n° 1 mondial du ciment.

Sibérie, lundi 8
Une panne prive de chauffage 4 000 habitants de Novossibirsk par une température de - 57° C.

Belgique, mardi 9
Fanny Rodwell, l'héritière d'Hergé, annonce que le musée Tintin s'installera d'ici trois à cinq ans à Louvain-la-Neuve.

Pékin, mardi 9
Le régime chinois affirme que les citations des *Tiananmen Papers* sont des faux.

France, mardi 9
Sur 14 537 tests effectués en une semaine sur des bovins, un seul cas d'ESB est relevé. (→ 23)

France, mardi 9
Une épidémie de gastro-entérite a touché 1,5 million de Français depuis cinq semaines.

La Haye, mercredi 10
Biljana Plavsic, présidente des Serbes de Bosnie (1996-1998), se rend de son plein gré au TPI. Elle est inculpée pour génocide et incarcérée. (→ 29.8)

Marne-la-Vallée, mercredi 10
Disneyland Paris fête son cent millionnième visiteur.

Québec, jeudi 11
Lucien Bouchard démissionne du poste de Premier ministre et du Parti québécois. (→ 9.3)

Paris, jeudi 11
L'ancien garde des Sceaux Robert Badinter se déclare favorable à la libération de Maurice Papon.

Japon, jeudi 11
L'indice Nikkei de la Bourse de Tokyo est à 13 201 points, son niveau le plus bas depuis 1998.

Salvador, samedi 13
Un tremblement de terre d'une intensité de 7,6 sur l'échelle de Richter fait plus de 350 morts.

DECES

Californie, vendredi 12
William Hewlett, cofondateur de la société informatique Hewlett-Packard (*20.5.1913).

 5 834,34   25,53 $

€ 0,9522 $

Les Israéliens manifestent en masse pour l'unité de Jérusalem

Jérusalem, lundi 8
Depuis la guerre de Six Jours, en 1967, la Ville sainte est tout entière sous contrôle israélien. Et les partis de droite n'entendent nullement que l'Etat hébreu abandonne une once de souveraineté. Or le plan proposé par Bill Clinton, discuté par Ehud Barak et Yasser Arafat, propose que la partie orientale de la ville, qui est en majorité peuplée d'Arabes, passe sous le contrôle des Palestiniens. Si l'ancien Premier ministre Benyamin Netanyahou s'était mêlé à la foule, aucun leader de gauche n'est venu, signe de la division croissante de la société. Cette manifestation est un succès pour son initiateur, le parti Israël B'Alya de l'ex-dissident russe Anatoli Chtcharanski.

Ils sont 200 000 au pied de la vieille ville à refuser le partage avec les Arabes.

La charia punit une jeune Nigériane

Zamfara, lundi 8
Bariya Ibrahim Magazu a 17 ans et elle est enceinte. Et, bien qu'elle ait clamé qu'elle avait été violée, et ne s'était donc pas rendue coupable de liaison sexuelle hors mariage, elle a été condamnée à recevoir 180 coups de fouet, sentence que le gouverneur de Zamfara a refusé d'infirmer. Cet Etat fut le premier à introduire l'an dernier la loi islamique dans le Code pénal, suivi par huit autres Etats du Nord en majorité musulmans. Pays le plus peuplé d'Afrique, le Nigeria compte autant de musulmans que de chrétiens.

La Belgique en deuil de son « Crocodile »

« VDB » : Paul Vanden Boeynants.

Alost, mardi 9
Durant près de quatre décennies, Paul Vanden Boeynants, l'« homme à la pipe », fut le « pilier inoxydable et controversé » de la vie politique belge. Deux fois Premier ministre, plusieurs fois ministre, président du Parti social-chrétien (PSC), ce fils de boucher maniait un franc-parler qui fit beaucoup pour sa renommée. Il eut pourtant pour regrets de n'avoir pas su dénouer la crise linguistique à l'université catholique de Louvain, en 1968, et de n'être jamais devenu bourgmestre de Bruxelles en raison d'une affaire de fraude fiscale. Son enlèvement, en 1989, ne fut jamais totalement élucidé (*22.5.1919).

Le 8 à Paris, la salle Gaveau rouvre ses portes après six mois de travaux. Entièrement rénovée, elle n'a pas perdu son acoustique exceptionnelle.

Le 9, Steve Jobs, patron d'Apple, présente le PowerBook G4, un portable de 2,6 cm d'épaisseur.

Une écologiste face aux lobbys agricoles

Berlin, mercredi 10

A la surprise générale, le chancelier allemand Gerhard Schröder a choisi Renate Künast, vice-présidente des Grünen (les écologistes), et à ce titre ennemie jurée des lobbys agricoles, pour ministre de l'Agriculture. Elle remplace Karl-Heinz Funke, accusé d'imprévoyance dans l'affaire de la vache folle. Il avait démissionné hier ainsi que son homologue à la Santé. Le chancelier justifie la nomination de cette juriste de 45 ans, qui veut « rapprocher agriculture et nature », par l'absolue nécessité de repenser la production en fonction de la santé des consommateurs, et non plus des seuls intérêts financiers.

Danielle Mitterrand paye la « rançon » pour faire libérer son fils

Jean-Christophe Mitterrand était incarcéré à la Santé depuis le 21 décembre.

Paris, jeudi 11

La prison lui devenait trop pénible : Jean-Christophe Mitterrand, qui ne voulait pas payer la moindre caution pour être remis en liberté, a fini par accepter que les 5 millions de francs exigés par le juge Courroye soient versés. C'est sa mère qui est venue apporter la somme, réunie par des amis demeurés anonymes, pour, a-t-elle dit, « payer la rançon ». Libre, le fils aîné de François Mitterrand s'en est violemment pris à Philippe Courroye, un « juge qui sue la haine avant d'ouvrir la bouche » et « a fait preuve d'une hostilité poisseuse ». Soupçonné d'avoir reçu des sommes indues dans un trafic d'armes avec l'Angola, l'accusé va maintenant se battre sur le terrain juridique.

Jeux d'adultes sur l'île de la Tentation

Etats-Unis, mercredi 10

Prenez quatre couples âgés de 20 à 30 ans, amoureux mais non mariés, et sans enfants. Envoyez-les passer des vacances sur une île de la mer des Antilles, au large de Belize, où, après avoir placé les garçons sur une côte et les filles sur l'autre, vous les confrontez à 24 célibataires de fort belle facture et peu farouches... Tel est le concept de *Temptation Island* diffusé pour la première fois ce soir en *prime time* sur Fox TV, propriété de l'Australien Rupert Murdoch. Le scandale est déjà grand, à la mesure de l'appétit des voyeurs.

Bonne nouvelle pour les plus bas revenus

Paris, jeudi 11

Le Premier ministre a profité de la cérémonie des vœux à la presse pour annoncer la création d'une « prime pour l'emploi » qui bénéficiera aux 9 millions de Français les moins bien rémunérés. Calculée en fonction des revenus et de la situation familiale, elle sera soit déduite du troisième tiers, soit versée par chèque à ceux qui ne sont pas imposables, et cela dès septembre prochain. L'objectif de Lionel Jospin est de favoriser le retour à l'emploi des chômeurs qui n'avaient aucun intérêt financier à retrouver un travail.

Kouchner quitte un Kosovo sans Serbes

Pristina, vendredi 12

Le jour de sa nomination au poste d'administrateur civil du Kosovo, le 2 juillet 1999, Bernard Kouchner se disait déterminé à œuvrer en faveur d'« une société multiethnique » dans la province yougoslave. Au soir de son départ, il a dû reconnaître que, sur ce point, il avait échoué. Il n'y a plus désormais que 5 % de Serbes au Kosovo et l'Armée de libération du Kosovo (UCK) n'a pas déposé les armes. Le Danois Hans Haekkerup, qui lui succède, aura aussi la lourde tâche de tenter d'endiguer les mafias albanophones qui prolifèrent.

Toujours trop de morts sur les routes

France, dimanche 14

En 1972, 17 000 personnes avaient été tuées sur les routes françaises. Une année record. Pour l'an 2000, le bilan macabre est de 7 580 morts, contre 8 029 en 1999. Cette baisse n'en demeure pas moins insuffisante comme le reconnaît le ministre des Transports. Jean-Claude Gayssot a réitéré son objectif, affiché en 1997, de « diviser par deux le nombre de tués dans les cinq ans ». Il entend pour cela accentuer la répression : la vitesse, l'absorption d'alcool ou de produits psychotropes sont la cause d'une majorité d'accidents. (→ 6.3)

Vent de liberté sur les écrans tchèques

Prague, jeudi 11

Jiri Hodac, directeur général de la télévision tchèque, a fini par céder : il a démissionné « pour raisons de santé », en réalité en raison du rejet massif dont il faisait l'objet depuis sa nomination qui, le 20 décembre, avait déclenché la grève de la quasi-totalité des journalistes. Bénéficiant du soutien de la population, et de celui du président de la République tchèque Vaclav Havel, ils refusaient la mise au pas de la télévision pour le seul bénéfice de l'actuel président du Parlement, Vaclav Klaus, un allié des communistes.

Le 9, Pékin réussit le lancement du vaisseau Shenzhou II, prélude à un vol habité dans les cinq ans.

Le 13, Porto, la deuxième ville du Portugal, devient pour un an la capitale culturelle de l'Europe. Le pays a vécu une décennie d'euphorie économique qui doit assurer la réélection, demain, du président Jorge Sampaio.

Janvier

Lu	Ma	Me	Je	Ve	Sa	Di
1	2	3	4	5	6	7
8	9	10	11	12	13	14
15	16	17	18	19	20	21
22	23	24	25	26	27	28
29	30	31				

France, lundi 15
La fusion Schneider-Legrand fait naître le n° 1 mondial des matériels électriques basse tension. (→ 10.10)

Paris, mercredi 17
Le journaliste Dominique Baudis, maire de Toulouse, est nommé président du Conseil supérieur de l'audiovisuel (CSA) par Jacques Chirac. Il succède à Hervé Bourges.

Béziers, mercredi 17
Cerné par la police, Albert Foulcher se suicide.

Paris, mercredi 17
Le capitaine d'un navire qui avait dégazé en Manche et son armateur sont condamnés à 600 000 francs d'amende.

Gaza, mercredi 17
Hicham Mikki, directeur de la télévision palestinienne, est abattu dans un hôtel.

Roissy, jeudi 18
Un Concorde décolle vers la base d'Istres pour y subir des essais techniques au sol. (→ 7.11)

Londres, jeudi 18
La Chambre des communes interdit la chasse à courre pour le lièvre et le renard. (→ 18.7)

Cameroun, vendredi 19
Fin du sommet franco-africain, 21e du nom. Paris a annulé la dette de 15 pays d'Afrique.

Modane, vendredi 19
Le Premier ministre, Lionel Jospin, et Jean-Claude Gayssot, ministre des Transports, sont favorables au ferroutage. Un tunnel de 52 km sous les Alpes, sur le tracé Lyon-Turin, sera construit à cet effet.

Paris, vendredi 19
500 magistrats défilent en robe noire pour protester contre le manque de moyens.

Londres, samedi 20
Départ du dernier vendeur de graines de Trafalgar Square. La mairie a mis fin à sa licence.

Vatican, dimanche 21
Le pape désigne 37 nouveaux cardinaux, dont Mgr Louis-Marie Billé, archevêque de Lyon, et Mgr Jean Honoré.

DÉCÈS

Lyon, jeudi 18
Charles Mérieux, industriel pharmaceutique (*9.1.1907).

 5 845,73   26,33 $

€ 0,9336 $

Les faux passeports du foot français

Paris, mardi 16
La commission juridique de la Ligue nationale de football a tranché : sept points de pénalité pour le club de Saint-Etienne, désormais relégable en deuxième division, plus un an de suspension pour Gérard Soler, son président délégué, sans préjuger des investigations policières qui se sont accélérées. Au moins une dizaine de footballeurs étrangers évolueraient dans le championnat français avec de faux passeports, permettant aux clubs de contourner la loi imposant un quota maximum de trois joueurs extra-communautaires. Lewytsky et Alex, de Saint-Etienne, sont déjà mis en examen pour usage de faux.

Les ordinateurs ne seront pas taxés

Paris, mardi 16
Le projet de taxe a tenu... 24 heures. Hier, Catherine Tasca, ministre de la Culture, s'était montrée favorable à la création « d'une taxation sur les ordinateurs, disques durs, consoles de jeux, [...] tout support permettant d'enregistrer des œuvres ». Motif : la protection du droit d'auteur qui fait par exemple que les cassettes audio et vidéo vierges sont soumises à une redevance spécifique depuis 1985. Cet après-midi devant les députés, le ministre a dû démentir tout projet en ce sens. La politique de baisse des impôts du gouvernement s'accorde mal avec un tel projet.

Le passé gauchiste de Joschka Fischer

Berlin, mercredi 17
Le ministre allemand des Affaires étrangères le jure devant les députés inquisiteurs : « Je n'ai jamais jeté de cocktails Molotov. » Rien ne prouve certes le contraire. Mais une photo publiée par *Der Spiegel* le montre en 1973 en train de frapper un policier. Il est accompagné de Hans-Joachim Klein, devenu compagnon d'armes du terroriste Carlos. Fischer, appelé hier à témoigner au procès de Klein, a dû justifier ses idéaux de jeunesse. Le gauchisme est un passé qui passe de plus en mal outre-Rhin.

Des jumelles vendues deux fois sur le Net

Des Californiens et des Gallois se disputent la « propriété » des bébés.

Londres, mercredi 17
Belinda et Kimberley sont jumelles, natives du Missouri, aux Etats-Unis, âgées de six mois et filles de Tranda Wacker, 28 ans, réceptionniste dans un hôtel et déjà deux fois divorcée. Judith et Alan Kilshaw, de leur côté, sont gallois et connectés à Internet. C'est ainsi qu'ils ont acquis les deux bébés pour environ 100 000 francs.

Mais Richard et Vickie Allen, à San Diego, Californie, ont fait de même, pour moitié prix. Rebaptisées Kiara et Keyara, Belinda et Kimberley ont d'abord été remises aux Allen, chez qui leur mère – la vraie – est venue les reprendre. Puis elle les a confiées aux Kilshaw, qui ont gagné Londres où ils se cachent en attendant les suites judiciaires... (→ 9.4)

La France reconnaît le génocide arménien

Paris, jeudi 18
Par 40 voix pour, aucune contre, les députés ont adopté la proposition de loi par laquelle la France reconnaît que les Arméniens ont été victimes d'un génocide en 1915. Ni Jacques Chirac ni Lionel Jospin n'étaient favorables à ce texte, pas plus que le ministre des Affaires étrangères, qui estimait que ce n'est pas à la loi de proclamer la vérité sur cette tragédie historique. La Turquie, héritière de l'Empire ottoman, nie en effet toute volonté d'exterminer les Arméniens. Ankara a rappelé son ambassadeur et envisage des représailles. (→ 1.2)

Le 15, à Paris, le musée national des Arts asiatiques, ou musée Guimet, repensé et rénové par les architectes Henri et Bruno Gaudin, est inauguré.

Kabila est mort, vive Kabila Junior !

Les Belges pourront fumer du hasch

Kinshasa, jeudi 18
Laurent-Désiré Kabila, président de la RDC, république démocratique du Congo, est bel et bien mort. Il est décédé à Harare (Zimbabwe), où il avait été transporté mardi. Le nom de son assassin demeure inconnu, et l'on ignore même s'il s'agit d'un acte isolé ou d'un coup d'Etat. Son fils, Joseph Kabila, 31 ans, déjà chef des forces armées terrestres, est chargé d'assurer l'intérim. Parvenu par la force au pouvoir en 1997, Laurent-Désiré Kabila (*27.11.1939) laisse un pays à feu et à sang. Les rebelles, épaulés par le Rwanda et l'Ouganda attirés par les mines de diamant et d'or, contrôlent 50 % du territoire. L'Angola soutient le pouvoir. (→ 26)

Laurent-Désiré Kabila est mort.

Son fils Joseph assure l'intérim.

Bruxelles, vendredi 19
On ne fera pas dire au ministre belge de la Justice, Marc Verwilghen, que le gouvernement entend dépénaliser la consommation de cannabis. Pas question en effet de voir affluer de toute l'Europe des touristes en quête de paradis artificiels. Le projet, qui est destiné à devenir directive puis arrêté royal, supprime toutefois les poursuites pour détention et usage en groupe de haschich (uniquement pour les adultes). Fumer un joint, fût-ce dans un lieu public, ne sera donc plus punissable, de même que cultiver du cannabis dans son jardin. L'exportation de produit stupéfiant demeure prohibée.

Prestation de serment de George W. Bush

Changement de pouvoir aux Philippines

Washington, samedi 20
Une main sur la Bible, le Capitole derrière lui et, face à lui, le président de la Cour suprême des Etats-Unis, William Rehnquist, le 43e Président de la première puissance mondiale a prêté serment en présence de son père qui avait fait de même en 1988 : « Moi, George Walker Bush, je jure solennellement de protéger, de préserver et de défendre la Constitution des Etats-Unis. » A quelques mètres derrière, Bill Clinton affichait un air serein, tandis que son vice-président Al Gore paraissait tendu, songeant peut-être aux 533 002 voix d'avance sur Bush dont il est crédité par le décompte final du collège électoral divulgué le 2 janvier. Mais la justice en a décidé autrement, et l'élection de George Bush a été validée par le Congrès, où il a obtenu, samedi 6, avec son colistier Dick Cheney, 271 voix contre 266 à son rival. A 54 ans, George Bush prend possession de la Maison Blanche à l'âge où Clinton la quitte avec une certitude : « On a été bons ! » Ce n'est évidemment pas l'avis de son successeur, qui a décidé de geler les dernières mesures prises par Clinton, comme l'augmentation des dépenses de santé ou l'extension des domaines forestiers protégés. La nouvelle équipe républicaine a pour figures de proue le très conservateur John Ashcroft, attorney general, et Colin Powell, secrétaire d'Etat, le héros de la guerre du Golfe.

Gloria Macapagal Arroyo a 53 ans.

Manille, samedi 20
Joseph Estrada a compris qu'il était inutile de s'accrocher au pouvoir. Il n'a pas attendu que la foule assiège le palais de Malacanang et a remis sa démission au petit matin. Même les militaires l'avaient lâché après qu'il avait réussi, le 17, à ajourner son procès pour corruption. Gloria Macapagal Arroyo, vice-présidente, lui succède. La nouvelle présidente est la fille de Diasdado Macapagal qui dirigea lui-même les Philippines de 1961 à 1965 avant d'être évincé par Ferdinand Marcos. Formée aux Etats-Unis, elle a pour atouts d'être acceptée aussi bien par les pauvres que par les classes dirigeantes. Et l'armée la soutient. (→ 4.4)

Deux nouveaux couples règnent à la Maison Blanche : les Bush et les Cheney.

Le 21, l'Allemande Jutta Kleinschmidt, sur Mitsubishi, devient la première femme à remporter le Paris-Dakar dont elle a pris la tête hier après que Jean-Louis Schlesser a écopé d'une heure de pénalité en raison d'un départ prématuré. L'Italien Fabrizio Meoni, sur KTM, gagne la catégorie moto.

Lu	Ma	Me	Je	Ve	Sa	Di
1	2	3	4	5	6	7
8	9	10	11	12	13	14
15	16	17	18	19	20	21
22	23	24	25	26	27	28
29	30	31				

Bierset, lundi 22
Début de la démolition des 850 maisons achetées par la Région wallonne près de l'aéroport.

Sardaigne, lundi 22
Antonio Todde, 112 ans, serait le nouveau doyen de la planète.

Macédoine, lundi 22
Un policier est tué à Tetovo par des rebelles albanophones.

Tchétchénie, lundi 22
Le FSB (ex-KGB) est chargé des opérations antiterroristes.

Turquie, mardi 23
Annulation d'un contrat avec Alcatel pour un satellite. (→ 1.2)

Loire-Atlantique, mercredi 24
Un caboteur fait naufrage et s'échoue à La Turballe : 4 morts.

Londres, mercredi 24
Mêlé à un scandale, Peter Mandelson, secrétaire d'Etat à l'Irlande du Nord, démissionne. (→ 9.4)

Belgrade, mercredi 24
Carla Del Ponte, procureur général du TPI, est accueillie par des jets de pierres.

Lille, jeudi 25
Un pompier a la main arrachée par une grenade lors de heurts violents avec les CRS.

Kinshasa, vendredi 26
Joseph Kabila est investi président.

Bretagne, samedi 27
Marylise Lebranchu, garde des Sceaux, prône la réouverture du procès de Guillaume Seznec.

Inde, dimanche 28
Le bilan du séisme est de 20 000 morts. (→ 4.2)

Saint-Anton, lundi 29
Régine Cavagnoud est sacrée championne du monde de Super-G. (→ 29.10)

France, mardi 30
Comme Lyonnaise-Suez, Bouygues n'acquerra pas de licence UMTS. (→ 2.3)

Onnaing, mercredi 31
Sortie des 1res Toyota Yaris de l'usine du nord de la France.

DECES

France, jeudi 25
Guy Tréjean, comédien (*18.9.1921).

Saint-Tropez, mardi 30
Jean-Pierre Aumont, acteur (*5.1.1909).

 5 925,62   26,65 $

€ 0,9241 $

Wade remet le racisme à sa place

Dakar, lundi 22
Hôte des centaines de participants à la Conférence régionale africaine contre le racisme, Abdoulaye Wade, le président du Sénégal, a tenu un discours qui a laissé une partie de son auditoire perplexe, et que cette formule résume : « Le racisme, a-t-il dit, n'est plus un grand problème dans le monde d'aujourd'hui. » Et de demander à ses frères africains d'employer leur énergie à tenter de résoudre « les conflits ethniques et fratricides qui les opposent » au lieu de réclamer sans cesse réparation. Un appel à ses pairs pour qu'ils se tournent plutôt vers le XXIᵉ siècle.

La mort pour deux millions de bovins

Europe, mardi 23
Déjà 30 572 vaches abattues depuis le début du mois en France, où il est prévu d'en éliminer 450 000 dans les six mois. Afin d'éliminer les bovins atteints par l'ESB ? Nullement. Cette opération, qui concerne 2 millions d'animaux dans toute l'Europe, n'a pour but que d'enrayer la chute des cours engagée depuis la crise de la vache folle. Un règlement européen fait obligation aux Etats de l'Union d'acheter, pour l'abattre, tout bovin « âgé de plus de trente mois qui lui est présenté » jusqu'au 30 juin. La bête est ensuite incinérée. (→ 1.2)

Suicides par le feu place Tiananmen

Pékin, mardi 23
Une femme est morte, quatre autres adeptes de la secte Falungong sont très grièvement brûlés après s'être immolés place Tiananmen en cette veille de nouvel an lunaire. Telle est du moins la version propagée par l'agence officielle Chine nouvelle, le porte-parole de l'organisation ayant redit que le suicide était interdit par la doctrine de Falungong. Le régime de Pékin ne parvient en tout cas pas à en finir avec la secte qu'il a mise hors la loi, et dont il a envoyé au moins 242 membres dans des camps de « rééducation par le travail » où la moitié serait déjà décédée.

Violent séisme en Inde

Les premières estimations font déjà état de plusieurs milliers de morts.

New Delhi, vendredi 26
Le jour de la fête nationale indienne s'est transformé en jour de deuil. A 8 h 45, un séisme d'une amplitude de 6,9 à 7,9 sur l'échelle de Richter a secoué l'Etat du Gujurat, dont la capitale, Ahmadabad, forte de huit millions d'habitants, est un champ de ruines. 2 250 victimes sont déjà déplorées dans cette partie ouest du pays qui n'avait pas connu un pareil tremblement de terre depuis 1956. Les secours peinant à gagner le lieu du drame, à plus de 800 km de New Delhi, le Premier ministre a décrété la mobilisation générale. (→ 28)

La Défense livrée à des bandes rivales

Puteaux, samedi 27
Durant trois heures, le vaste centre commercial des Quatre-Temps, qui accueille chaque jour une centaine de milliers de clients, a été la proie d'une rare violence. Venus des cités « chaudes » des Yvelines, de Mantes-la-Jolie et de Chanteloup-les-Vignes, 300 jeunes divisés en bandes rivales se sont affrontés à coups de battes de base-ball et de couteaux, certains brandissant même des haches et des armes à feu ! Les CRS, épaulés par les Brigades anticriminalité (BAC), n'ont pu effectuer qu'une trentaine d'interpellations. Un jeune homme, atteint par un coup de couteau au thorax, est dans un état critique.

Le 24, vingt millions de pèlerins hindous se baignent dans le Gange. Cette veille de nouvelle lune est considérée comme le jour le plus propice pour cet acte purificateur. La Kumbh Mela se tient tous les douze ans.

Arnaud Clément finaliste à Melbourne

Arnaud Clément s'était défait de Sébastien Grosjean en demi-finale le 26.

Melbourne, dimanche 28
Pour sa première finale d'un tournoi du Grand Chelem, Arnaud Clément n'a guère eu le temps de savourer son entrée sur le court des grands. L'Américain Andre Agassi l'a défait en trois sets (6-4, 6-2, 6-2). Clément était peut-être épuisé par le combat fraternel qu'il avait mené, en demi-finale, contre Sébastien Grosjean, le battant en cinq sets et plus de quatre heures de lutte. Tendu, dominé dans les trois premiers sets, il sauva deux balles de match avant de s'imposer. Mais face à Agassi au meilleur de sa forme, ce fut « mission impossible ».

Nantes a vécu de folles journées musicales

Nantes, dimanche 28
Si ce n'est l'annulation du concert de la pianiste Hélène Grimaud, cette 7e édition de la Folle Journée, qui, curieusement, s'étira sur trois jours, fut un succès total. Les 200 concerts de musique russe (parfois soviétique ou arménienne), interprétée par des orchestres de l'ouest et du nord de la France, et par des solistes de pays de l'Est, ont fait venir pas moins de 85 000 amateurs de Tchaïkovski, de Stravinsky ou de Rachmaninov. Et, s'il ne fallait retenir qu'un virtuose, ce serait sans conteste Vadim Repin. Ses interprétations du *Concerto pour violon* et du superbe *Trio opus 50* de Tchaïkovski furent bouleversantes.

Le 27, Lise, comédienne de 12 ans, devient l'emblème de la campagne conçue par le ministère des Finances pour expliquer le passage à l'euro.

Deux forums sur la mondialisation

Porto Alegre et Davos, mardi 30
Depuis 1971 se déroule tous les ans à Davos (Suisse) un Forum mondial qui rassemble les hommes les plus puissants de la planète. Quarante chefs d'Etat et un millier d'hommes d'affaires y sont cette année réunis. Les adversaires de la mondialisation ont choisi Porto Alegre, au Brésil, pour tenir un Forum social mondial. Les deux sommets se sont achevés ce soir, les militants ayant largement emporté la bataille médiatique face aux entrepreneurs. La notoriété de José Bové s'est encore accrue quand il a été interpellé : il avait arraché des plants d'OGM. Incorrigible !

Verdict ambigu au procès de Lockerbie

Pays-Bas, mercredi 31
Des deux Libyens accusés d'être les auteurs de l'attentat ayant causé la mort des 259 passagers d'un Bocing de la Pan Am au-dessus du village écossais de Lockerbie en décembre 1988 – où onze habitants avaient été tués – un seul est reconnu coupable : Abdel Basset al-Megrahi, condamné à la prison à vie. Al-Amin Khalifa Fahima peut, lui, regagner son pays. Le verdict, ambigu, clôt onze ans de tension marqués par l'embargo sur la Libye. Le procès, délocalisé en « terrain neutre », n'a pas établi de complicité du régime de Tripoli.

Roland Dumas sur le banc des accusés

Ulcéré, il a perdu son sang-froid.

Paris, mercredi 31
A la reprise de l'audience, Roland Dumas a présenté ses excuses. Les cinq ans d'instruction. La fatigue. Les calomnies. Trop de salissures... Un peu plus tôt, la sixième audience du procès d'un volet de l'affaire Elf avait sérieusement dérapé. Roland Dumas, poursuivi pour complicité et recel d'abus de biens sociaux pour avoir bénéficié, en connaissance de cause, des largesses de sa maîtresse d'alors, Christine Deviers-Joncour, payée par le groupe pétrolier, avait, furieux, menacé le procureur : « Le jour où je m'occuperai de certains magistrats, hurla-t-il, vous verrez cc qui se passera ! » Hors cet incident, et la divulgation de secrets d'alcôve, le procès pâtit de l'absence d'Alfred Sirven, toujours en fuite. (→ 2.2)

Le 28, à Bruxelles, se tient le dernier grand marché dominical aux oiseaux, supprimé pour des raisons sanitaires et de protection des espèces rares.

L'islam, le Coran, l'islamisme

La crise déclenchée par les attentats du 11 septembre réclame une réflexion simple et des prises de position rapides. Quelles que soient ces prises de position, il nous faut suspendre tout jugement, qui serait faussé par l'urgence et la dramatisation. La toute première question qui se pose partout est celle de la guerre sainte, du Djihad. Est-ce une hérésie de fanatiques ? Est-ce un commandement du Coran ? De la réponse à cette question dépendent le caractère du terrorisme et les réponses qu'on peut lui faire. Que dit le Coran? Nous allons citer quelques sourates, selon la traduction de R. Khawan (Editions Maisonneuve et Larose, 1990). Cette traduction est faite sur le texte considéré comme « officiel » par les autorités religieuses du Caire.

« Ceux qui restent chez eux parmi les croyants — sauf les malades — ne sont pas de rang égal avec ceux qui déploient tous leurs efforts sur la voie de Dieu, en utilisant leurs richesses et leur personne dans la guerre sainte... Dieu a réservé une très grande récompense à ceux qui déploient tous leurs efforts pour la guerre sainte. » (Sourate IV, verset 95).

« Dieu a acheté aux croyants leurs personnes et leurs richesses en leur réservant le Paradis en échange. Ils combattent sur la voie de Dieu. Ils tuent les ennemis et sont tués par eux. C'est une promesse vraie, faite par Dieu dans la Thora, l'Evangile et le Coran. » (Sourate IX, verset 111).

« O vous qui avez cru, combattez ceux des incrédules qui sont dans les contrées adjacentes aux vôtres. Qu'ils trouvent en vous de la rigueur. » (Sourate IX, verset 123).

Il est intéressant de placer, en face de ces citations, une déclaration de M. Chouraqui dans *le Figaro* du 19 septembre : « *Le mot Djihad signifie " effort ", l'effort pour réaliser l'Alliance. C'est tout à fait le contraire de ce que les islamistes nous proposent. Il n'y a pas et il ne peut y avoir de guerre sainte. Le mot Djihad a été détourné de son sens et l'effort que le croyant doit faire consiste d'abord à intégrer dans sa vie les valeurs d'amour de l'Alliance, celles des dix commandements, pas la guerre !* »

M. Chouraqui connaît à fond le Coran, mieux que l'auteur de ces lignes, mais le bon sens cher à Descartes est aussi un guide très sûr. Quand on donne au mot « Djihad » le sens premier d'un effort dans l'observation des commandements, on ne peut en faire un argument pour nier la guerre sainte. En fait, dès que le Djihad est proclamé quelque part, en Afghanistan, au Pakistan ou ailleurs, un milliard de musulmans comprennent aussitôt qu'il s'agit de la guerre sainte. Certes, le Coran contient beaucoup d'affirmations brèves et dépourvues d'explication. Ainsi, pour la guerre sainte, il n'est pas précisé s'il s'agit d'attaque ou de légitime défense. On peut seulement se souvenir des guerres de conquêtes des califes et des sultans. On peut aussi se souvenir que Mahomet lui-même a été chef de guerre autant que prophète, légitimant l'un par l'autre. On peut se souvenir enfin du massacre des juifs à Médine, vers 627.

Relisons encore le Coran. « *Il y a pour vous un modèle parfait en la personne d'Abraham et dans ceux qui étaient avec lui, lorsqu'ils dirent aux gens de son peuple : nous sommes innocents de la manière dont vous vous conduisez et de ce que vous adorez en dehors de Dieu. Nous vous avons reniés. Sont apparues entre vous et nous l'hostilité et l'aversion pour toujours, à moins que vous ne croyiez en Dieu seul.* » (Sourate LX, verset 4).
Il est bien possible que le Coran envisage une vie paisible, fraternelle et charitable à l'intérieur de la communauté musulmane. Mais, aux frontières de cette communauté, il en va tout autrement.

Tout cela n'est pas clair... aux yeux d'un Occidental. Mais cela correspond fort bien à l'aspect a-dogmatique de l'islam, qui ne connaît guère d'affirmations très nettes en dehors de l'adoration du Dieu unique dont Mahomet est le prophète : le reste est prescriptions rituelles. Les tendances actuelles qui se font jour dans les pays musulmans ne nous éclairent pas davantage. On prétend à la fois retourner aux racines séculaires d'un islam inchangeable, détruire la position dominante de la civilisation « européenne », dont la capacité d'évolution est un élément essentiel, et enfin, assimiler les progrès scientifiques de cette même civilisation en les dépouillant de leur contexte culturel et social.
Cet effort aboutit pour l'instant à une série d'échecs. Maîtres de leurs destinées politiques depuis quarante ou cinquante ans, les musulmans ne parviennent pas à créer des Etats paisibles et prospères et ils demeurent largement tributaires des puissances occidentales, dont on ne peut dire qu'elles se conduisent toujours de façon bien honnête... Rien d'étonnant si le résultat est un chaos incompréhensible.

Ce que nous devons admettre, c'est que, pour nous, le Coran est un prodige historique. C'est un texte un peu confus, comme beaucoup d'anciens textes sacrés, dicté au hasard des événements par un seul homme, et un homme peu instruit. Ce livre est constitué en grande partie d'emprunts faits sans exactitude à la Bible juive et à l'enseignement d'une secte chrétienne hérétique que l'on a du mal à identifier. Treize siècles plus tard, ce texte bien

Le 8 mars, près d'un million de fidèles se sont rassemblés à La Mecque pour le pèlerinage annuel.

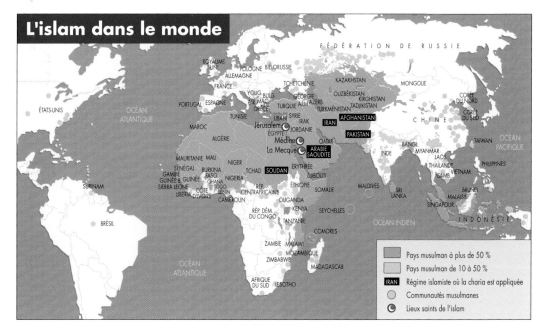

L'islam dans le monde

FÉDÉRATION DE RUSSIE

ROYAUME UNI — POLOGNE BIÉLORUSSIE
ALLEMAGNE
FRANCE
PORTUGAL ESPAGNE
TUNISIE
MAROC
ALGÉRIE
MAURITANIE MALI
NIGER
SÉNÉGAL BURKINA FASO
GAMBIE GUINÉE GHANA NIGERIA
GUINÉE B. CÔTE
SIERRA LEONE D'IVOIRE TOGO BÉNIN
LIBERIA CAMEROUN
BRÉSIL
SURINAM

YOUG. BULG
ALB MAC GÉORGIE
GRÈCE TURQUIE ARM AZERB
LIBAN SYRIE TURKMÉNISTAN
IRAK IRAN
Jérusalem JORDANIE
ÉGYPTE
Médine QATAR
La Mecque ARABIE
SAOUDITE
TCHAD SOUDAN ÉRYTHRÉE
DJIBOUTI
RÉP. ÉTHIOPIE SOMALIE
CENTRAFRICAINE
OUGANDA
RÉP. DÉM. KENYA
DU CONGO TANZANIE
ZAMBIE MALAWI
MOZAMBIQUE
ZIMBABWE
AFRIQUE MADAGASCAR
DU SUD LESOTHO

KAZAKHSTAN MONGOLIE
OUZBÉKISTAN KIRGHISTAN
TADJIKISTAN
AFGHANISTAN CHINE CORÉE DU NORD
CORÉE DU SUD
PAKISTAN
BANGL TAIWAN
INDE MYANMAR LAOS
THAILANDE VIETNAM PHILIPPINES
CAMB.
MALDIVES
SRI SINGAPOUR BRUNEI
LANKA MALAISIE
INDONÉSIE

OCÉAN ATLANTIQUE
OCÉAN ATLANTIQUE
OCÉAN INDIEN
COMORES
SEYCHELLES
OCÉAN PACIFIQUE
ÉTATS-UNIS
TCHÉTCHÉNIE

■ Pays musulman à plus de 50 %
□ Pays musulman de 10 à 50 %
IRAN Régime islamiste où la charia est appliquée
○ Communautés musulmanes
☾ Lieux saints de l'islam

fragile devant la critique la plus bienveillante est toujours le livre saint et le guide absolu d'un milliard d'hommes, habitant des contrées bien différentes. Il y a là une énigme qui échappe à nos catégories de pensée : c'est le premier fait que nous devons admettre si nous voulons essayer de comprendre l'islam en évitant les condamnations méprisantes et les bienveillances faciles.

Pratiquement, comment éclairer le problème, sans entrer en des critiques historiques ou théologiques, dont la durée indéfinie ne correspond nullement à la situation actuelle ? L'*Atlas des religions*, édité par Perrin-Mame en 1999, nous propose une piste (p. 93). Notons que cet ouvrage, signé entre autres par Khattar abou Diab, du Centre de l'Orient contemporain, et par Sari Ali Hajjedine, de l'Institut musulman de Paris, ne peut être considéré ni comme hostile ni comme étranger à l'esprit de l'islam.

Au-delà des frontières, les musulmans ont conscience de former une seule communauté, l'Oumma, que rappelle ce verset du Coran : « *Vous êtes la communauté la meilleure qui ait surgi parmi les hommes. Vous commandez le bien, vous interdisez le mal, vous croyez en Dieu* » (Sourate III, verset 10. Bel exemple d'intégrisme ?) Or, nous dit l'*Atlas des religions*, cette communauté unique connaît trois états distincts :

1. *La Maison de l'Islam (Dar al Islam)*. Dans ces régions, l'islam est majoritaire, détient le pouvoir politique et applique les règles et les lois du Coran. Exemple : l'Arabie Saoudite. Ici, aucune critique de l'enseignement de Mahomet n'est tolérée, aucune autre conception philosophique ou religieuse ne peut s'exprimer.

2. *La Maison de la Guerre (Dar al Harb)*. Il s'agit des pays dans lesquels l'islam s'estime assez fort pour partir à la conquê-

te du pouvoir. Exemples : le Soudan ou Mindanao aux Philippines. Dans ces pays, la guerre sainte est à l'ordre du jour, proclamée ou non.

3. *La Maison de la Trêve (Dar el Sulh)*. Dans une région de ce genre, les musulmans, trop faibles, composent avec les pouvoirs en place et observent leurs lois.

Normalement, les modérés se mettent en avant dans la Maison de la Trêve et les intégristes dirigent la Maison de la Guerre. Dans la Maison de l'Islam, les autorités religieuses deviennent gardiennes de l'unité de la communauté, paisibles et intransigeantes. Cette distinction des Trois Maisons peut nous faire comprendre que les intégristes laissent la parole aux modérés en situation de faiblesse ou en cas de défaite, tandis que l'Arabie Saoudite peut à la fois se démarquer officiellement du terrorisme et financer discrètement Ben Laden. De même, Yasser Arafat peut prétendre chercher la paix et faire distribuer aux écoliers des manuels de géographie qui nient l'existence de l'Etat d'Israël. Tous, modérés, intégristes, terroristes, se retrouvent au pèlerinage de La Mecque et restent fondamentalement d'accord. Et tout le monde est parfaitement sincère, au moins autant que nos diplomates.

Car, dans les pays musulmans, on ne peut parler séparément de religion, de culture et de politique. L'Islam est unitaire : un Dieu, un Prophète, un Livre, une Loi tout ensemble religieuse, politique et sociale. Cette unité est pourtant difficile à voir : elle est souple, informelle. Dépourvu de clergé et de dogmes, interdisant les images sacrées, l'islam ne donne pas d'image de lui-même.
Dans la crise actuelle, nous ne pourrons jamais savoir si nous sommes en face d'une minorité, s'il s'agit d'une guerre de religion ou d'une lutte entre pauvres et riches, entre

une tradition antique et absolue et un progrès qui doute de lui-même. Ce sera toujours un peu tout cela à la fois. Quand notre ministre des Affaires étrangères souhaite « *éviter un choc de civilisations* » (*Figaro* du 17/09), il n'exprime pas un souhait, il nie un fait.

Pourquoi cette négation si répandue chez nous, soutenue pêle-mêle par des religieux, des intellectuels, des hommes politiques ? C'est qu'il est bien possible qu'admettre l'autre tel qu'il est soit plus difficile qu'on ne le dit. Dans *L'Illusion économique*, Emmanuel Todd écrit : « *Nous devons admettre l'existence, au cœur de l'être humain, d'un programme de négation de la réalité capable de générer l'illusion nécessaire à la vie* » (p. 380). Et la confrontation avec l'Islam nous oblige à penser aux choix que nous faisons nous-mêmes, sans les formuler ni les exprimer. E. Todd souligne ici, après Freud, que l'inconscient ignore sa propre mort. L'ignorance volontaire est-elle un refuge dans l'inconscient que nous utilisons trop facilement pour notre confort et nos plaisirs ?
La force des croyants de l'Islam est de regarder la mort en face, comme jadis nos ancêtres chrétiens. « *La vie dans le monde d'ici-bas n'est qu'un jeu et un divertissement. Pour ceux qui sont pieux, elle est un bien en vue de la demeure des Fins Dernières. Ne comprenez-vous pas cela ?* » (Sourate VI, verset 32).

Telle est une des conclusions du Coran. Les terroristes nous en offrent des exemples qui nous révoltent. Mais sommes-nous capables d'y réfléchir sans crier au fanatisme ? Sinon, jamais nous ne comprendrons l'islam, et tous nos appels à la tolérance ne seront que des baratins, des boniments de voyageurs de commerce. Les peuples de l'Islam méritent mieux que cela.

Quant à nous, les « Occidentaux », notre inconscience de ce que nous sommes conditionne notre ignorance des autres communautés humaines et le tout risque de détruire totalement notre civilisation, malgré les apparences d'un triomphe mondial.

Arnaud de Foucauld
Théologien

La mosquée d'Omar à Jérusalem.

13

Février

Lu	Ma	Me	Je	Ve	Sa	Di
			1	2	3	4
5	6	7	8	9	10	11
12	13	14	15	16	17	18
19	20	21	22	23	24	25
26	27	28				

Bruxelles, jeudi 1er
Un incendie ravage 200 m² de toitures des écuries du palais royal de Laeken.

France, jeudi 1er
La FNSEA reste majoritaire dans les chambres d'agriculture après le scrutin d'hier (53,5 %). La Confédération paysanne de José Bové progresse. Elle passe à 26,39 % contre 20,07 % en 1995.

Belgique, jeudi 1er
Sur 21 500 tests de dépistage de l'ESB sur les bovins de plus de 30 mois, 3 sont positifs.

Paris, jeudi 1er
Un vigile est abattu lors de l'attaque d'une agence bancaire du CIC. Le butin s'élève à 90 000 francs.

France, jeudi 1er
Livres-Hebdo publie le palmarès des meilleures ventes en 2000. *Harry Potter* occupe les 1re et 3e places (tomes 1 et 4).

Saint-Denis, vendredi 2
Cinq enfants et une jeune femme décèdent dans l'incendie d'un immeuble insalubre.

Guinée, vendredi 2
Des combats entre l'armée et des troupes armées venues du Liberia font 130 morts.

République tchèque, dimanche 4
A Tabor, le Belge Erwin Vervecken devient champion du monde de cyclo-cross.

Donetz (Ukraine), dimanche 4
Le perchiste Sergueï Bubka, détenteur de 35 records du monde, participe à sa dernière compétition. Il est fait « héros d'Ukraine » par le président Leonid Koutchma.

Courchevel, dimanche 4
Bertelsmann prend le contrôle de RTL Group. Le 3e groupe mondial de communication en possède désormais 67 % après le rachat des 30 % détenus par le Belge Albert Frère qui entre lui-même à 25 % dans le capital du groupe allemand.

DECES

Paris, dimanche 4
Yannis Xenakis, compositeur français d'origine grecque (*29.5.1922).

Indianapolis, dimanche 4
Jay Jay Johnson, tromboniste de jazz (*22.1.1924).

 5 826,37   28,16 $

€ 0,9356 $

Les filles de l'Est irritent leurs rivales sur les trottoirs français

Lyon, jeudi 1er
Les prostituées ont remisé tailleurs ou pantalons, revêtu leurs tenues de travail et repris leur tapin quotidien. Hier, plusieurs d'entre elles avaient fait sensation en venant distribuer à Paris, devant le Palais-Bourbon, des tracts destinés à alerter les députés sur la concurrence que leur mènent les filles de l'Est. A Lyon comme à Paris ou sur la Côte d'Azur, qui est leur principal terrain de chasse, ces dernières représentent désormais au moins 20 % de l'offre. Aussi blondes et belles qu'elles sont jeunes – rares sont celles qui ont plus de 25 ans –, elles s'installent en France avec un faux statut de réfugié politique, puis s'égayent dans l'espace Schengen.

Leurs souteneurs les obligent souvent à accepter les rapports sans préservatif.

L'économie française punie par la Turquie

Ankara, jeudi 1er
L'autoroute devant desservir Izmit attendra un peu. Priorité est donnée aux sanctions contre la France, qui a osé adopter une loi reconnaissant le génocide des Arméniens. L'appel d'offres a été annulé, car Campenon Bernard et Bouygues semblaient les mieux placés pour l'emporter. Il y a deux jours, deux sociétés françaises avaient déjà été exclues d'un marché d'exportation de 315 000 tonnes de blé. Et les deux contrats d'armement signés avec Alcatel et Thalès ont été résiliés. Le ministre turc des Affaires étrangères assure que la France « ne s'en tirera pas comme ça ». (→ 12)

Papa, maman, leurs noms et moi

Paris, jeudi 1er
« Lorsque l'enfant paraît, le cercle de famille applaudit à grands cris », écrivait Victor Hugo. S'écharpera-t-elle demain, ladite famille, quand le nom de bébé sera l'objet de débats ? Le texte adopté par la commission des lois de l'Assemblée propose en effet que les parents puissent choisir le nom de famille de leur enfant. Ce ne sera plus forcément celui du père. Si la gauche se félicite d'une victoire pour les femmes, la droite craint que le libre choix du patronyme ou du matronyme ne soit source de conflit dans les couples.

Le greffé rejette sa main « d'adoption »

Clint Hallam avait été greffé à Lyon le 24 septembre 1998.

Londres, vendredi 2
Le traitement antirejet lui était trop pénible : Clint Hallam, qui se sentait « plus handicapé qu'avant », a été amputé de la main droite dans une clinique privée. Le docteur Nadey Hakim, qui a effectué l'opération, appartenait à l'équipe du professeur Jean-Michel Dubernard qui, au prix de 13 heures d'efforts, avait réalisé la greffe. L'opération était devenue inévitable depuis que Clint Hallam, Néo-Zélandais de 50 ans, avait cessé de prendre les immuno-dépresseurs, trop contraignants et trop coûteux (100 000 francs par an). « Il a eu le sentiment, confie le Dr Hakim, que je lui coupais la main d'un autre. » Le patient l'a vivement remercié.

Le 1er, les gendarmes de la Garde républicaine reçoivent les BMW R1100 de 1 085 cm³ dont seront bientôt équipés les escadrons départementaux.

Alfred Sirven arrêté aux Philippines

Les pirates écument toujours les mers

Manille, vendredi 2

Alfred Sirven buvait tranquillement un verre de vin quand les policiers sont arrivés. L'homme, qui se flatte de « pouvoir faire sauter vingt fois la République » par sa connaissance des réseaux de financement occulte, n'a pas opposé de résistance. Il s'est laissé conduire au siège du National Bureau of Investigation, exprimant pour seule requête que son ancienne gouvernante devenue sa compagne, Vilma Medina, ne soit pas inquiétée. Il devrait être non pas extradé vers la France, mais expulsé du pays, une habileté juridique qui permettra de gagner du temps et de l'amener à comparaître au procès Dumas. (→ 7)

L'ancien directeur des affaires générales d'Elf était en cavale depuis 1997.

Asie du Sud-Est, vendredi 2

Ce n'est pas l'homme qui prend la mer, ce sont les pirates qui prennent les hommes, et de plus en plus : l'an dernier, 469 actes de piraterie ont été recensés par le Bureau maritime international, contre 300 en 1999. 72 marins en sont morts. La plupart des assauts, souvent suivis de prise d'otages, ont été donnés en Asie du Sud-Est, en mer des Philippines ou en mer de Chine, mêlant exigences politiques islamiques et quête d'un butin, tel le groupe Abou Sayyaf qui réclamait la libération du principal accusé de l'attentat commis en 1993 au World Trade Center. (→ 2.8)

Marie-José de Savoie a régné sur l'Italie

Savoie, vendredi 2

Marie-José de Savoie repose auprès de son époux, Umberto II, dernier roi d'Italie, contraint à l'exil après 26 jours de règne en 1946. Elle est morte samedi à Genève (*4.8.1906). Ses obsèques ont eu lieu en l'abbaye de Hautecombe en présence de son neveu, le roi Albert II de Belgique, de la reine Paola, de sa nièce, la grande-duchesse de Luxembourg, et du roi d'Espagne. Fille d'Albert Ier, Marie-José reposait dans un cercueil recouvert des trois drapeaux, belge, italien et savoyard. Giuliano Amato, chef du gouvernement italien, a fait savoir que plus rien ne s'oppose au retour sur le territoire national des membres de la maison de Savoie.

En 1941, cinq ans avant d'être reine.

Le Club Méditerranée perd son patriarche

Paris, dimanche 4

Gilbert Trigano (*28.7.1920), mort dans la nuit des suites d'une longue maladie, n'avait pas fondé le Club Méditerranée. Ce n'est que trois ans après sa création que le fournisseur en toile de tente de la structure mise en place en 1950 par Gérard Blitz en était devenu associé. Mais c'est son nom qui restera attaché au Club Med, à ses G.M. et à ses G.O., à son tutoiement de rigueur, comme à sa caricature en forme de consécration que constitua le film *les Bronzés*. S'il avait senti les aspirations aux loisirs de l'ère des Trente Glorieuses et bâti sur elles son empire, il ne sut pas résister aux financiers qui, en 1993, l'évincèrent ainsi que son fils Serge.

Gilbert Trigano fut un visionnaire.

Le 4, à Bercy, l'équipe de France de handball obtient un deuxième titre de champion du monde en battant la Suède par 28 à 25. Daniel Costantini, l'élégant entraîneur des Bleus, se retire avec un palmarès exceptionnel.

Le 4, le bilan du séisme qui a frappé l'Inde avoisine 100 000 morts. Les corps commencent à être brûlés. Le nombre de victimes aurait pu être bien inférieur si les normes antisismiques avaient été respectées.

Février

Lu	Ma	Me	Je	Ve	Sa	Di
			1	2	3	4
5	6	7	8	9	10	11
12	13	14	15	16	17	18
19	20	21	22	23	24	25
26	27	28				

Washington, lundi 5
George Bush s'engage à baisser les impôts de 1 600 milliards de dollars sur dix ans. (→ 26.5)

Zurich, lundi 5
Démission de Paul Reutlinger, vice-président de SAirGroup, qui contrôle Swissair, Sabena, Air Liberté, AOM-Air Littoral. (→ 23)

Genève, lundi 5
La Suisse demande aux USA l'extradition de Pavel Borodine, ancien intendant du Kremlin, pour blanchiment d'argent.

Etats-Unis, mardi 6
Triple champion du monde des pilotes, l'Autrichien Niki Lauda revient à la F1 comme directeur général de l'écurie Jaguar.

Paris, mardi 6
Bernard Kouchner est nommé ministre délégué à la Santé.

France, mardi 6
Journée de grève dans les hôpitaux publics pour protester contre le manque de moyens.

Paris, mercredi 7
Sortie de *La Vérité si je mens ! 2*, de Thomas Gilou.

Paris, jeudi 8
Dans le livre *la Sale Guerre*, le lieutenant Habib Souaïdia affirme que la guerre civile en Algérie a fait 150 000 morts et 30 000 disparus depuis 1992.

France, vendredi 9
Le pays reste la 1re destination au monde avec 75 millions de touristes l'an dernier.

Saint-Anton, samedi 10
Les Autrichiens ont dominé, à domicile, les championnats du monde de ski alpin où ils ont obtenu 11 médailles, contre 3 à la Suisse et à la France.

Gand, dimanche 11
Victoire de la France face à la Belgique (5-0) en 1/8 de finale de la Coupe Davis.

DECES

Paris, lundi 5
Louise Moreau, député des Alpes-Martimes (*29.1.1921).

Paris, lundi 5
Jean Davy, comédien, créateur du rôle de Créon dans *Antigone* de Jean Anouilh (*15.10.1911).

Chandler (Arizona), samedi 10
Buddy Tate, saxophoniste de jazz (*22.2.1914).

 5 712,36   29,41 $

€   0,9244 $

Sharon est élu pour rétablir l'ordre

Jérusalem, mardi 6
A 72 ans, Ariel Sharon va devenir le 15e Premier ministre de l'histoire d'Israël. Il a été élu triomphalement par 62,6 % des voix, contre 37,4 % à Ehud Barak, qui a pâti de ses faux pas en politique intérieure, de son incapacité à concrétiser le processus de paix, et de l'abstention massive des Arabes israéliens qui, au dernier scrutin, l'avaient plébiscité à 95 %. Ils se sont cette fois abstenus à 84 %, et 20 % de ceux qui sont allés aux urnes ont voté blanc. Sur l'ensemble des électeurs, l'abstention s'élève à 38 %, un taux jamais atteint depuis la création d'Israël, ce qui relativise l'ampleur de la victoire de Sharon. Celui-ci a maintenant 45 jours pour constituer le gouvernement d'union nationale qu'il a promis. Il est obligé de s'y résoudre : son parti, le Likoud, ne dispose que de 19 députés sur les 120 sièges de la Knesset, moins que le Parti travailliste qui en détient 24. Ariel Sharon a déjà proposé à Ehud Barak d'entrer au gouvernement, et le nom de Shimon Peres, prix Nobel de la paix, est cité pour le ministère des Affaires étrangères. Tenu pour un faucon par comparaison avec les colombes pacifistes, Sharon, dont la visite sur l'esplanade des Mosquées, en septembre 2000, avait enclenché la deuxième Intifada, s'est fait élire en affirmant pouvoir obtenir la paix tout en préservant les intérêts vitaux de l'Etat hébreu. « Avec lui, dit l'un de ses électeurs, on pourra prendre le bus tranquillement. » (→ 7.3)

Ariel Sharon, qui a passé sa vie à faire la guerre, a été élu pour faire la paix.

Le 5, les acteurs Nicole Kidman et Tom Cruise, mariés depuis dix ans, annoncent leur séparation. Ils ont deux enfants de 6 et 8 ans.

Le 6, à Paris, les fragments du « Millenium Ancestor », un être d'environ 1,40 m et se tenant debout, sont présentés au Collège de France. Découverts en octobre 2000 au Kenya, ils dateraient de 6 millions d'années.

La France retrouve un Sirven muet

Paris, mercredi 7

Alfred Sirven n'a rien de plus à dire que de décliner son identité et de réclamer le report de l'audience afin de lui laisser le temps de préparer sa défense. Accordé. Il aura un mois. Mais il a bien failli ne pas revenir. Expulsé des Philippines sur un vol de la Lufthansa, il a été arrêté à son arrivée à Francfort en raison de son implication dans l'achat par Elf de la raffinerie Leuna, opération qui a entraîné le versement de pots-de-vin. La France a dû batailler jusqu'à hier soir pour obtenir son extradition. La presse se délecte maintenant de son carnet d'adresses qui contient 200 noms du Gotha politique. (→ 30.5)

Un sous-marin américain coule un chalutier japonais par erreur

L'équipage rentre à Pearl Harbor. Une commission d'enquête a été désignée.

Japon, dimanche 11

Il n'y a plus d'espoir de retrouver les neuf disparus du *Ehime-Maru*, le bateau de pêche-école japonais qui a coulé vendredi au large de Hawaii, percuté par un sous-marin nucléaire américain, le *Greeneville*. Les vingt-six autres passagers ont été sauvés. La cause de la tragédie est inconnue. Selon l'état-major de la flotte US du Pacifique, basée à Pearl Harbor, le submersible effectuait « un exercice de remontée d'urgence en surface » et, pour des raisons indéterminées, n'aurait pas détecté la présence sur zone du bateau. Le commandant du *Greeneville* a déjà été relevé de ses fonctions et l'ambassadeur des Etats-Unis a présenté les excuses de son pays au Premier ministre. (→ 13)

Aristide revient au pouvoir à Haïti

Port-au-Prince, mercredi 7

Jean-Bertrand Aristide a été investi officiellement à la présidence de la République haïtienne. Mais le score de sa victoire acquise en novembre, 91,69 % des voix, fait douter de la régularité du scrutin. L'opposition a déjà annoncé qu'elle lui dénie toute légitimité et a désigné un avocat de 74 ans, Me Gérard Gourgue, pour « président provisoire ». Elle exige la tenue de nouvelles élections. Les Etats-Unis envisagent de geler leur aide économique, une mesure déjà prise par l'Union européenne.

Divisions autour du bouclier antimissile

Washington, mercredi 7

Donald Rumsfeld, secrétaire d'Etat à la Défense, a rejoint les Etats-Unis sans avoir convaincu les Européens du bien-fondé du projet de bouclier antimissile. Le NMD, ou National Missile Defense, vise à faire du sol américain un sanctuaire inviolable face à ce que l'administration Bush tient pour la seule véritable menace : des tirs de missiles contre les Etats-Unis par des « pays voyous » telle la Corée du Nord. Outre la remise en cause du concept de dissuasion et de traités internationaux, le projet est critiqué par ceux qui, aux Etat-Unis, refusent l'isolationnisme. (→ 11.9)

Ellen MacArthur, héroïne du Vendée Globe

Les Sables-d'Olonne, dimanche 11

On en oublierait presque que c'est le Finistérien Michel Desjoyeaux qui a remporté hier sur *PRB*, après 93 jours de mer, le 4e Vendée Globe Challenge, améliorant de 12 jours le record de l'épreuve, tant l'Anglaise Ellen MacArthur a ébloui ses pairs.

Ce soir, son monocoque *Kingfisher* a franchi la ligne d'arrivée sous les ovations de la foule. A 24 ans, celle qui vient d'achever son premier tour du monde en solitaire demeure pour Desjoyeaux « un mystère », tant elle l'a contraint à repousser ses propres limites pour pouvoir l'emporter.

Cette jeune Britannique a stupéfié le monde entier par sa rage de vaincre.

Bagarres entre réfugiés à Sangatte

Pas-de-Calais, dimanche 11

Géré par la Croix-Rouge, le centre d'accueil de Sangatte abrite plus de 800 clandestins qui ont pour point commun d'avoir tenté de se rendre illégalement en Angleterre et d'avoir été arrêtés par la police dans la zone portuaire de Calais ou à l'entrée du tunnel sous la Manche. A 17 heures, une dizaine d'Afghans ont attaqué un groupe de Kurdes. Une dizaine de personnes ont été blessées, dont deux à l'arme blanche. Motif de la rixe : la lassitude des Afghans d'être racketté par les Kurdes.

Tim McVeigh veut sa mort en direct

Etats-Unis, dimanche 11

Condamné à mort pour l'attentat le plus meurtrier de toute l'histoire des Etats-Unis, celui commis le 21 avril 1995 contre un immeuble fédéral à Oklahoma City, Timothy McVeigh veut que son exécution soit télévisée. Dans une lettre publiée par le *Daily Oklahoma*, il explique que c'est le seul moyen pour que les familles des 168 victimes aient un « accès égal » à cet événement : son exécution par injection létale qui doit avoir lieu à la prison de Terre-Haute (Indiana). A 32 ans, il se dit convaincu du bien-fondé de la sentence et a renoncé à toute procédure d'appel. (→ 11.6)

Février

Lu	Ma	Me	Je	Ve	Sa	Di
			1	2	3	4
5	6	7	8	9	10	11
12	13	14	15	16	17	18
19	20	21	22	23	24	25
26	27	28				

Bruxelles, lundi 12
L'Union européenne demande à l'Irlande de revoir son budget 2001. Il est porteur de risques inflationnistes incompatibles avec les critères de convergence du traité de Maastricht.

Paris, lundi 12
Début de la visite d'État du président arménien, Robert Kotcharian.

Ankara, lundi 12
Bülent Ecevit, Premier ministre turc, abandonne sa Renault pour une Hyundai, signe de sa colère contre la France.

Espace, lundi 12
Après 3,2 milliards de km, la sonde Near-Shoemaker, lancée le 17 février 1996, se pose sur l'astéroïde Eros distant de 300 millions de km de la Terre.

Paris, mardi 13
Jacques Chirac refuse d'inscrire le projet de loi sur la Corse à l'ordre du jour du prochain Conseil des ministres. (→ 21)

France, mardi 13
Sortie du nouvel album de MC Solaar, *Cinquième As*.

Salvador, mardi 13
Un deuxième séisme en un mois fait au moins 274 morts.

Washington, mardi 13
Le Pentagone révèle que le sous-marin nucléaire ayant coulé le bateau japonais était piloté par des civils lors de la collision.

France, jeudi 15
L'excédent commercial du pays a été divisé par huit en un an : 13,1 milliards de francs en 2000 contre 108 milliards en 1999.

Francfort, jeudi 15
Hans-Joachim Klein écope de neuf ans de prison pour avoir participé à l'attaque du sommet de l'Opep à Vienne en 1975.

Le Touquet, dimanche 18
Deuxième victoire d'affilée à l'Enduro du Français Thierry Béthys sur Honda CR 250 cm³.

Berlin, dimanche 18
L'Ours d'or du 51ᵉ Festival du film est attribué à *Intimité* du Français Patrice Chéreau.

DÉCÈS

Bordeaux, jeudi 15
Jean-François Lemoine, P-dg du groupe *Sud-Ouest* (*13.6.1943).

 5 595,13   27,08 $

€ 0,9156 $

La haine continue de tuer en Israël

Tel-Aviv, mercredi 14
Après l'assassinat, hier à Gaza, par l'armée israélienne d'un lieutenant de Yasser Arafat, la riposte ne s'est pas fait attendre. Khalil Ala Abou Alba, un Palestinien de 35 ans, père de 5 enfants, a lancé l'autobus qu'il conduisait dans une foule attendant son passage. Huit Israéliens ont été tués, dont sept jeunes militaires. Il n'appartient à aucune organisation. Il était simplement à bout de nerfs, et de haine, après quatre mois sans avoir pu travailler, conséquence du bouclage des territoires occupés par l'État hébreu. La mesure avait privé d'emploi 120 000 Palestiniens.

L'Irak sous les raids américains

Bagdad, vendredi 16
Pour la première fois depuis le mois de décembre 1998, les faubourgs de la capitale irakienne ont été la cible de raids anglo-américains visant des bases de missiles sol-air. Une simple « mission de routine », ainsi que l'a dit George Bush, ou le signe d'une volonté de durcissement ? Ces deux dernières années, le centre du pays, situé entre les 33ᵉ et 36ᵉ parallèles, avait été épargné. Mais les attaques aériennes n'ont jamais cessé dans les autres zones, afin d'empêcher tout réarmement, causant la mort, selon Bagdad, de 315 civils. (→ 26.11)

Conflits d'intérêts autour du génome

Monde, jeudi 16
Le décryptage du génome humain, c'est-à-dire du patrimoine génétique de l'homme, est l'objet d'une course de vitesse à la hauteur des retombées économiques qui sont espérées. La société américaine Celera Genomics a choisi *Science* pour révéler, hier, y être parvenue, mais sans livrer le détail du séquençage qu'elle entend monnayer. Or, aujourd'hui, *Nature* publie les résultats obtenus par une équipe internationale travaillant sur fonds publics. 30 000 gènes ont été identifiés, mais les travaux ne seront achevés qu'en 2003. Le temps, peut-être, d'obtenir un terrain d'entente.

908 Kurdes s'invitent à Saint-Raphaël

Ils sont hébergés au camp militaire de Fréjus transformé en zone d'attente.

Fréjus, dimanche 18
Même si les autorités françaises ne leur ont pas donné l'assurance qu'ils pourraient obtenir l'asile, au moins les 908 Kurdes sont-ils aujourd'hui hébergés, nourris, soignés et habillés de propre. Il était 3 h 30, dans la nuit de vendredi à samedi, quand l'*East Sea*, battant pavillon cambodgien, s'est volontairement échoué sur la côte varoise, près de Saint-Raphaël. Ces boat-people d'un nouveau genre disent venir du Kurdistan irakien et avoir embarqué dans un port turc. Le capitaine du navire ne dira pas le contraire : il a pris la fuite et nul n'a vu son visage. Durant les huit jours de mer, il était cagoulé. (→ 20)

Balthus, dernier peintre classique français

La Rossinière, vendredi 16
Né Balthasar Klossowski de Rola le 29 février 1908 à Paris, Balthus est décédé en Suisse où il s'était retiré, laissant une œuvre qui frappe par son classicisme et par son étrangeté. Influencé par les maîtres français et italiens du XVIIᵉ siècle, il a peint des scènes habitées par des personnages énigmatiques et solitaires, avec une dilection pour les figures enfantines, mais aussi de superbes paysages. Il avait dirigé la Villa Médicis à Rome de 1961 à 1977 et était le frère de l'écrivain Pierre Klossowski. Il avait eu Artaud et Giacometti pour amis.

Le 17, Henri Salvador, 83 ans, est sacré meilleur interprète masculin aux Victoires de la musique. Hélène Ségara, meilleure interprète féminine, et la Québécoise Isabelle Boulay, découverte de l'année, assurent la relève.

Février

Lu	Ma	Me	Je	Ve	Sa	Di
			1	2	3	4
5	6	7	8	9	10	11
12	13	14	15	16	17	18
19	20	21	22	23	24	25
26	27	28				

Saint-Raphaël, mardi 20
900 des 908 clandestins kurdes obtiennent un sauf-conduit qui les autorise à quitter la zone d'attente et à demander l'asile en France. (→ 22.4)

Etats-Unis, mardi 20
Le FBI confirme l'arrestation de son agent, Robert Philip Hansen, pour espionnage au profit de Moscou depuis 1985.

Paris, mercredi 21
Le Conseil des ministres débat du projet de loi sur la Corse que Jacques Chirac avait repoussé la semaine dernière. (→ 17.5)

Paris, jeudi 22
Publication par une équipe de l'Institut Pasteur du séquençage complet du bacille de la lèpre.

Bruxelles, vendredi 23
L'Etat belge et la SAirGroup acceptent la recapitalisation de la Sabena. Environ 2,5 millions d'euros seront injectés si la Commission européenne donne son aval. (→ 17.7)

Bruxelles, dimanche 25
Le Finlandais Mikko Franck, 22 ans, succède à Yuri Simonov à la tête de l'Orchestre national de Belgique.

Moldavie, dimanche 25
Les communistes obtiennent la majorité absolue aux élections législatives (50,7 % des voix et 71 des 101 députés).

Mozambique, dimanche 25
80 000 personnes menacées par les inondations sont évacuées dans l'ouest du pays.

Allemagne, lundi 26
Daimler-Chrysler annonce la suppression de 26 000 emplois aux Etats-Unis et de 9 700 au Japon chez Mitsubishi.

Nice, lundi 26
Signature du traité de Nice conclu entre les membres de l'UE le 11 décembre 2000.

France, mercredi 28
Sortie du film *Hannibal*, de Ridley Scott, suite du *Silence des agneaux*.

DECES

Los Angeles, lundi 19
Stanley Kramer, réalisateur et producteur (*29.9.1913).

Paris, vendredi 23
Robert Enrico, cinéaste, auteur du *Vieux Fusil* (*13.4.1931).

 5 322,84   26,47 $

€ 0,9187 $

Le « fou chantant » régale les anges

Créteil, lundi 19
Charles Trenet aura presque jusqu'à son dernier souffle dominé la scène de la variété française : les 4, 5 et 6 novembre 1999, il avait triomphé une dernière fois à Pleyel. Parolier plein de fantaisie et de poésie, mais aussi compositeur aux mélodies tour à tour mélancoliques et burlesques, cet auteur complet avait vu le jour le 18 mai 1913 à Narbonne. Toute sa vie, il gardera la nostalgie de cette France méridionale qu'il a célébrée dans *A la porte du garage* (1955) ou dans *la Mer* (1945), son titre le plus célèbre. Dès 1937, il était devenu une star avec *Boum !*, le titre qui lui valut le surnom de « fou chantant ».

Longtemps après que Trenet aura disparu, ses 900 chansons seront fredonnées.

Les analyses ADN plaident pour Omar

France, mardi 20
Ce ne serait pas Ghislaine Marchal qui aurait inscrit « Omar m'a tuer » de ses doigts ensanglantés le jour de son assassinat en juin 1991. Elle ne l'aurait du moins pas écrit seule, car l'ADN d'un homme a été identifié dans ces lettres de sang. Il n'est bien sûr pas celui d'Omar Raddad, dont les avocats demandent maintenant que s'engage le processus menant à la révision du procès déjà réclamé par Me Vergès depuis un an. Gracié par Jacques Chirac, Omar Raddad, libéré en 1998, a toujours nié avoir tué son employeur.

Bouvard rappelé pour sauver RTL

Paris, lundi 26
A 16 h 30, Philippe Bouvard a repris l'antenne de RTL dont il avait été chassé en juin dernier après 24 ans aux commandes des *Grosses Têtes*. La station avait engagé une cure de rajeunissement exigée par la régie publicitaire et qui, loin de lui avoir profité, s'est vite muée en « accident industriel » : chute de l'audience et donc de la publicité. Après l'éviction de Stéphane Duhamel, Jean-Charles de Kayser a rappelé Bouvard qui a rameuté ses vieux complices (Coffe, Bellemare), plus des nouveaux dont Jean-Marie Bigard. Mme Lapaire, de Loches, est loin d'être morte.

Le procès du Sentier peut enfin débuter

Paris, mardi 20
Depuis mai 1999, une question de procédure ne concernant qu'un seul des 124 prévenus retardait la tenue du procès dit du Sentier. Pour faire face à un tel nombre d'accusés, la salle des pas perdus a été aménagée en salle d'audience, au prix de plus de 3 millions de francs de travaux. En 40 000 pages, le dossier détaille l'arnaque qui a coûté 540 millions de francs aux banques. Elles avaient escompté des traites fictives et des fausses factures. Plusieurs prévenus, dont le cerveau présumé, sont en fuite en Israël.

Cohn-Bendit rattrapé par sa folle jeunesse

Paris, jeudi 22
Dans les années 1970, Daniel Cohn-Bendit, figure emblématique de Mai 68, était éducateur pour enfants. En 1975, il publiait *le Grand Bazar* dont *l'Express* exhume ceci : « Il m'était arrivé plusieurs fois que [des] gosses ouvrent ma braguette et commencent à me chatouiller. [...] Leur désir me posait un problème. [...] Mais s'ils insistaient, je les caressais [...]. » Dany-le-Rouge aurait-il été Dany-le-rose ? Si Cohn-Bendit admet que ces lignes sont « aujourd'hui inaudibles, mal écrites », il jure n'avoir jamais commis aucun acte pédophile.

Le 24, Agnès Jaoui et Roland Bacri triomphent aux Césars avec le Goût des autres *qui obtient quatre trophées : meilleur film, meilleur scénario et meilleurs acteurs de second rôle.* Harry, un ami qui vous veut du bien, *autre succès public, vaut à Dominik Moll d'être sacré meilleur réalisateur.* In the Mood for Love *de Wong Kar-Wai est déclaré meilleur film étranger.*

Adieu veaux, vaches, cochons...

Décembre 2001 : la Grande-Bretagne retrouve officiellement son statut de zone exempte de fièvre aphteuse. En neuf mois d'épizootie, 2 000 foyers d'infection ont été recensés, plus de quatre millions d'animaux ont été abattus. Des milliards de livres perdus. Et, une nouvelle fois, l'Europe a éprouvé la fragilité de la filière alimentaire.

Avec la vache folle et le « poulet à la dioxine », l'épidémie de fièvre aphteuse est la troisième crise profonde que le continent ait eu à affronter au cours de ces deux dernières décennies. A priori, les épisodes ont peu de choses en commun. L'origine de la contagion, son impact pour la santé humaine, l'état des connaissances scientifiques diffèrent selon que l'on envisage l'encéphalopathie spongiforme bovine (ESB) causée par un prion et la crise de la dioxine provoquée par le déversement — accidentel ou criminel, on l'ignore encore... — de plusieurs litres de PCB dans un lot de graisses végétales et animales en Belgique. Cette dernière crise est en principe terminée; on ignore encore si elle aura un impact sur la santé humaine. Celle de la fièvre aphteuse s'estompe ; la maladie ne se transmet pas à l'être humain, et les seuls animaux qui en sont morts l'auront vraisemblablement été de la main de l'homme. En revanche, les Européens doivent s'attendre à vivre avec le spectre de la vache folle et de son corollaire, l'incurable et mortelle maladie de Creutzfeldt-Jakob, pour quelques années encore.

L'alimentation animale mise en cause

Mais, à mieux considérer ces épisodes dramatiques, des constantes apparaissent. La première est liée au point de départ de la contagion. Dans les trois cas, il s'agit des aliments pour animaux. Un défaut de production de farines carnées a permis l'expansion de l'ESB. La fabrication de compléments alimentaires avec des graisses contaminées aux PCB a causé l'empoisonnement des poulets belges. L'utilisation de déchets d'un restaurant pour nourrir des porcs en Grande-Bretagne a provoqué la flambée de fièvre aphteuse. A chaque fois, les consommateurs européens ont découvert avec ébahissement des pratiques qu'ils étaient loin de soupçonner. Leur viande provient d'animaux nourris avec des déchets. Et quels déchets ! Des cadavres, de la graisse à frites usagée, des reliefs avariés...

Deuxième constat : les fraudes dans la filière alimentaire étaient fréquentes et les contrôles nettement insuffisants. Les causes des trois épidémies sont à chercher dans la perversion des pratiques de nourrissage. Ces fraudes, motivées par la recherche du profit, n'ont pu être détectées par les contrôles de routine. Et, lorsqu'elles l'ont été, la réaction des autorités a été, au mieux, d'attendre que les choses se règlent par elles-mêmes, au pire de tenter d'étouffer l'affaire.

La faiblesse des contrôles est apparue dans l'ensemble du secteur agricole. L'exportation des farines carnées s'est poursuivie même

après leur interdiction par le gouvernement britannique. Des cargaisons de ces farines — pourtant interdites pour les bovins (en 90), puis pour tous les ruminants (en 93) — ont accédé au territoire français jusqu'en 1996, voire après. En outre, si la fièvre aphteuse a pu se répandre aussi facilement en Grande-Bretagne, en France et aux Pays-Bas, ce n'est pas seulement à cause de l'extrême volatilité du virus. Mais aussi en raison de l'absence quasi totale de contrôles sur les mouvements des ovins au sein de l'Union européenne. Plusieurs Etats ainsi que la Commission européenne en ont tiré les leçons en renforçant les mesures de contrôle et de traçabilité des animaux, de leur nourriture et de leur viande. Certains ont créé des organes spécialisés dans le contrôle de la chaîne alimentaire. En Allemagne, au Royaume-Uni, en Belgique, de profondes réformes eurent lieu, visant à éviter que le contrôle sur les produits agricoles et alimentaires échappe désormais aux autorités ayant la responsabilité des producteurs.

L'économie triomphante

Mais le plus significatif est sans doute que dans la gestion de ces crises sanitaires l'argument économique a pesé autant, et parfois plus, que la préoccupation pour la santé humaine. On ne reviendra pas sur la crise de la vache folle au début de laquelle, malgré les avertissements, plusieurs gouvernements et les instances européennes ont préféré « éviter

L'expansion de la fièvre aphteuse au Royaume-Uni fut fulgurante. En cause : l'absence quasi totale de contrôle sur les mouvements d'ovins en Europe.

L'abattage et l'incinération — parfois en plein air — de quatre millions de bêtes ont permis de combattre l'épizootie de fièvre aphteuse, mais aussi d'éviter un effondrement des cours de la viande.

d'affoler les consommateurs » et, surtout, de précipiter le secteur de l'élevage dans le marasme, en évitant des mesures radicales. En Belgique, il a fallu qu'une chaîne de télévision soit sur le point de révéler la contamination des volailles par la dioxine pour que les autorités se décident à informer le public. Mais, si les considérations économiques ont fortement pesé au début des épidémies, elles ont influencé et influencent encore la manière dont on tente de les juguler. Hormis peut-être l'épisode de la dioxine en Belgique, il est maintenant avéré que les mesures radicales d'abattage décidées dans le cas de la vache folle et de la fièvre aphteuse sont autant sinon plus motivées par la volonté de « saigner » un marché en pleine surproduction que par le souci de protéger les consommateurs. En retirant du marché des millions de bovins et de porcins, les autorités ont voulu protéger les producteurs — indemnisés au passage — contre une chute brutale des cours, alors que beaucoup de marchés à l'exportation s'étaient fermés aux produits européens. La vaccination généralisée contre la fièvre aphteuse aurait pu éviter les massacres et les bûchers, mais ici aussi le calcul économique — ne pas se couper durablement des marchés à l'exportation

— a orienté le choix politique. Restent deux constats : les trois crises ont ouvert les yeux des consommateurs. Mais loin de paniquer, comme on a pu le dire, le public sort de l'aventure avec la volonté d'être mieux informé sur ce qu'il mange et de ne plus croire aveuglément les entreprises et les autorités. Quant au secteur agricole, il est profondément meurtri et l'on n'a sans doute pas mesuré l'ampleur de la mutation qu'il est actuellement en train de subir.

Michel De Muelenaere
Journaliste au quotidien *le Soir*
(Bruxelles)

La vaccination aurait évité les bûchers. Mais les arguments économiques en ont décidé autrement.

Mars

Lu	Ma	Me	Je	Ve	Sa	Di
				1	2	3	4
5	6	7	8	9	10	11
12	13	14	15	16	17	18
19	20	21	22	23	24	25
26	27	28	29	30	31	

Brésil, jeudi 1ᵉʳ
La fièvre jaune a fait 11 morts en deux semaines dans l'Etat de Minas Gerais.

Danemark, jeudi 1ᵉʳ
Lego annonce avoir perdu 134 millions d'euros en 2000.

Paris, jeudi 1ᵉʳ
L'association française des malades de la thyroïde porte plainte contre X au nom de 51 personnes qui pensent avoir été contaminées en 1986 par le nuage de Tchernobyl.

Melbourne, vendredi 2
Michael Schumacher sort indemne d'un spectaculaire accident aux essais du Grand Prix d'Australie de F1. (→ 4)

Belgique, vendredi 2
Les licences de téléphonie mobile UMTS sont octroyées à Mobistar, Orange et Proximus.

Belgique, samedi 3
Arrêt de l'exportation de tout ovin, bovin ou porcin vivant après la suspicion d'un cas de fièvre aphteuse. (→ 5)

France, samedi 3
Jean Pitallier succède à Daniel Baal à la tête de la Fédération française de cyclisme.

Las Vegas, samedi 3
L'Américain Evander Holyfield perd son titre de champion du monde WBA des lourds, battu aux points par son compatriote d'origine portoricaine, John Ruiz, de neuf ans son cadet.

Zimbabwe, dimanche 4
Gloria Olds, mère de Martin Olds, fermier blanc assassiné l'an dernier, est abattue dans la ferme de son fils. (→ 15.8)

Melbourne, dimanche 4
Michael Schumacher remporte le Grand Prix de F1 d'Australie, endeuillé par la mort d'un commissaire de piste à la suite d'un accident. (→ 18)

Londres, dimanche 4
Tentative d'attentat à la voiture piégée devant la BBC.

DECES

Paris, vendredi 2
François Abadie, homme politique, maire de Lourdes de 1971 à 1989 (*19.6.1930).

Clamart, dimanche 4
Jean Bazaine, peintre (*21.12.1904).

5 291,92   26,10 $

€ 0,9353 $

La fièvre aphteuse menace l'Europe

Londres, jeudi 1ᵉʳ
Depuis son apparition le 19 février, la fièvre aphteuse se propage à une telle rapidité que le Premier ministre Tony Blair a qualifié aujourd'hui la situation de « catastrophique ». Bien que tout déplacement animal ait été interdit depuis le 23 février, tout le Royaume-Uni est désormais touché. La France a décidé hier l'abattage de 30 000 moutons ayant pu être en contact avec des bêtes britanniques importées. L'Allemagne adopte une semblable attitude préventive. Outre la désinfection des véhicules venant des îles Britanniques, il est devenu interdit d'en rapporter toute viande ou tout produit laitier qui pourraient étendre l'épizootie. (→ 3)

Les mesures de précaution deviennent une réalité quotidienne aux frontières.

L'enquête bâclée des disparues de l'Yonne

Paris, jeudi 1ᵉʳ
L'affaire des disparues de l'Yonne, ces sept jeunes filles enlevées entre 1977 et 1979 par Emile Louis, aurait pu être élucidée plus tôt. Bien plus tôt. Mais la justice a fait preuve de « négligences », ainsi que l'établit un rapport de l'Inspection des services judiciaires présenté par le garde des Sceaux. « L'Etat est responsable », a admis Marylise Lebranchu. Il n'a pas exploité les éléments accablants rassemblés dès 1979 et a classé sans suite une procédure dont des procès-verbaux ont été égarés. Le Conseil supérieur de la magistrature va être saisi de cette pénible affaire.

Nouveaux espoirs pour les cancéreux

Düsseldorf, jeudi 1ᵉʳ
Des scientifiques de l'université de Düsseldorf, en Allemagne, relatent dans *Nature* ce qu'ils ont découvert. Partant du postulat que les cellules du cancer ne migraient pas dans le corps au hasard, mais en vertu d'une « piste préétablie par les organismes à coloniser », ils ont pu identifier les molécules qui les attirent, puis sont parvenus à bloquer, sur des souris, l'émission des messages chimiques. Leurs recherches ne touchent pour l'instant que le cancer du sein. Mais la biologie moléculaire progresse.

Réclusion à perpétuité pour Aloïs Brunner

Sa trace se perd à Damas en 1995.

Paris, vendredi 2
Du 18 juin 1943 au 17 août 1944, Aloïs Brunner commandait le camp de Drancy. Durant l'été 1944, il a fait déporter 352 enfants juifs, dont 284 ne sont pas revenus. Un crime contre l'humanité, imprescriptible par définition, pour lequel Mᵉ Serge Klarsfeld avait déposé une plainte en 1987. Cinquante-deux tomes de procédure judiciaire plus tard, il est condamné à la réclusion criminelle à perpétuité, un jugement prononcé par contumace. Malgré les efforts des parties civiles pour le retrouver, Brunner est demeuré insaisissable. Est-il même en vie ? L'avocat général le croit. A 89 ans, il vivrait toujours caché quelque part en Syrie.

Le 1ᵉʳ, réouverture de l'A8, fermée entre Aix-en-Provence et l'Italie après une tempête de neige. 44 500 foyers sont toujours privés d'électricité.

Une campagne au couteau pour le contrôle de la Mairie de Paris

La Suisse dit un non massif à l'Europe

Paris, samedi 3

Il est grand temps que la campagne électorale s'achève, du moins pour Philippe Séguin, qui n'en peut plus. « J'ai fait beaucoup de campagnes en vingt ans, elles n'ont pas toutes été faciles », a-t-il expliqué en une de ces colères dont on le dit coutumier. « Mais, a-t-il poursuivi, je vais vous faire une confidence : jamais il n'y a eu un tel bourrage de crâne et une telle indécence. » Et de dénoncer un « climat où le lynchage médiatique, le matraquage deviennent la règle ». C'était hier soir durant un meeting, et la lecture de la presse ce matin n'a pas dû le réconforter. Selon les derniers sondages que les journaux sont autorisés à publier avant le premier tour des municipales, la tête

Les candidats à la mairie de Paris, de g. à dr. et de haut en bas : Françoise de Panafieu, Philippe Séguin, Bertrand Delanoë et Jean Tiberi.

de liste d'union de la droite n'a à peu près aucune chance de succéder à Jean Tiberi comme maire de Paris. Les Parisiens seraient 60 % à estimer que Bertrand Delanoë, le candidat socialiste, ferait un bon maire, ce qui n'implique bien sûr pas qu'ils vont tous voter pour lui. Mais la gauche ne fait plus peur aux Parisiens, tant la divulgation de scandales mettant en cause l'équipe sortante de Jean Tiberi, et son prédécesseur Jacques Chirac, maire de la capitale de 1977 à 1995, ne les incite pas à reconduire une droite déchirée entre tiberistes et séguinistes, Edouard Balladur et Françoise de Panafieu n'ayant pas renoncé, au cas où la capitale serait sauvée, à se poser en recours lors de l'élection du maire. (→ 11)

Genève, dimanche 4

Les Suisses ne sont pas pressés de rejoindre l'Union européenne. Le résultat de la « votation », qui a fait venir aux urnes plus d'un Suisse sur deux, est sans appel : ils sont 76,7 % à refuser que leur pays engage « sans délai » des négociations d'adhésion avec la Commission de Bruxelles. Même les régions francophones, qui sont d'ordinaire europhiles, ont voté contre un projet rejeté par la totalité des cantons. Il n'y a donc eu qu'un peu plus d'un Suisse sur cinq pour envisager que la TVA soit relevée de 7,6 à 15 %, que le budget fédéral soit amputé de 4,7 milliards d'euros par an, et que l'euro remplace le franc.

Guerre sans merci entre les Dayaks et les Madurais à Bornéo

Les Dayaks décapitent leurs ennemis à la machette et brûlent leurs villages.

Kalimantan, dimanche 4

Déjà 469 morts. Ou peut-être 3 000. On ne sait pas. Voilà deux semaines que les habitants de Kalimantan, le nom indonésien de Bornéo, ont sorti les poignards. Les Dayaks, l'ethnie autochtone qui représente 40 % des 3,5 millions d'habitants, mènent une lutte à mort contre les Madurais, au nombre de 100 000 et originaires de Java. Le remplacement, en janvier, de deux fonctionnaires dayaks par des Madurais a déclenché la haine. En 1997 et 1998 déjà, des milliers de victimes avaient été dénombrées, puis le calme était revenu. Cette fois, les Madurais fuient. 70 000 ont été parqués, en attendant d'embarquer vers l'île de leurs ancêtres.

Le 2, la nièce du Président Bush, Lauren, présente une collection de mode dans une vitrine de Londres.

Le 3, à Marseille, le Néo-Zélandais Grant Dalton remporte The Race. A bord du catamaran *Club Med*, conçu par Gilles Ollier, le skipper et ses treize équipiers ont bouclé ce tour du monde sans escale en 62 jours. (→ 6)

Le 4, au Portugal, un pont enjambant le fleuve Douros à Castelo de Paiva s'effondre au passage d'un car. Bilan : 75 morts. Le ministre des Travaux publics, qui connaissait la vétusté de l'ouvrage, a aussitôt démissionné.

Mars

Europe, lundi 5
En raison de la fièvre aphteuse, les musulmans sont autorisés à célébrer l'Aïd (fête du mouton) sans mouton par le grand mufti d'Arabie Saoudite. (→ 6)

Etats-Unis, lundi 5
Le vice-président Dick Cheney, 60 ans, est opéré à la suite d'une attaque cardiaque. (→ 30.6)

Fanglin (Chine), mardi 6
Plus de 40 enfants de moins de 10 ans meurent dans l'explosion de leur école. Ils étaient forcés d'y fabriquer des pétards.

Marseille, mardi 6
Loïck Peyron, sur *Innovation Explorer*, finit 2e de The Race.

Paris, mardi 6
Fermeture du zoo de Vincennes pour prévenir la propagation de la fièvre aphteuse. (→ 8)

San Francisco, mardi 6
Le site de musique en ligne Napster est condamné par la justice fédérale à empêcher le téléchargement des œuvres protégées par le droit d'auteur.

Paris, jeudi 8
Ancien conseiller de François Mitterrand, Jacques Attali est mis en examen dans l'affaire du trafic d'armes vers l'Angola pour recel d'abus de biens sociaux et trafic d'influence.

Etats-Unis, jeudi 8
Le champion du monde 1999 de lancer du poids, CJ Hunter, met un terme à sa carrière. Il ne conteste plus s'être dopé à la nandrolone.

Londres, vendredi 9
Peter Mandelson est blanchi de toute accusation.

Aare (Suède), samedi 10
Le skieur autrichien Hermann Maier remporte sa 13e course de la saison. Il égale le record établi en 1979 par le Suédois Ingemar Stenmark.

Espace, dimanche 11
Le premier équipage de l'ISS, Station spatiale internationale, est relevé après 130 jours en orbite. Les Américains Susan Helms et James Voss, et le Russe Iouri Oussatchev, ont été acheminés par Discovery.

Rome, dimanche 11
Jean-Paul II béatifie 233 martyrs de la guerre civile espagnole, assassinés par les républicains.

 5 368,89   26,59 $

€ 0,9328 $

Sharon a réussi à former un gouvernement d'union nationale

Jérusalem, mercredi 7
Par 72 voix contre 21, la Knesset a voté la confiance au gouvernement constitué par Ariel Sharon, le plus nombreux (25 ministres) que le pays ait connu, et le plus hétéroclite. Huit formations y sont représentées, du Parti travailliste au parti Shass ultra-orthodoxe d'Eli Yishai, qui détient l'Intérieur. Le prix Nobel de la paix Shimon Peres a accepté le ministère des Affaires étrangères. Travaillistes et membres du Likoud siégeront à égalité avec huit sièges chacun. La fille d'Itzhak Rabin, Dalia, est vice-ministre de la Défense, et le cabinet comprend pour la première fois un Arabe, le Druze Salah Tarif.

La présence de Shimon Peres contraste au sein d'un cabinet très belliciste.

Un espoir dans les couloirs de la mort

Etats-Unis, mercredi 7
Alors que la peine capitale a fait ce soir sa 700e victime depuis qu'elle a été rétablie en 1976, le Congrès est saisi d'un projet de loi visant non pas à abolir une sentence défendue par 64 % des citoyens, mais à réduire le risque d'erreur. Principale mesure proposée : tout condamné à mort se disant innocent bénéficierait d'une comparaison de son ADN avec les traces relevées sur les lieux du crime. Si l'on ignore le nombre d'innocents exécutés, on sait que, en un quart de siècle, 95 condamnés ont pu sortir *in extremis* des couloirs de la mort. 3 725 Américains y sont aujourd'hui en attente d'exécution.

Un « grand vizir » à la tête du Québec

Québec, jeudi 8
Cofondateur avec René Lévesque du Parti québécois en 1968, Bernard Landry a prêté serment : il succède à Lucien Bouchard comme Premier ministre de la province canadienne. A la veille de son 64e anniversaire, celui que les Québécois surnomment « le grand vizir » n'a rien perdu de sa foi souverainiste, au point d'être traité par les fédéralistes d'« homme le plus dangereux du Québec ». Son objectif reste en effet de mener le Québec à l'indépendance, mais sans fixer de calendrier : « J'organiserai un référendum quand je serai sûr de gagner. » En 1995, il n'avait manqué que 30 000 voix.

Antinori veut cloner les êtres humains

Rome, vendredi 9
Le gynécologue Severino Antinori, d'une célébrité déjà sulfureuse pour son aide à la procréation de femmes ménopausées, est « prêt à cloner des êtres humains ». Quand ? A partir de la fin de l'année. Où ? Dans un pays méditerranéen n'appartenant pas à l'Europe, puisque l'UE a adopté un protocole interdisant formellement le clonage humain. Ce pourrait être Israël, quitte à y demander l'asile politique. Avec son associé Panos Zavos, un andrologue américain, ils disposeraient de « moyens illimités » et auraient déjà une liste d'attente de plus de 200 couples fortunés qui ne peuvent pas avoir d'enfant.

Jusqu'où chutera l'indice du Nasdaq ?

New York, 9 mars
Le 10 mars 2000, le Nasdaq, indice boursier américain des valeurs de la nouvelle technologie, franchissait le cap des 5 000 points. Un an plus tard, il s'approche dangereusement des 2 000 points, ayant encore perdu 5,35 % dans la journée pour clôturer à 2 052,78 points, soit 60 % de chute en douze mois. La bulle spéculative n'a cessé de se dégonfler depuis le printemps 2000, les analystes et les investisseurs prenant conscience de la surévaluation des sociétés, toutes contraintes d'avouer la révision à la baisse de leurs objectifs.

Le 6, la gendarmerie reçoit ses premières jumelles cinémométriques. Leur technologie laser permet de déceler les excès de vitesse à 500 m de distance. Un seul opérateur peut désormais contrôler et interpeller le contrevenant.

Entrée triomphale des zapatistes à Mexico

Ils ont marché durant 3 000 km depuis le Chiapas pour défendre les Indiens.

Mexico, dimanche 11

Masqué derrière le passe-montagne dont il ne se départit jamais, le sous-commandant Marcos a été acclamé par 150 000 Mexicains à l'issue de la marche pacifique qui avait débuté le 25 février dans le Chiapas. De son vrai nom Rafael Sebastian Guillen, il a exigé que «les droits des Indiens soient inscrits dans la Constitution» et entend rester dans la capitale tant que ce ne sera pas chose faite. Elu en 2000, le président Vicente Fox a multiplié les signes d'apaisement à l'égard du fondateur de l'Armée de libération nationale zapatiste, allant jusqu'à lancer hier un vibrant : « Que gagnent les Indiens ! » (→ 16.4)

Municipales : la vague rose n'a pas eu lieu

France, dimanche 11

Non seulement la poussée socialiste prévue par les instituts de sondage n'a pas eu lieu, mais le premier tour des élections municipales a fait deux victimes au sein du gouvernement : Dominique Voynet (Verts) et Jean-Claude Gayssot (PCF), partis à la conquête des mairies de Dôle et de Béziers, sont éliminés. Les équipes libérales sortantes ont été réélues. La droite n'est en difficulté que dans les villes où elle a été incapable de faire taire ses divisions. C'est le cas de Paris, où les listes de Philippe Séguin dépassent tout juste 25 % des voix (lui-même plafonne à 19 % dans le 18e), et de Lyon, où les candidats soutenus par Charles Millon font jeu égal avec le RPR et l'UDF. (→ 18)

Intransigeance talibane

Pour les talibans, les bouddhas risquaient de détourner les Afghans de l'islam.

Pakistan, dimanche 11

La rencontre à Islamabad entre le secrétaire général de l'ONU, Kofi Annan, et le ministre des Affaires étrangères de l'Afghanistan, Wakil Ahmed Mutawakei, n'a servi à rien : les bouddhas de Bamiyan seront bel et bien détruits, quelles que soient les protestations internationales. Il ne resterait «pas grand chose», si l'on en croit le dignitaire afghan, de ces bouddhas géants taillés dans la pierre entre les IIIe et VIIe siècles. La destruction, commencée le 1er mars, sera donc achevée, conformément à l'« injonction de l'islam » invoquée par le mollah Omar, le leader des talibans au pouvoir à Kaboul depuis 1996, qui entend faire table rase de tout ce qui éloigne d'Allah.

Le 8, la Grande-Bretagne, qui compte déjà 106 foyers de fièvre aphteuse, annonce avoir abattu 61 000 animaux sur les 89 000 condamnés. En France, 50 000 bêtes, en quasi-totalité des moutons, ont été euthanasiées. (→ 13)

Le 10, à Paris, ouverture au Muséum d'histoire naturelle de l'exposition Diamants, la plus complète jamais consacrée à cette pierre. Parmi les plus belles pièces figure la parure offerte par Napoléon Ier à Marie-Louise.

Mars

Lu	Ma	Me	Je	Ve	Sa	Di
			1	2	3	4
5	6	7	8	9	10	11
12	13	14	15	16	17	18
19	20	21	22	23	24	25
26	27	28	29	30	31	

Moscou, lundi 12
Visite officielle du président iranien Mohammad Khatami : Vladimir Poutine annonce la reprise des livraisons d'armes à l'Iran, « qui a le droit d'assurer ses capacités défensives ».

Etats-Unis, mardi 13
Motorola, le n° 2 mondial des téléphones portables, va encore supprimer 7 000 emplois.

Monde, mercredi 14
Le 31e album d'Astérix, *Astérix et Latraviata*, est en librairie. 8 millions d'exemplaires ont été imprimés, dont 3 millions pour l'édition francophone.

Paris, jeudi 15
Ouverture du 21e Salon du livre, dont l'Allemagne est l'invité d'honneur.

France, jeudi 15
Vivendi Universal cède à Bertelsmann les 50 % qu'il détenait dans France Loisirs. Le groupe allemand en devient seul actionnaire.

Médine, vendredi 16
Les forces spéciales d'Arabie Saoudite prennent d'assaut le Tupolev-156 détourné hier par des Tchéchènes de sa liaison Istanbul-Moscou. Une hôtesse, un pirate de l'air et l'un des passagers ont été tués.

Suisse, vendredi 16
Mario Corti, directeur général de Nestlé, devient président de SAirGroup en remplacement d'Eric Honegger.

Etats-Unis, vendredi 16
Bill Gates a perdu la moitié de sa fortune en un an à cause de la baisse des cours des valeurs technologiques. Elle est estimée à 54 milliards de dollars.

Irlande, samedi 17
Les défilés de la Saint Patrick sont annulés en raison de la fièvre aphteuse. (→ 27)

Sepang, dimanche 18
Victoire de Michael Schumacher au Grand Prix de Malaisie de F1. (→ 1.4)

DECES

Naples (Floride), lundi 12
Robert Ludlum, auteur de thrillers (*25.5.1927).

Los Angeles, dimanche 18
John Philips, fondateur du groupe « The Mamas and The Papas » (*30.8.1935).

 5 104,77   25,66 $

€ 0,8968 $

Malgré les barrages, la France touchée par la fièvre aphteuse

La Baroche-Gondouin, mardi 13
En une nuit, Francis et Thérèse ont tout perdu. A 23 heures hier soir, ils étaient encore à la tête d'un cheptel de 114 bêtes. A 8 heures ce matin, il n'en restait aucune. Toutes ont été abattues à la demande des services vétérinaires. Les vaches ont semble-t-il été contaminées par les moutons de l'exploitation voisine, importés d'Angleterre et abattus il y a deux semaines. Ce premier cas de fièvre aphteuse détecté en France a amené l'Union européenne à décréter un embargo total sur tous les animaux français, et cela pour une durée de deux semaines. Les Etats-Unis et le Canada ont suspendu l'importation de toute viande européenne. (→ 17)

Les bovins infectés dans un village de Mayenne vont être incinérés.

José Bové écope de dix mois avec sursis

Montpellier, jeudi 15
José Bové échappe à la prison. Pour cette fois. Le tribunal correctionnel de Montpellier ne le condamne qu'à dix mois avec sursis et deux ans de mise à l'épreuve. Plus les dommages et intérêts : environ 340 000 francs, auxquels il est astreint avec René Riesel et Dominique Soullier, deux autres militants de la Confédération paysanne. Les trois hommes étaient poursuivis pour avoir saccagé des plants de riz transgénique en juin 1999. Les juges se sont montrés plus cléments que ne l'avait souhaité le ministère public, qui avait réclamé trois mois de prison ferme. Bové va pourtant faire appel. (→ 22)

Un nouveau langage fait fureur : le Texto

Londres, jeudi 15
Placé dans les librairies britanniques peu avant Noël, *Want2TLK ?*, édité par Michael O'Mara, s'est écoulé à 1 300 000 exemplaires. *Want2TLK ?* est l'abréviation, sur le mode utilisé dans les Texto, ces messages écrits échangés par téléphones portables, de « Want to talk ? » : « Est-ce que tu veux discuter ? » Le livre détaille les mille et une manières d'être compris tout en condensant ses phrases, soit par abréviations, soit par *smileys*, tel « :-] » pour dire : « Je suis heureux. » Cela vous échappe ? Lisez-le donc à la verticale, vous comprendrez. Le mois dernier, 10 milliards de Texto ont été échangés dans le monde.

Baisse des prix des antisida en Afrique

Afrique du Sud, jeudi 15
Les laboratoires pharmaceutiques pensaient faire plier le pouvoir sud-africain, qui a fait adopter une loi facilitant l'importation des produits génériques antisida, en l'assignant en justice ; ce sont eux qui ont reculé. Ils acceptent de baisser le prix des médicaments antisida sur le marché africain. Merck vendra par exemple ses antirétroviraux, les produits à la base des trithérapies, à 10 % du prix pratiqué en Occident. Même geste de Bristol-Meyers Squibb, qui divise ses tarifs par dix-huit et ne s'oppose plus à la production de génériques. L'an dernier, 450 000 Sud-Africains sont morts du sida. (→ 1.6)

Tetovo : la Macédoine s'engage sur la voie de la guerre civile

Skopje, dimanche 18
La Macédoine, limitrophe, à l'ouest, de l'Albanie et, au nord-ouest, de la province yougoslave du Kosovo, n'a pu que décréter la mobilisation de ses réservistes face aux assauts de la guérilla. Les combattants de l'UCK (Armée de libération nationale) ont lancé avant-hier une offensive vers Tetovo, la deuxième ville du pays, à 80 % albanophone. La Macédoine, à majorité slave orthodoxe, compte entre 23 % et 30 % d'albanophones musulmans qui, pourtant associés au gouvernement, en veulent plus : ils exigent d'être reconnus comme une nation. (→ 24)

Premiers affrontements entre l'armée régulière et les rebelles albanophones.

Paris et Lyon à gauche dans une France à droite

France, dimanche 18

Elisabeth Guigou y croyait tant, à sa victoire, qu'elle avait les larmes aux yeux, en annonçant, très amère, sa défaite : Marie-Josée Roig (RPR) reste maire d'Avignon. Le ministre de l'Emploi n'a recueilli que 36 % des suffrages. A Blois, Jack Lang, le maire sortant, a été battu de 37 voix par un inconnu sur le plan national, Nicolas Perruchot, un jeune loup de l'UDF. Et, à Strasbourg, Fabienne Keller (UDF) a mis fin au règne de Catherine Trautmann. S'il n'y avait les victoires de Paris et de Lyon, la gauche serait ce soir à terre. Car ce sont 40 villes (sur 583) de plus de 15 000 habitants qui ont aujourd'hui basculé à droite, dont 24 de plus de 30 000 habitants. Nombre de villes que la gauche pensait conquérir sont restées dans le camp libéral, comme Toulouse, où l'alliance conclue par François Simon (PS) avec la liste Motivé-e-s de Salah Amokrane n'a pas empêché Philippe Douste-Blazy de l'emporter. La leçon première de ce scrutin est que les Français ont opté pour un vote de proximité : les candidats parachutés ou retenus par d'autres fonctions ont été rejetés.

Bertrand Delanoë est le premier maire socialiste à prendre les clefs de l'Hôtel de Ville depuis la fin du XIXᵉ siècle.

Les deux victoires historiques de la gauche

Paris, dimanche 18

A qui la faute ? A Jean Tiberi, qui n'a pas voulu se retirer ? A Philippe Séguin, qui n'a pas su créer d'élan ? Au RPR, divisé plus que jamais ? A Jacques Chirac lui-même ? Paris, ce soir, est tombé dans l'escarcelle de la gauche, qui a su faire l'union entre les deux tours et triomphe grâce au scrutin d'arrondissement. A schéma semblable, même revers : la droite a perdu Lyon. Bertrand Delanoë sera le prochain maire de la capitale et Gérard Collomb celui de la capitale des Gaules. A Paris comme à Lyon pourtant, la droite est majoritaire : 50,4 % dans l'une, et 51,44 % dans l'autre. (→ 25)

Nouveau rapport de forces au gouvernement

France, dimanche 18

Pour le Parti communiste français, ces élections sont une déroute : des 41 villes de plus de 30 000 habitants qu'il détenait depuis 1995, il ne lui en reste que 31. Des fiefs historiques comme Pantin, Argenteuil, Dieppe, La Ciotat, Colombes sont tombés. Or les Verts, de leur côté, sont en nette progression : ils obtiennent une moyenne de 11,25 % des voix dans les villes où ils étaient présents. En clair : le PCF n'est plus la deuxième composante de la gauche plurielle. Les Verts sont en position de force pour négocier avec le PS : ils exigent de pouvoir faire élire 30 députés au moins aux législatives de 2002.

Les villes à gauche

• Lille
• Brest
• Rennes • Paris
• Angers • Le Mans • Mulhouse
• Nantes • Tours • Dijon
• Besançon
• Clermont-ferrand • Villeurbanne
• Limoges • Lyon
• Grenoble
• Montpellier

• villes qui restent à gauche
• villes qui basculent à gauche
(villes de plus de 100 000 hab.)

Grande perdante : Elisabeth Guigou est battue à Avignon.

Grande gagnante : Fabienne Keller prend la mairie de Strasbourg.

Les villes à droite

• Amiens • Strasbourg
• Le Havre • Reims • Metz
• Caen • Rouen • Boulogne-Billancourt • Nancy
• Orléans
• Saint-Etienne
• Bordeaux
• Nimes • Nice
• Toulouse • Marseille • Toulon
• Perpignan • Aix-en-Provence

• villes qui restent à droite
• villes qui basculent à droite
(villes de plus de 100 000 hab.)

Mars

Lu	Ma	Me	Je	Ve	Sa	Di
				1	2	3	4
5	6	7	8	9	10	11
12	13	14	15	16	17	18
19	20	21	22	23	24	25
26	27	28	29	30	31	

France, lundi 19
EADS confirme la suppression de 3 000 emplois d'ici à 2002.

Espagne, mardi 20
Assassinat par l'ETA de Froilan Elespe Inciarte, adjoint au maire socialiste de Lasarte.

Pérou, mardi 20
Le Sentier lumineux confirme son abandon de la lutte armée.

Sri Lanka, mercredi 21
Les séparatistes tamouls coulent un bâtiment de la marine sri-lankaise, faisant au moins onze morts.

Montpellier, jeudi 22
José Bové est condamné en appel à trois mois de prison ferme pour le saccage du McDo de Millau le 12 août 1999.

Frayssinet-le-Gélat, samedi 24
Découverte de deux grottes : Combe-Nègre 1 et 2. (→ 29.8)

Saint-Denis, samedi 24
Football : la France bat le Japon (5-0) en match amical.

Guadeloupe, samedi 24
Le crash d'un bimoteur d'Air Caraïbes fait 22 morts.

Italie, samedi 24
Le cycliste allemand Erik Zabel remporte Milan-San Remo.

France, dimanche 25
Air France arrête ses vols Bruxelles-Paris. La compagnie transportera ses passagers à destination de Roissy à bord du Thalys.

Ostende, dimanche 25
Le Belge Mohammed Mourhit devient champion du monde de cross-country.

Paris, dimanche 25
Bertrand Delanoë est investi maire de la capitale. Il compte 33 adjoints, dont 18 femmes.

DÉCÈS

Toulon, mercredi 21
Maurice Arreckx, homme politique (*13.12.1917).

Los Angeles, jeudi 22
William Hanna, co-créateur de Tom et Jerry (*14.7.1910).

Pérouse (Italie), vendredi 23
David MacTaggart, fondateur de Greenpeace (*24.6.1932).

Tetbury, samedi 24
Brian Trubshaw, chef pilote d'essai britannique de Concorde (*29.1.1924).

 4 951,13   25,23 $

€ 0,8935 $

La plate-forme pétrolière P 36 a sombré au large du Brésil

Brésil, mardi 20
Il y a une semaine encore, la plate-forme P 36 produisait 84 000 barils de pétrole et 1,3 million de mètres cubes de gaz par jour. Ce matin, elle a sombré dans le bassin de Campos, à 150 km des côtes de l'Etat de Rio, où elle gît par 1 360 mètres de fond. Lourde de 33 000 tonnes et haute de 120 mètres, elle était la plus grande plate-forme off-shore du monde. Les 4 100 tonnes d'azote injectées dans le pilier endommagé n'ont pas été suffisantes pour la redresser. Huit bâtiments ont été dépêchés sur zone pour pomper le million et demi de litres de pétrole brut qui fuient des oléoducs. L'exploitant, la Petrobras, venait de lancer un audit de sécurité.

Dans la nuit du 15 au 16, l'explosion du pilier de soutènement a fait 8 morts.

Avec Orange, France Telecom voit rouge

Paris, jeudi 22
La dette de France Telecom s'élève à 61 milliards d'euros, contre 14,6 l'année dernière, essentiellement en raison du rachat d'Orange en mai dernier. Le P-dg de France Telecom reste serein. « Notre stratégie a été payante, explique Michel Bon. Nous sommes l'opérateur historique qui réalise le plus fort chiffre d'affaires hors de ses frontières. » Or tel était le but recherché, dans un secteur en si forte concurrence. L'endettement sera réduit plus tard, « à l'horizon de 2003 ». Depuis le 1er janvier, le titre a quand même perdu 39 %.

Plein de nouveautés high-tech très utiles

Hanovre, jeudi 22
Et le DVD réenregistrable apparut, qui fut visionnable sur le téléviseur aussi bien que sur l'ordinateur ! C'est au CeBIT que cela se passe, le Salon des professionnels de l'informatique et des télécommunications, organisé tous les ans dans la cité allemande. Depuis ce matin, 8 000 exposants y révèlent leurs dernières prouesses. Siemens lance un système de mesure à distance de la tension artérielle : un implant, relié à un GSM, avertit les secours en cas d'urgence. Dans un autre registre, Logitech a inventé la première souris optique et sans fil. 800 000 visiteurs sont attendus.

Toute la France est touchée par les crues

France, vendredi 23
Hormis le Sud, l'ensemble du pays est victime d'inondations après une semaine de pluies incessantes, et les prévisions ne sont guère optimistes. Le Rhône a dépassé sa cote d'alerte de 1,5 m en aval de Lyon, et la crue de la Saône a privé une centaine de foyers d'électricité. Sur le Rhin, la circulation a dû être interrompue à trois endroits. L'inquiétude grandit dans le Val-de-Loire, où les coteaux commencent à s'effriter, entraînant parfois avec eux des pans entiers de bâtiments historiques. A Vendôme, une tour du château et une partie de la courtine se sont ainsi effondrées. La tour de Montbazon, fièrement dressée depuis dix siècles, n'a pas résisté aux infiltrations. (→9.4)

Le Rhône aussi a quitté son lit. Son niveau est monté de 70 cm en deux jours.

Mise à mort de la station Mir après quinze ans de bons services

Pacifique, vendredi 23
A 5 h 59 GMT, un porte-parole du Centre de contrôle des vols spatiaux russes, situé à Koroliev, a annoncé la fin de la station orbitale Mir, dont le premier module avait été mis sur orbite le 19 février 1986. Elle aura vu séjourner 104 cosmonautes. Le symbole de la puissance spatiale de l'ex-Union soviétique était devenu obsolète, et le budget de la Russie ne pouvait supporter le coût de sa rénovation. Mir a donc sombré dans le Pacifique, par 160° de longitude ouest et 44° de latitude sud. Répartis sur une zone de près de 400 km de diamètre, les débris n'ont pas causé de dégâts. Tout là-haut, la Station spatiale internationale est seule.

Elle s'est désintégrée comme prévu lors de sa rentrée dans l'atmosphère.

Un simple mégot a tué au Mont-Blanc

Haute-Savoie, vendredi 23
Le rapport d'enquête sur l'incendie qui, le 24 mars 1999, avait coûté la vie à 39 personnes dans le tunnel du Mont-Blanc est entre les mains du juge Franck Guesdon, à Bonneville. Fort d'un millier de pages, il met en cause un mégot : jeté d'une voiture avant l'entrée sous le tunnel, il serait allé se ficher dans le filtre à air du camion qui a pris feu après 6,5 km, et dont le conducteur belge, Gilbert Degrave, a réussi à s'échapper. Mais les experts aimeraient bien savoir pourquoi il a fallu 5 min pour que les feux passent au rouge, et 13 min pour alerter les pompiers. (→ 19.8)

L'Europe désunie

Stockholm, samedi 24
La libéralisation de l'électricité et du gaz dans les quinze pays de l'Union européenne, qui figurait au menu du sommet de Stockholm, attendra un peu. La France a mis tout son poids pour qu'aucune date ne soit fixée à l'ouverture à la concurrence de ce secteur si sensible sur le plan social. Elle a été soutenue par l'Allemagne, qui a compris qu'aucune décision ne pourra être prise « au moins jusqu'à l'élection présidentielle française »... Sur le plan politique, les Quinze, qui recevaient le président macédonien, Boris Trajkovski, lui ont fait part de leur « solidarité » face à la guérilla, tout en l'invitant « à répondre avec retenue » pour « éviter une escalade des activités militaires ». L'intéressé est reparti quelque peu irrité.

Le film *Gladiator* et Steven Soderbergh triomphent aux Oscars

Meilleurs acteurs : l'Américaine Julia Roberts et l'Australien Russell Crowe.

Hollywood, dimanche 25
Comme il se devait pour un péplum, *Gladiator* s'est taillé la part du lion de la cérémonie des Oscars. Le film du Britannique Ridley Scott est cinq fois couronné : meilleurs film, acteur (Russell Crowe en Maximus), effets spéciaux, son et costumes. Présent avec deux films, Steven Soderbergh, 39 ans, est sacré meilleur réalisateur pour *Traffic*, un film très éloigné des canons d'Hollywood, tandis qu'*Erin Brockovich*, plus conventionnel, vaut à Julia Roberts de décrocher enfin l'Oscar de la meilleure actrice. *Le Goût des autres*, d'Agnès Jaoui, en lice pour l'Oscar du meilleur film en langue étrangère, n'a pas été retenu par le jury, qui a honoré le poétique et virevoltant *Tigre et Dragon*, du Taiwanais Ang Lee. (→ 20.5)

Le 24, sortie au Japon de la nouvelle Game Boy Advance de Nintendo. Sa version précédente s'est vendue à 100 millions d'unités dans le monde.

Un mois et demi après sa première diffusion sur M6, la série *Roswell* a conquis les jeunes. Max, Isabel et Michael sont-ils vraiment les descendants des extraterrestres qui se seraient crashés en 1949 au Nouveau-Mexique ?

Mars

Lu	Ma	Me	Je	Ve	Sa	Di
			1	2	3	4
5	6	7	8	9	10	11
12	13	14	15	16	17	18
19	20	21	22	23	24	25
26	27	28	29	30	31	

France, lundi 26
Selon une contre-expertise, le crash de l'A-320 en 1992 au mont Sainte-Odile n'était pas dû à une erreur de pilotage.

Congo, mardi 27
Le prix du tantale atteint 350 dollars le kilo, contre 75 dollars il y a un an. Ce minerai est devenu stratégique pour la haute technologie.

Pays-Bas, mardi 27
27 000 bêtes ont été abattues depuis l'apparition du premier foyer de fièvre aphteuse mercredi dernier. (→ 28)

Somalie, mardi 27
Six membres de l'ONU, et trois de Médecins sans frontière, sont enlevés à Mogadiscio par des miliciens.

Valence (Espagne), mercredi 28
Première défaite des Bleus depuis l'Euro 2000. L'Espagne l'emporte par 2 buts à 1.

Grande-Bretagne, mercredi 28
500 000 enfants de 11 à 16 ans travailleraient illégalement.

France, jeudi 29
Luc Guyau est élu président de l'Assemblée permanente des chambres d'agriculture.

Belgique, vendredi 30
L'article 184 de la Constitution est modifié : le mot gendarmerie est remplacé par l'expression « police intégrée ».

Espagne, vendredi 30
L'ETA menace de s'en prendre aux zones touristiques.

France, vendredi 30
Marylise Lebranchu, garde des Sceaux, dépose une requête en révision du procès Seznec.

France, vendredi 30
Le *Point* révèle que l'amiante causerait 3 500 cancers par an.

Paris, vendredi 30
Mise en place il y a 15 mois, la Couverture maladie universelle (CMU) bénéficie à 5 millions de Français. Coût pour l'Etat : 5,7 milliards de francs par an.

Israël, vendredi 30
Six Palestiniens sont tués lors de la Journée de la terre.

DECES

New York, jeudi 29
John Lewis, pianiste, créateur du Modern Jazz Quartet (*3.5.1920).

 5 180,45   24,86 $

€ 0,8842 $

Les propriétaires de Chauvet indemnisés

Toulouse, lundi 26
L'Etat devra verser 87,5 millions de francs aux trois propriétaires de la grotte Chauvet, que la cour d'appel définit au passage comme « le plus bel ensemble de peintures rupestres connu actuellement ». Il y a quatre ans, l'Etat avait cru faire une bonne affaire en les expropriant au prix de la valeur agricole du terrain qui la surplombe, soit 25 centimes le mètre carré, dans le but d'exploiter le site paléolithique ardéchois. Les familles Helly, Ollier et Peschier auront donc mis un an de plus que les inventeurs de la grotte pour toucher le pactole. Le montant de celui obtenu par Jean-Marie Chauvet et ses amis est secret.

Sciences Po moins difficile d'accès

Paris, lundi 26
Il y a trop de fils (et filles) à papa à Sciences Po, et pas assez de jeunes issus de milieux sociaux défavorisés. Le directeur de la prestigieuse école de la rue Saint-Guillaume, qui forme les futurs cadres de la République, a fait ratifier la création d'une voie d'accès spécifique à l'établissement. Les lycéens scolarisés dans certaines zones d'éducation prioritaire (ZEP) pourront intégrer Sciences Po sans passer le concours d'entrée, mais sur étude de leur dossier. Le ministre de la Ville, Claude Bartolone, se réjouit de ce « geste courageux ».

Fièvre aphteuse : le vaccin arrive

Bruxelles, mercredi 28
Le Comité vétérinaire permanent de l'Union européenne, qui avait déjà autorisé la semaine dernière les Pays-Bas à recourir ponctuellement à la vaccination, a accédé à la requête de Tony Blair : la Grande-Bretagne va pouvoir vacciner 180 000 vaches qui se trouvent dans les comtés les plus atteints par la fièvre aphteuse. Cette mesure a pour unique but de dresser un cordon sanitaire entre les zones touchées et celles qui restent saines. Sa généralisation est exclue, car nul test n'est capable de distinguer une bête infectée d'un animal vacciné.

Le tueur en série passe enfin aux aveux

Depuis le 19, Guy Georges comparaît en assises pour 7 meurtres et viols.

Paris, mardi 27
Guy Georges s'est changé. Comme si l'instant allait être solennel. Pull blanc, pantalon gris et crâne rasé. Vendredi, il a failli craquer. Puis il s'est repris, a demandé du temps, le temps de réfléchir. Dans quelques instants, Elisabeth O. va témoigner. Elle l'a vu, il l'a agressée, il a failli la tuer. Elle va le reconnaître. Va-t-il enfin parler ? Son avocat, Me Alex Ursulet, s'approche du box. « Avez-vous agressé Mlle O. ? » « Oui. » Le défenseur enchaîne. « Avez-vous tué Mlle Escarfail ? » « Oui. » « Et Mlle Rocher ? » « Oui. » Sept fois oui, sur sept noms de jeunes femmes violées et égorgées, de 1991 à 1995, par « le tueur de l'Est parisien », qu'il fut si difficile d'identifier. (→ 5.4)

Inde + Chine = le tiers de l'humanité

Asie, mercredi 28
La Chine et l'Inde ont recensé leurs populations. Ces très vastes projets ont abouti à des résultats à la tête d'habitant près... tempérés par une marge d'erreur qui équivaut plus ou moins à la population de la France ! Officiellement, la Terre, peuplée de 6 milliards d'habitants, l'est d'abord de 1,265 milliard de Chinois. L'Inde est encore plus précise : elle comptait 1 027 015 247 habitants au 1er mars dernier à zéro heure. Compte tenu des taux respectifs de fécondité (1,8 pour mille en Chine, 3,32 près du Gange), des 34 % d'Indiens âgés de moins de 15 ans et des politiques réciproques, l'Inde devrait dépasser la Chine vers 2040. Sous réserve, bien sûr, de la marge d'erreur...

Le 28, à Dannenberg, des militants antinucléaires allemands bloquent les six Castor, ces containers qui acheminent vers le centre de stockage de Gorleben des déchets radioactifs en provenance de La Hague.

Bush rejette les accords de Kyoto

Washington, jeudi 29

Georges Bush est formel : les Etats-Unis ne ratifieront pas le protocole de Kyoto. « Nous n'accepterons pas de mesure, a-t-il expliqué, qui nuise à notre économie et aux travailleurs américains [...] en cette période de pénurie d'énergie. » Avec seulement 5 % de la population de la planète, les Etats-Unis en sont pourtant les premiers pollueurs, rejetant plus de 25 % des émissions mondiales de gaz à effet de serre. L'accord conclu en 1997 au Japon, qui leur imposait de réduire ces rejets de 7 % dans les dix ans, n'a été ratifié que par 30 pays du tiers monde. Après le revirement américain, l'Europe ne veut pas être seule à faire des efforts. (→ 23.7)

Les rejets de gaz à effet de serre entraînent un réchauffement de la planète.

L'ADSL, un booster pour Internet

France, jeudi 29

L'ADSL, sigle signifiant Asymetric Digital Subscriber Line, a déjà fait 100 000 adeptes en France. France Telecom escompte 600 000 abonnés d'ici à la fin de l'année à ce système d'Internet à haut débit qui permet de surfer plus vite et moins cher tout en téléphonant sur la même ligne. Le hic, car il y en a un, est qu'aucun concurrent de l'opérateur historique n'y a accès. Réunis en association, les nouveaux venus sur le marché de la téléphonie exigent de l'autorité de régulation des télécommunications qu'elle engage une action devant le Conseil de la concurrence pour abus de position dominante.

Parles-tu français ? - Spreek je vlaams ?

Belgique, jeudi 29

Huit personnes sont mortes à cause d'une incompréhension linguistique entre deux aiguilleurs, l'un wallon, l'autre flamand. Dans l'impossibilité de se comprendre, ils n'ont pu éviter la collision, qui a eu lieu avant-hier à Pécrot entre deux trains, après que l'un des deux convois eut grillé un feu rouge. Alors que le francophone appelait son collègue flamand pour qu'il stoppe d'urgence le train fautif, l'autre n'a réussi à lui demander que s'il parlait sa langue.

Les LU et les Marks & Spencer en colère

En 1887, M. Lefevre et son épouse, née Utile, ont donné naissance à LU.

France, jeudi 29

Arrivé en janvier 2000 à la tête de Marks & Spencer, Luc Vandevelde a annoncé son plan pour sauver de la faillite l'enseigne britannique. Les 38 magasins de la marque situés en Europe continentale seront fermés avant la fin de l'année, entraînant la suppression de 4 390 emplois, dont 1 700 en France. Chez Danone, qui a pourtant fait 4 milliards de francs de bénéfices consolidés en 2000, la restructuration du secteur biscuits est presque aussi brutale. Les usines d'Evry et de Calais, où sont produits les célèbres LU, fermeront en juin 2004 au plus tard. La grève illimitée a été déclenchée à Calais. Si le titre Danone a perdu 2,23 % à Paris, celui de Marks & Spencer a gagné 7,03 % à Londres. (→ 9 et 12.4)

Paralysie des transports pour la retraite

France, jeudi 29

Engagé lundi dans une quarantaine de villes françaises, le mouvement de grève des conducteurs de bus et de tramways ne paralyse plus ce soir que Brest et Nancy, sans toutefois que les revendications des traminots eussent été satisfaites. Les employés des transports urbains provinciaux veulent obtenir le rétablissement de la retraite à 55 ans – avantage dont ils bénéficiaient jusqu'en 1954 –, ou du moins la possibilité de départs en préretraite dès cet âge pour ceux qui le souhaitent, à 70 % du salaire brut, en raison de la « pénibilité » de leur travail. Très suivie, cette grève a été la plus massive depuis celle menée, en janvier 2000, pour la défense de la retraite... à 60 ans.

Les cheminots rejoignent la grève. Ils refusent la restructuration de la SNCF.

En France, les 18 magasins de Marks & Spencer sont condamnés à fermer.

Le phénomène Amélie Poulain

Le 25 avril arrivait sur les écrans français *le Fabuleux Destin d'Amélie Poulain*. Divin ! Fabuleux! Génial ! Un chef-d'œuvre ! Le public français est enthousiaste et unanime. C'est un énorme succès qui pulvérise tous les records du box-office pour un film d'auteur français. Après 7 mois d'exploitation en salle, il totalise 8 millions d'entrées (en tête devant *le Cinquième Elément*, sorti en 1997, comptabilisant 7 696 667 entrées, ou *le Sixième Sens* sorti en 2000 avec 7 792 166).

Le scénario, co-écrit par Jean-Pierre Jeunet et Guillaume Laurant, raconte l'histoire de la jeune Amélie Poulain, serveuse dans un café de Montmartre. Ce personnage fantasque décide de donner un coup de pouce au destin des personnages qui peuplent son univers. Une histoire pudique, sans violence et débordante de tendresse.

Le rôle principal d'Amélie est interprété par Audrey Tautou. Agée de 23 ans, elle avait reçu le César du meilleur espoir féminin en 1999 pour son rôle dans le film de Tonie Marshall *Vénus beauté (institut)*. *Le Fabuleux Destin d'Amélie Poulain* est son septième film. Apparue pour la première fois dans le téléfilm « Cœur de cible » avec Francis Huster en 1997, on la retrouve dans *le libertin*, *Voyous, voyelles*, et *les Battements d'ailes du papillon*.

La seconde tête d'affiche est Mathieu Kassovitz, alias Nino Quincampoix, employé dans un sex-shop, collectionneur de photomatons, dont Amélie tombe amoureuse. Il débuta en tant qu'acteur dans *Au bout du banc* réalisé par son père, Peter, en 1978. Il se lance ensuite dans la réalisation avec le court métrage *Fierrot le pou* (1990), puis dans l'écriture de scénarios à partir de son premier long métrage, *Métisse*, en 1993. C'est avec *la Haine* qu'il créera l'événement en 1995, remportant trois Oscars et le prix de la mise en scène au Festival de Cannes. Il réalisera par la suite *Assassin(s)* en 1997 et *les Rivières pourpres* en 2000.

Des petites vies, des petits destins, interprétés par une pléthore de seconds rôles pittoresques, archétypes du cinéma des années 30-40 : Rufus (beauf banlieusard, père d'Amélie), Yolande Moreau (la concierge, veuve inconsolable), Dominique Pinon (l'ancien amant jaloux), Jamel Debbouze (le commis martyrisé), Serge Urbain Cancellier (l'épicier acariâtre), Isabelle Nanty (la buraliste hypocondriaque)... Autant de portraits de petites gens du Paris de Marcel Carné, Jacques Prévert ou Robert Doisneau. Le film égrène un échantillonnage de petits plaisirs. On y retrouve le procédé du

« j'aime, je n'aime pas ». 120 minutes truffées d'idées, que l'auteur déclare avoir piochées en partie dans la réalité. Jean-Pierre Jeunet nous sert un film chargé d'émotions poétiques et nostalgiques liées à l'enfance et à une imagerie « vieille France ». Cette tendance sera taxée de réactionnaire par certains critiques qui déclencheront la polémique.

Le réalisateur Jean-Pierre Jeunet (48 ans) nous plonge dans un de ses univers dont il a le secret et qui ont fait sa renommée avec *Delicatessen* (1991), *la Cité des enfants perdus* (1995) ou encore *Alien, la résurrection*. Il dit abandonner ses films de « monstres »

pour la magie d'un conte de fées. L'espace stylisé, presque chaque plan du story-board est dessiné. Souvenons-nous que ses premiers films étaient cosignés avec le dessinateur Marc Caro. Il utilise des cadrages serrés, des angles de prise de vue originaux. Les plans sont refaçonnés à la palette graphique, on gomme les voitures, les graffitis, l'image est colorisée... La bande-son est retravaillée en post-production. André Dussollier assure la narration du film en voix off. La réalité est recomposée, évoquant un Paris poétique dans une dimension intemporelle (tour à tour on passe des années 40 à 1997). Jeunet emploie toutes les techniques modernes du virtuel et se sert de ses expériences de tournage dans la publicité et le vidéo clip. Ce travail hyper précis demandera 19 semaines de tournage en extérieur, près de trois années de préparation et neuf mois de post-production.

La musique du film est signée par Yann Tiersen. Pour cette bande originale, le musicien multi-instrumentiste breton emprunte au registre traditionnel populaire français. L'accordéon domine l'orchestration des morceaux, mais on entend également des instruments peu usités dans la musique moderne comme le banjo, le carillon, la mandoline, le clavecin, le vibraphone ou le mélodica. La musique soutient l'effet de décalage temporel. Le disque sorti par Labels s'est vendu à plus de 800 000 exemplaires.

La popularité du film est montée jusqu'aux oreilles de nos dirigeants. Le président et le Premier ministre ont demandé tous deux une projection privée. On raconte même que le film aurait fait monter le prix des loyers à Montmartre. Une chose est sûre, le cinéma français gagne du galon sur le marché mondial du film. Il détrône en quelques mois *le Pacte des loups*, *la Vérité si je mens 2* ou *le Placard*... Voici Amélie à la conquête du monde !

Claudie Ossard, de Victoires productions, se frotte les mains : en trois semaines, le film qui a coûté 76 millions de francs (11,59 millions d'euros) était amorti, et 35 pays en avaient acheté les droits. Les financiers principaux sont UGC (27 millions), Canal + (17 millions), France 3 (12 millions), partenaire allemand (11 millions) et Claudie Ossard (3,5 millions). Cette dernière fut également à l'origine des productions de *la Cité des enfants perdus*, toujours de Jean-Pierre Jeunet, et de *37°2, le matin* de Jean-Jacques Beineix.

Lorsqu'elle débarque le 2 novembre sur les écrans new-yorkais, dans la ville traumatisée par les événements du 11 septembre, sous le titre « Amélie from Montmartre », Amélie est accueillie comme une bouffée de bonheur. Le film se joue dans deux salles à guichets fermés durant tout le week-end de sa sortie. L'Amérique reconnaît en elle Louise Brooks ou encore la grande Audrey Hepburn. Amélie aurait-elle enterré les films d'action made in America ? *Le Fabuleux Destin d'Amélie Poulain* est sélectionné pour représenter la France aux Oscars le 24 mars 2002 à Hollywood. En sélection dans de nombreux festivals, de Montréal à Moscou, en passant par Vienne, Singapour, Budapest ou Florence...

Comme le nain de jardin de son père, Amélie est en voyage autour du monde...

Carine Bernardi
Auteur et écrivain

« Loft story » et la télé-réalité

« Onze célibataires, coupés du monde pendant 70 jours, filmés par 26 caméras et enregistrés par 50 micros » : depuis le 26 avril 2001, le quotidien de plus de quatre millions de français est rythmé par ces mots qui ponctuent le générique de « Loft Story », première émission de télé-réalité diffusée dans notre pays. Adaptation de « Big Brother », le jeu qui a fait florès aux Pays-bas et en Allemagne a, sans conteste, créé l'événement télé de l'année.

Enfermés à la Plaine-Saint-Denis dans un appartement spécialement construit pour eux, six garçons et cinq filles vont tenir en haleine la majorité des jeunes et alimenter les discussions de la quasi-totalité des adultes. Aziz, Loana, Steevie, Kenza, Delphine, David, Laure, Christophe, Julie, Philippe et Jean-Edouard vivent devant nous dans les 225 m² qui leur sont alloués, composés d'un salon, d'une salle à manger, d'une cuisine américaine, de deux dortoirs, d'une seule salle de bains et d'un jardin de 180 m² agrémenté d'une piscine et d'un poulailler. Isolés, ils n'ont droit ni à la radio, ni aux journaux, ni à la télévision ; pas plus qu'ils n'ont d'accès à Internet ou au téléphone. Les candidats le savent, il y a des caméras partout. Tout est fait pour favoriser la promiscuité et l'ennui afin de provoquer des rapprochements, des tensions, des alliances et la formation de couples avec ébats sexuels en option. Chaque semaine, un candidat est proposé à l'élimination par les « lofteurs » du sexe opposé, puis soumis au vote du public pour, au final, créer un couple gagnant qui emportera une maison de la valeur de trois millions de francs dans laquelle il devra vivre pendant six mois... sous l'œil des caméras.

De plus en plus nombreux au fil des semaines, les adeptes ont le choix : un résumé de la journée sur M6 en fin d'après-midi, une diffusion 24 h sur 24 sur TPS moyennant un abonnement de 70 francs par mois ou un flux gratuit en direct sur Internet. Très vite, les médias s'emparent du phénomène. Les plus grands journaux en font leur une. On crie au scandale, on compare les reclus à des souris de laboratoire, on parle d'atteinte à la dignité humaine. Violemment critiqué, le CSA finit par se manifester et obtient de Endemol, la société productrice dirigée par Arthur, des aménagements. Les règles du jeu changent. Désormais, chaque jour les lofteurs ont droit à une heure sans caméras, ils ne désignent plus les noms de ceux qu'ils veulent voir partir mais ceux qu'ils souhaitent voir rester, et le gain n'est plus une maison pour un couple mais une somme de trois millions à se partager entre les deux gagnants de sexe opposé.
Pendant que le pays s'enflamme, les lofteurs vivent leur vie : Loana et Jean-Edouard font

l'amour dans la piscine dès le deuxième jour, David quitte le loft à sa demande au bout de six jours, Delphine en fait de même quatre jours plus tard. Deux nouveaux vont les remplacer, Fabrice et Kimy. Chaque jeudi soir, au cours d'un show en prime-time présenté par Benjamin Castaldi, 8 à 10 millions de téléspectateurs assistent à la sortie du candidat éliminé. Celui-ci découvre alors l'immense impact du programme auquel il a participé. Pas de doute, il est devenu une star.

M6 engrange les bénéfices. TF1 fait grise mine et contre-attaque sous la plume de Patrick Le Lay qui, dans *le Monde* du

11 mai, s'insurge contre « la télé-poubelle ». Pourtant, TF1 prépare son propre programme de télé-réalité pour l'été. Ce sera « Les aventuriers de Koh-Lanta », produit par Expand. Seize candidats, huit femmes et huit hommes, amenés à survivre quarante jours sur l'île de Koh-Rok en Thaïlande. Ils doivent y construire leurs abris, rechercher leur nourriture et participer à des épreuves. Comme dans « Loft Story », un système d'élimination hebdomadaire consacre un gagnant à la fin du jeu. A l'inverse du programme de M6, les robinsons ne sont pas filmés en permanence : tout est mis en boîte et la diffusion se fait en différé en treize épisodes hebdomadaires pendant les mois de juillet et août. Forte de l'expérience de sa concurrente, la chaîne sait que son jeu n'est pas aussi efficace que le Loft. Elle décide alors de le programmer en fin d'après-midi plutôt qu'en prime-time. De fait, les aventu-

riers ne passionnent pas les foules. Mais TF1 n'a pas dit son dernier mot et, en septembre, annonce en grande pompe un nouveau programme de télé-réalité, « Star Academy », monté sous la houlette de celle-là même qui a fait la réussite du Loft : Alexia Laroche-Joubert. Seize candidats apprentis chanteurs vont être enfermés dans un château pour apprendre à poser leur voix, danser, se mouvoir en scène comme de vrais pros. Le téléspectateur peut suivre, 24 h sur 24, leurs progrès et leurs petites histoires, soit en résumé en fin d'après-midi sur TF1, soit en continu grâce à un flux payant sur Internet. Chaque samedi, un candidat est éliminé parmi les trois moins bons élèves désignés par les professeurs pendant un show en prime-time. A la fin, le gagnant se voit offrir un contrat d'une valeur d'un million d'euros avec Universal, trois jours de concerts à l'Olympia et une tournée. Mais le programme n'est pas à la hauteur des espérances des dirigeants de TF1. Moins de 5 millions de téléspectateurs sont au rendez-vous hebdomadaire du show présenté par Nikos Aliagas. Pire, un samedi, l'émission se fait dépasser par une fiction programmée sur la 3e chaîne.

Pendant ce temps, M6 — encore elle ! — tire son épingle du jeu avec « Popstar », diffusé le jeudi soir, qui a pour ambition de créer un groupe composé de cinq filles sélectionnées à partir de 4 000 participantes. Chaque semaine, on suit les différentes étapes de sélection. Le jury, composé du directeur de Mercury-Island, d'une chorégraphe et du directeur artistique de M6 productions, procède aux éliminations. 4,7 millions de téléspectateurs se passionnent. Un chiffre qui approche le score de « Star Academy » sur TF1, donc une excellente audience pour « la petite chaîne qui monte ».

En fin d'année, la guerre entre les deux chaînes fait rage. M6 accuse TF1 de plagiat et l'assigne en justice. Pour 2002, chacun fourbit ses armes. Pour TF1, ce seront deux nouveaux concepts qui seront proposés : « Le coach », où un inconnu guidé par une oreillette doit accomplir un exploit, et « Devine qui vient dîner ? », où plusieurs personnalités qui ne se connaissent pas préparent un dîner et le dégustent ensemble. Pour M6, ce sera « Loft Story 2 » qui sera lancé au printemps. A suivre !

Avec l'apparition de la télé-réalité, 2001 restera sans nul doute comme une année tournant dans la vie du PAF. Cette forme de programme a-t-elle un avenir ? Au-delà des polémiques, c'est au public de trancher.

Eliane Girard
Productrice radio et auteur

Avril

Lu	Ma	Me	Je	Ve	Sa	Di
						1
2	3	4	5	6	7	8
9	10	11	12	13	14	15
16	17	18	19	20	21	22
23	24	25	26	27	28	29
30						

Sao Paulo, dimanche 1er
Victoire de l'Ecossais David Coulthard, sur McLaren, au Grand Prix du Brésil de F1.

Pays-Bas, dimanche 1er
La première loi au monde autorisant le mariage entre homosexuels entre en vigueur.

Afghanistan, lundi 2
Les talibans assurent Oussama Ben Laden qu'il ne sera jamais extradé. (→ 11.9)

Grande-Bretagne, lundi 2
En raison de la fièvre aphteuse, les élections locales du 3 mai sont reportées au 7 juin. (→ 2.8)

Paris, lundi 2
Axa cède la banque Worms à la Deutsche Bank.

Paris, mardi 3
Le juge Philippe Courroye entend Danielle Mitterrand comme témoin dans l'affaire du trafic d'armes vers l'Angola.

Paris, mardi 3
La Cour de cassation ordonne la révision du procès de Patrick Dils. (→ 29.6)

France, mercredi 4
Sortie de *Belphégor*, de Jean-Paul Salomé. Sophie Marceau tient le rôle principal.

Paris, mercredi 4
Jacques Chirac assure Malte du soutien de la France pour son adhésion à l'UE.

Moldavie, mercredi 4
Leader du Parti communiste, Vladimir Vorodine est élu chef de l'Etat.

Manille, mercredi 4
L'ancien président philippin Joseph Estrada est inculpé pour corruption. (→ 16)

Maidstone (Angleterre), jeudi 5
Perry Wacker est condamné à 14 ans de prison. Ce chauffeur néerlandais conduisait le camion dans lequel 58 Chinois avaient été retrouvés morts à Douvres en juin 2000.

Washington, jeudi 5
Le département d'Etat qualifie de « provocation » la politique de colonisation israélienne en Cisjordanie. (→ 11)

Augusta (Georgie, Etats-Unis), dimanche 8
Victorieux des Masters, Tiger Woods est le premier golfeur à remporter d'affilée les quatre tournois du Grand Chelem.

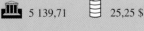

🏛 5 139,71   🛢 25,25 $

€ 0,9018 $

L'ancien président Milosevic arrêté

Belgrade, dimanche 1er
Slobodan Milosevic ne voulait pas être pris « vivant ». Retranché, avec femme et enfants, dans sa villa d'un quartier cossu de la capitale serbe, l'ancien président de la république fédérale de Yougoslavie faisait, hier matin encore, le fanfaron, après que la police avait tenté sans succès de l'appréhender, ses gardes du corps ayant accueilli les assaillants par des tirs nourris. A une radio qui avait réussi à le joindre par téléphone, il avait assuré : « Je vais très bien. Je bois le café avec des camarades et je regarde les nouvelles à la télé. » Les écrans diffusent maintenant les images de l'assaut qui a été donné à cinq heures du matin, et auquel nul n'a opposé de résistance, hors Mira, sa fille, qui a tiré cinq coups de feu après avoir crié : « Papa, tue-nous, maman et moi, et suicide-toi. » Une limousine l'a conduit vers la prison centrale de Belgrade. Le jour choisi

Après 36 heures de résistance, Slobodan Milosevic a accepté de se rendre.

pour son arrestation ne doit rien au hasard. Les Etats-Unis avaient lancé un ultimatum aux actuels dirigeants de la Yougoslavie, qui expirait hier soir. Si Milosevic n'était pas arrêté, ils suspendaient leur aide financière au pays. Soit 100 millions de dollars. Carla del Ponte, procureur du TPI, réclame maintenant son extradition vers La Haye. (→ 28.6)

Mission de sauvetage de l'OM pour Tapie

Marseille, mardi 1er
L'homme qui a conduit l'Olympique de Marseille à la victoire en finale de la Coupe d'Europe des clubs, en 1993, saura-t-il le sortir de la crise et lui éviter une relégation en D2 ? Le président du club phocéen a fait son choix : Robert Louis-Dreyfus dit oui au retour de Bernard Tapie à l'OM. Une mission purement sportive, qui est loin de faire l'unanimité dans les coulisses du club. Javier Clemente, l'entraîneur, se sent déjà sur un siège éjectable, Tapie n'ayant pas ménagé les critiques à son égard. En outre, on peut s'attendre à un bras de fer entre « Nanar » et Pierre Dubiton, le bouillant comptable de l'OM. Car Dubiton, en 1994, fut de ceux qui obtinrent la tête de Tapie à la suite du scandale Valenciennes-OM. Les joueurs sont dans l'expectative.

Les supporters marseillais réclamaient son retour depuis plusieurs mois.

Le juge Halphen ne verra pas Chirac

Créteil, mercredi 4
Ainsi qu'il l'avait annoncé, Jacques Chirac ne s'est pas rendu au palais de justice de Créteil où il avait été convoqué, en qualité de témoin, par le juge Claude Halphen, qui voulait l'interroger sur le dossier des HLM de Paris. Son statut constitutionnel l'empêchait d'y déférer. Telle est sa ligne de défense, et il s'en départira d'autant moins que, s'il est persuadé que la campagne présidentielle sera « terrible », il pense que la France est « lassée des affaires ». (→ 25)

Guy Georges est condamné à vie

Paris, jeudi 5
La réclusion criminelle à perpétuité, assortie d'une période de sûreté de 22 ans : tel est le verdict des jurés de la cour d'assises de Paris. Reconnu coupable de sept viols et assassinats entre 1991 et 1997, Guy Georges a assuré aux familles de ses victimes : « Je ne sortirai jamais de prison. » L'avocat du tueur de l'Est parisien, Me Alex Ursulet, a plaidé le droit à « défendre l'indéfendable ».

34

Massoud implore le soutien de l'Europe

Guerre froide Chine-USA

Seul Karl Zéro, pour Canal +, lui a fait l'honneur d'une interview télévisée.

Conçu dès les années 50, l'EP-3 est spécialisé dans l'espionnage électronique.

Strasbourg, jeudi 5
Présidente du Parlement européen, Nicole Fontaine a dû résister à bien des pressions pour pouvoir recevoir le commandant Massoud, héros de la résistance afghane à l'occupation soviétique, devenu l'emblème de la lutte contre les talibans au pouvoir à Kaboul. Non pas que ces derniers soient populaires en Europe, mais le Pakistan, qui les soutient, dispose de nombreux appuis. Or, si l'« aigle du Panshir » ne réclame « ni armes ni force militaire étrangère », il appelle l'Europe à peser de tout son poids pour obtenir le retrait de son pays de l'armée pakistanaise : « Sans elle, je suis sûr que notre peuple aurait mis fin au régime taliban. » Nicole Fontaine l'a approuvé. (→ 9.9)

Washington, vendredi 6
Premier test sérieux pour George W. Bush en politique étrangère : le 1er avril, un appareil EP-3 de l'US Navy s'est posé en catastrophe sur une base militaire chinoise de l'île de Hainan, après avoir percuté un avion de chasse chinois, causant la mort de son pilote. Pékin estime que la collision, survenue à la limite de son espace aérien, a été provoquée de façon délibérée par l'EP-3, dont tout l'équipage (24 hommes) a été mis au secret à Hainan. Malgré la colère de Washington, la diplomatie reprend ses droits : mercredi, Colin Powell, secrétaire d'Etat américain, a exprimé ses « regrets ». Un général américain a rencontré aujourd'hui les prisonniers. (→ 18)

Des maoïstes sèment la terreur au Népal

Elizabeth Tessier, docteur en sociologie

Katmandou, vendredi 6
47 morts, dont 29 policiers : tel est le bilan de l'attentat à la bombe qui vient d'être commis dans le district de Dailekh, à 380 km à l'ouest de la capitale. Lundi déjà, une explosion avait fait 32 morts. Depuis 1996, ce sont plus de 1 600 personnes, pour la plupart des policiers, qui ont péri, victimes des attaques terroristes du Parti communiste népalais qui a juré la perte du roi Birendra, et dont la particularité est d'être la dernière guérilla au monde – avec le Sentier lumineux péruvien – à professer une idéologie maoïste. Ni la répression ni les tentatives de conciliation, telle la libération, en novembre, de deux dirigeants maoïstes, ne réussissent à endiguer les violences. (→ 26.11)

Paris, samedi 7
Il aura fallu attendre 350 ans pour que l'astrologie retrouve enfin droit de cité à la Sorbonne. C'est en ces termes qu'Elizabeth Teissier, larme à l'œil, commente le titre de docteur en sociologie que le jury vient de lui décerner au terme d'une soutenance de thèse houleuse et très médiatisée. La thèse de l'astrologue de François Mitterrand portait sur « la situation épistémologique de l'astrologie dans les sociétés postmodernes ». Mais son travail a soulevé une véritable levée de boucliers dans les milieux scientifiques, et des tracts hostiles à l'impétrante ont été jetés en pleine salle de soutenance. Le sociologue Michel Maffesoli, son directeur de thèse, n'est pas épargné.

Le 4, *Yamakasi* (« homme fort par le corps et l'esprit » en zaïrois), réalisé par Ariel Zeitoun et produit par Luc Besson, sort sur les écrans français. Un hymne à la solidarité et un festival de haute voltige en milieu urbain.

Triplé kenyan au 25e marathon de Paris, dimanche 8. Simon Biwott gagne en 2 h 09' 40'' devant ses compatriotes David Kirui et Fred Kiprok. Une consolation pour la France : Mohamed Ezzher prend la quatrième place.

Lu	Ma	Me	Je	Ve	Sa	Di
						1
2	3	4	5	6	7	8
9	10	11	12	13	14	15
16	17	18	19	20	21	22
23	24	25	26	27	28	29
30						

Paris, lundi 9
Le tribunal de grande instance suspend le plan social de Marks & Spencer. (→ 6.11)

Londres, lundi 9
La Haute Cour décide de placer les « jumelles du Net », Belinda et Kimberley, chez un couple nourricier du Missouri.

Johannesburg, mercredi 11
Mouvement de foule lors d'un match de football : 43 morts.

Chine, mercredi 11
89 criminels sont exécutés d'une balle dans la tête.

Dijon, mercredi 11
La cour d'appel clôt le dossier de l'assassinat de Gregory Villemin. L'affaire ne sera toutefois prescrite qu'en 2011.

France, mercredi 11
Selon *Auto Plus*, le Français a dépensé en moyenne 39 551 F en 2000 pour sa voiture.

Gaza, mercredi 11
L'armée israélienne entre pour la première fois dans une zone sous contrôle exclusif de l'Autorité palestinienne. (→ 18)

Lorient, jeudi 12
Une bombe anglaise de 250 kg datant de 1944, découverte hier en centre-ville, est désamorcée.

Bruxelles, vendredi 13
L'embargo européen frappant le bétail français est levé.

Floride, samedi 14
Après une comparaison d'ADN, l'Espagnol Francisco Arce Montes devient le suspect n° 1 du meurtre de Caroline Dickinson en 1996 à Pleine-Fougères (Ille-et-Vilaine). (→ 19)

Le Mans, dimanche 15
Victoire aux 24 Heures moto des Français Christophe Guyot, Sébastien Scarnato et Nicolas Dussauge sur une Suzuki 988 GSXR privée.

San Marin, dimanche 15
Ralf Schumacher, frère de Michael, remporte sur Williams son 1er Grand Prix de F1. (→ 29)

DÉCÈS

Rio de Janeiro, mardi 10
Jean-Gabriel Albicocco, cinéaste français (*15.2.1936).

Sables-d'Olonne, mercredi 11
Jean de Granier de Cassagnac, dit Jean Granier, créateur de *la Famille Duraton* (*4.12.1910).

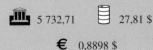

🏛 5 732,71   🛢 27,81 $

€ 0,8898 $

Paris est accusé d'inonder la province

Abbeville, lundi 9
L'eau monte, et la rumeur enfle. Et plus l'une progresse, plus l'autre se répand. La « rumeur d'Abbeville », tenace comme un brouillard picard, veut que les crues qui submergent la sous-préfecture de la Somme n'aient pas pour origine une pluviométrie exceptionnelle. Elles seraient dues à « une volonté délibérée de sacrifier la Somme pour sauver Paris ». Pour cela, trois rivières, qui se déversent d'ordinaire dans le canal du Nord, auraient vu leur cours détourné vers la Somme. Partiellement exact, dit-on à la préfecture, où l'on explique que seul le surplus est renvoyé vers la Somme, soit 2 à 3 m³ par seconde, pour limiter justement les dégâts.

Lionel Jospin fait front à Abbeville.

Le Rwanda coopère avec le TPI-R

Kigali, lundi 9
Sept ans après le génocide rwandais, les autorités du pays ont lancé un mandat d'arrêt à l'égard de Pierre Célestin Rwigema, Premier ministre de 1995 à 2000. Accusé d'avoir été complice du massacre des Tutsis par les Hutus, il s'est réfugié aux Etats-Unis et a demandé l'asile politique. Le président Paul Kagamé multiplie les gestes de bonne volonté à l'égard du Tribunal pénal international, au point d'accepter désormais de livrer au TPI-R des officiers qui auraient, en représailles, tué des Hutus : des hommes dont il était alors le chef.

Droit à l'euthanasie pour les Hollandais

Pays-Bas, mardi 10
Après la Chambre basse au mois de novembre dernier, les sénateurs des Pays-Bas ont voté la loi autorisant l'euthanasie. Les médecins pourront mettre fin aux jours des malades si ceux-ci en font la demande, s'il n'y a aucun espoir de guérison et si leurs souffrances sont insupportables. Les mineurs de 12 à 16 ans devront, en outre, obtenir l'autorisation de leurs parents. Le Vatican condamne avec force cette loi à laquelle, au Sénat, ont vainement tenté de s'opposer les partis religieux, mais également, ce qui paraît plus surprenant, certains sénateurs d'extrême gauche.

American Airlines, mastodonte aérien

Etats-Unis, lundi 9
Plus de 900 appareils pour plus de 300 destinations : avec l'acquisition de TWA, American Airlines devient la première compagnie aérienne des Etats-Unis, devant United Airlines. Le coût de cette opération se monte à 742 millions de dollars, à quoi il faut ajouter les 3,5 milliards de dette de TWA qu'AMR, la holding dont dépend American Airlines, s'engage à reprendre à son compte. Le P-dg d'American Airlines, Donald Carty, a par ailleurs déclaré qu'il n'y aurait aucun licenciement. C'est donc un effectif de près de 125 000 salariés qu'affiche le nouveau groupe.

Jérôme Lindon a édité deux prix Nobel

Il est mort aujourd'hui d'un cancer.

Paris, lundi 9
Jérôme Lindon était entré en 1946 aux Editions de Minuit, créées dans la clandestinité en 1942 par Vercors et Pierre de Lescure. Il allait vite en devenir l'âme, mettant tout son flair au service des auteurs qu'il aimait et faisant montre d'un rare courage à défendre les causes qui lui tenaient à cœur. Né le 9 juin 1925 à Paris, cet ancien résistant n'hésita pas à publier un pamphlet sur l'épuration dû à Jean Paulhan, puis à éditer des livres contre la guerre d'Algérie. Il lança le « nouveau roman » et vit sa carrière couronnée lorsque Samuel Beckett et Claude Simon reçurent le prix Nobel, en 1969 et 1985.

Le 10, Florence Parly, secrétaire d'Etat au Budget, présente l'action de la douane contre la contrebande de cigarettes, un trafic en pleine expansion : l'an dernier, les saisies ont augmenté de près de 20 % par rapport à 1999.

Epreuve de force dans les prisons turques

Le pouvoir doit aussi faire face à une révolte sociale due à la hausse des prix.

Turquie, jeudi 12

Le bras de fer entre les grévistes de la faim et le gouvernement de Bülent Ecevit atteint son paroxysme dans les prisons turques. Deux nouveaux décès, à l'hôpital d'Izmir, viennent d'aggraver le bilan du mouvement de protestation contre les réformes pénitentiaires. Ces réformes visent à isoler les prisonniers politiques et à supprimer le système des dortoirs, sur lesquels l'administration n'avait pratiquement plus aucun contrôle. Pour le gouvernement turc, en effet, ces dortoirs étaient devenus le fief des durs du DHKP-C et de Tikko, deux partis d'extrême gauche taxés de terrorisme. Suivie par plusieurs centaines de prisonniers, la grève a fait à ce jour neuf morts. (→ 16)

Faut-il boycotter les produits de Danone ?

France, jeudi 12

A l'origine furent les employés des usines LU de Calais et d'Evry, qui lancèrent le « boycott » des produits Danone. Erreur n° 1 : l'Académie ne reconnaît que le « boycottage ». Puis ce furent des mairies socialistes et communistes, qui interdirent lesdits produits dans les cantines, appuyées par une centaine de députés. Erreur n° 2 : le boycottage est interdit par la loi. L'erreur n° 3 met d'accord FO, la CFDT et le P-dg : ce que Danone perd, Nestlé le récupère. (→ 21)

Le 14, à Meulan (Yvelines), David Douillet épouse sa compagne depuis sept ans, Valérie Rouault, maman de Matteo (le dernier des quatre enfants du judoka), en présence de Jacques et Bernadette Chirac.

L'instituteur a préféré la mort à la honte

Les habitants de Zittersheim sont partagés sur la culpabilité de Paul Jacquin.

Zittersheim, jeudi 12

C'est le dernier jour de classe avant les vacances de Pâques, à la petite école de Zittersheim (Bas-Rhin). Il est 13 h 15, et Paul Jacquin, 42 ans, s'apprête à accueillir ses élèves. Car le cours va reprendre dans un quart d'heure. Mais l'instituteur, respecté dans ce village de 210 habitants, sait qu'une plainte pour pédophilie a été déposée contre lui. Deux gendarmes flanqués d'un psychologue et d'une institutrice viennent l'interpeller. Ils laissent Paul Jacquin remonter dans son appartement. Seul. C'est alors le drame : l'enseignant se jette par la fenêtre et meurt peu après. Depuis, l'émotion submerge le village. Paul Jacquin était-il coupable, ou n'a-t-il pas supporté une accusation injuste ?

L'hormone de jouvence provoque la ruée

France, jeudi 12

Quarante-huit heures après la mise en garde de l'ordre des médecins, conseillant à ses membres de ne plus prescrire de DHEA, rien ne semble avoir changé. La molécule qui, selon le Pr Etienne-Emile Beaulieu, est un élément essentiel de lutte contre le vieillissement, est toujours délivrée. Par crainte d'une interdiction totale, les clients – et surtout les clientes – sont nombreux à réclamer le produit qui aurait pour effets de densifier les os et d'augmenter la libido... (→ 26.7)

Victoire de Servais Knaven, le champion des Pays-Bas, dans Paris-Roubaix, dimanche 15. Mais aussi domination de son équipe, la Domo, avec Johan Museeuw à la deuxième place et Romans Vainsteins à la troisième.

Avril

Lu	Ma	Me	Je	Ve	Sa	Di
						1
2	3	4	5	6	7	8
9	10	11	12	13	14	15
16	17	18	19	20	21	22
23	24	25	26	27	28	29
30						

Dahr al Baydar, lundi 16
Tsahal bombarde une station radar syrienne au Liban.

Mexique, lundi 16
Les soldats gouvernementaux encore présents au Chiapas engagent leur retrait.

Manille, lundi 16
L'ancien président philippin Joseph Estrada se rend à la justice. Il reste en liberté sous caution judiciaire. (→ 25)

Turquie, lundi 16
Décès d'un 13e gréviste de la faim. Une centaine sont dans un état critique. (→ 7.5)

Huy, mercredi 18
Cyclisme : le Belge Rik Verbrugghe remporte la Flèche wallonne.

Paris, mercredi 18
Jacques Bardot et Francine Darmon disent avoir localisé une ouverture secrète dans la grande pyramide de Khéops.

Rennes, jeudi 19
La cour d'appel demande aux USA l'extradition de Francisco Arce Montes. (→ 23.11)

Kabylie (Algérie), jeudi 19
Grève générale à l'appel du Mouvement culturel berbère.

Corée du Sud, jeudi 19
Le constructeur automobile Daewoo a accusé une perte de 19,3 milliards d'euros en 2000.

Calais, samedi 21
15 000 manifestants défilent contre la fermeture de LU.

Belgique, dimanche 22
Le Suisse Oscar Camenzind remporte la classique cycliste Liège-Bastogne-Liège.

France, dimanche 22
Le Grand Palais et la maison de Dreyfus (Cayenne) sont classés monuments historiques.

France, dimanche 22
Les 908 Kurdes échoués à Saint-Raphaël avaient menti sur leur nationalité. Se disant irakiens, ils étaient en réalité syriens. Et seuls 196 sont encore localisés.

DECES

Truinas (Drôme), jeudi 19
André du Bouchet, poète (*7.5.1924).

Berlin, vendredi 20
Giuseppe Sinopoli, chef d'orchestre italien (*2.11.1946).

 5 449,34   26,71 $

 € 0,9018 $

Vimy se débarrasse des obus de la Première Guerre mondiale

Vimy, lundi 16
Le convoi des sept camions, escorté par un déploiement impressionnant de gendarmes et de pompiers, s'est ébranlé ce matin, vers 1 heure. Il a quitté une ville morte. Les habitants de Vimy (Pas-de-Calais) avaient été évacués vendredi, ainsi que ceux de cinq autres villages des environs. Le but de l'opération : transférer vers le camp militaire de Suippes (Marne) des obus chimiques stockés à Vimy depuis la fin de la Première Guerre mondiale, soit au total 55 tonnes de munitions à l'ypérite et au phosgène d'autant plus dangereuses pour les populations que des risques de fuite avaient été constatés. Le convoi est arrivé sans incident à 7 heures.

Plus de 12 000 personnes ont été évacuées, dont 4 720 habitants de Vimy.

Ouverture du procès du Temple solaire

Grenoble, mardi 17
Le 23 décembre 1995, seize corps calcinés étaient découverts à Saint-Pierre-de-Chérennes (Isère), dans le Vercors. Un suicide collectif ? C'est la thèse officielle, tempérée par le fait que 14 victimes ont été abattues d'une ou de plusieurs balles. Mais elles auraient été consentantes. Sauf, bien sûr, les enfants... Les victimes appartenaient à l'Ordre du Temple solaire (OTS), organisation secrète qualifiée de secte. En l'absence des deux « gourous », Jo Di Mambro et Luc Jouret, morts en 1994, le chef d'orchestre suisse Michel Tabachnik est seul dans le box. Idéologue de la mouvance, il est jugé pour association de malfaiteurs. (→ 25.6)

Michel Tabachnik est le seul accusé.

Quel avenir pour AOM-Air Liberté ?

Paris, mercredi 18
Au soir de leur journée de grève, les salariés d'AOM-Air Liberté, venus à 1 500 manifester rue Pierre-1er-de-Serbie, voulaient croire que Ernest-Antoine Seillière prendrait la peine de recevoir une délégation. A leurs yeux, il est en effet le patron de la compagnie aérienne dans la mesure où sa holding, Marine-Wendel, est l'actionnaire majoritaire, même si le suisse SAirGroup en est le véritable opérateur. Il n'en a rien été. Ernest-Antoine Seillière ne cesse de répéter que les 7 500 emplois menacés sont du ressort des Suisses. Et qu'il a, lui, assumé ses engagements. (→ 21.5)

Le 19, Robert Paparemborde, un pilier de légende du rugby, meurt d'un cancer à Paris (*5.7.1948).

Le 19, l'abbé Pierre est fait grand officier de la Légion d'honneur, dignité qu'il avait refusée en 1992 tant que ne serait pas créé un haut comité pour le logement des défavorisés. A son « heureux étonnement », cela a été fait.

Les Etats-Unis ne sont plus l'allié indéfectible de l'Etat hébreu

Tel-Aviv, mercredi 18
George Bush a appelé Ariel Sharon et la conversation, rapporte-t-on de source officielle, fut « très bonne » et même « amicale ». Et comme on se dit tout entre amis, le Président des Etats-Unis a signifié au Premier ministre israélien que l'incursion de son armée dans la bande de Gaza était, au minimum, inopportune, et qu'il serait à l'avenir bien inspiré de « faire preuve de retenue pour éviter une escalade ». Sous la pression des Etats-Unis, Tsahal avait dû, hier, se retirer de la zone palestinienne où elle avait pénétré la veille. Du côté palestinien, on se met à espérer que les USA « peuvent faire beaucoup pour la stabilité de la région ».

Le 20 mars, Ariel Sharon rencontrait George Bush à la Maison Blanche.

Moscou accueille les déchets nucléaires

Moscou, mercredi 18
Des marchés juteux en perspective, mais aussi de graves menaces pour l'environnement : la Douma a voté un texte autorisant l'importation en Russie de 20 000 tonnes de déchets nucléaires et leur retraitement pour les transformer en Mox, c'est-à-dire en un combustible utilisable dans les centrales civiles. Cette décision est très loin de faire l'unanimité dans le pays. Les écologistes ont fait ainsi remarquer que la Russie n'a même pas la capacité, à l'heure actuelle, de retraiter ses propres déchets, et que ses possibilités de stockage sont loin d'être suffisantes et sécurisées.

Les éthers de glycol nuiraient à la santé

Paris, jeudi 19
La polémique enflant, le ministère de l'Emploi a jugé bon de publier un communiqué rappelant que, depuis le 1er février dernier, aucune femme enceinte ou qui allaite ne peut être exposée aux éthers de glycol, et que ceux-ci doivent être abandonnés dès lors que des produits de substitution moins nocifs existent. Ces solvants, dont 30 000 tonnes sont utilisées en France tous les ans, entrent dans la composition des peintures, encres, colles, détergents, cosmétiques, etc. Selon de récentes études, ils seraient responsables de cas d'infertilité. Un million de salariés y sont exposés.

L'avion espion est toujours en otage

Pékin, mercredi 18
On négocie, mais sans céder... Telle a été l'ambiance dans laquelle s'est déroulée la rencontre entre Chinois et Américains, à Pékin. Trois heures de discussions n'auront pas permis à Peter Verga, sous-secrétaire d'Etat adjoint à la Défense, d'obtenir de Lu Shumin la restitution sans délai de l'EP-3, l'avion espion américain retenu depuis le 1er avril à Hainan. Le chef de la délégation chinoise a estimé, en effet, que son pays avait fait le premier geste en libérant son équipage, le 12 avril. Et que c'est à Washington d'admettre maintenant sa responsabilité. (→ 24.5)

Le blocus de l'usine Pechiney est levé

Marignac, jeudi 19
On se retrouvera tous lundi à Bercy, dans le bureau du secrétaire d'Etat à l'Industrie, Christian Pierret. C'est ce que se disent, sans le sourire, le P-dg de Pechiney métallurgie et les responsables syndicaux de l'usine de magnésium de Marignac, dont il est venu annoncer hier la fermeture. Le personnel s'était alors mis en grève, avait bloqué l'usine puis séquestré le P-dg, Jacques Gani, et le directeur du site, Gérard Philiponneau. Tous les deux ont été libérés et la grève est suspendue. Jusqu'à quand ? Pour Pechiney, la concurrence chinoise a « tué » l'usine de Haute-Garonne.

L'étau se resserre autour de Pasqua

Paris, jeudi 19
Souvent cité, mais jamais poursuivi, Charles Pasqua, président du RPF, le Rassemblement pour la France, est visé depuis aujourd'hui par deux informations judiciaires concernant le financement de la liste conduite par l'ancien ministre de l'Intérieur aux élections européennes de 1999. En janvier, Philippe de Villiers, son colistier devenu rival dans la course à la présidence, avait dit aux juges : « Je suspecte du blanchiment. » S'ils ne vont pas aussi loin, les juges se montrent intrigués par l'origine des fonds prêtés amicalement à Pasqua par la présidente du PMU gabonais.

Au pied du château de Saumur, joyau de l'architecture médiévale, c'est le désastre : les remparts se sont écroulés dimanche 22, vers 1 h 50 du matin, pulvérisant plusieurs maisons. Par miracle, on ne déplore aucune victime.

Le 22, à Johannesburg, le double champion du monde de boxe poids lourds (WBC et IBF), le Britannique Lennox Lewis, croyait en une victoire facile, titre en jeu. Mais l'Américain Hasim Rahman, un inconnu, l'a mis KO.

Lu	Ma	Me	Je	Ve	Sa	Di
						1
2	3	4	5	6	7	8
9	10	11	12	13	14	15
16	17	18	19	20	21	22
23	24	25	26	27	28	29
30						

Chine, lundi 23
Bilan de la campagne « Frapper fort » : 350 condamnés à mort exécutés en 21 jours. (→ 6.7)

France, lundi 23
Waroujan Garbidjian, ancien chef de l'Asala (Armée secrète de libération de l'Arménie), est expulsé vers son pays. Il avait été condamné à la réclusion criminelle à perpétuité en 1985.

Gaza, lundi 23
Un enfant de 11 ans est tué d'une balle dans la tête. Il est la 400e victime palestinienne de l'Intifada.

Paris, mardi 24
Adoption définitive de la loi fixant l'élection présidentielle de 2002 avant les législatives.

Vatican, mardi 24
Jean-Paul II reconnaît par décret les « vertus héroïques » du père de Foucauld.

France, mercredi 25
Sortie du film de Jean-Pierre Jeunet, *le Fabuleux Destin d'Amélie Poulain*. (→ page 32)

Créteil, mercredi 25
Le juge Claude Halphen se dit « incompétent » pour entendre Jacques Chirac. (→ 2.5)

Saint-Denis, mercredi 25
Football : la France bat le Portugal en match amical (4-0).

Ozoir-la-Ferrière, mercredi 25
Décès d'Arnaud Eboli, 19 ans, 3e victime française de la forme humaine de l'ESB.

Manille, mercredi 25
Joseph Estrada est arrêté. (→ 27)

Londres, jeudi 26
Une étude publiée par *Nature* exonère le vaccin polio oral de toute responsabilité dans la propagation du sida en Afrique.

France, jeudi 26
Première diffusion sur M6 de *Loft Story*, présentée par Benjamin Castaldi. (→ 2.5)

Paris, vendredi 27
Verdict du premier procès des « tournantes » : de 4 à 5 ans de prison, en partie avec sursis.

Baïkonour, samedi 28
Soyouz décolle avec à son bord Dennis Tito, le 1er touriste de l'espace. (→ 6.5)

Barcelone, dimanche 29
Michael Schumacher remporte le Grand Prix d'Espagne de F1.

 5 575,97   27,94 $

€ 0,8923 $

« C'est mon choix » est celui du public

France, lundi 23
« C'est mon choix » en prime-time : qui l'eût cru en fin d'année dernière, quand l'émission d'Evelyne Thomas suscita un tel tollé que les députés débattirent de l'adéquation ou non du *talk-show* avec les exigences de qualité du service public ? Président de France Télévision, Marc Tessier avait défendu l'« émission pionnière du vivre ensemble » qu'il ne jugeait ni racoleuse ni voyeuriste. Il a été entendu par le CSA, et avec lui les 7 millions de fidèles qui assurent à France 3 25 % de parts de marché. Jean-Luc Delarue, le producteur, a encore mis dans le mille.

Le premier procès des « tournantes »

Paris, mardi 24
Ils sont dix, dix jeunes gens, jugés à huis clos devant la cour d'assises des mineurs. En octobre 1993, dans une cité du 19e, ils ont violé, à tour de rôle, une gamine de 13 ans. Elle les a dénoncés. Mais la justice est lente. L'année suivante, ils ont remis ça. Pénalement, ce sont des « viols en réunion ». Dans le jargon des cités, rien que des « tournantes » : un jeune amène sa petite amie, ses copains en profitent. C'est un jeu. Et puis ces « meufs », qui « se font tourner », ce sont des « taspés », des pétasses qui aiment ça. « C'est vrai quoi ! » (→ 27)

Le paludisme tue toujours en Afrique

Afrique, mercredi 25
La Journée africaine de lutte contre le paludisme mobilise la plupart des Etats d'un continent où la maladie cause chaque année la mort de près d'un million de personnes. Jusqu'à aujourd'hui, aucun vaccin n'a été en mesure d'enrayer cette pandémie, et les laboratoires ne prévoient pas de progrès significatifs dans un proche avenir. Le paludisme étant transmis par le moustique anophèle, seule la prévention par l'utilisation massive de moustiquaires permettrait, alors, de réduire le fléau. Pour l'OMS, le paludisme reste un obstacle majeur au développement de l'Afrique.

Brice Fleutiaux ne survit pas à l'épreuve

La Tchétchénie l'a marqué à jamais.

Paris, mercredi 25
Otage en Tchétchénie : de huit mois et demi de captivité, Brice Fleutiaux venait de faire un livre. Il lui fallait se libérer. Mais la catharsis n'a pas eu lieu. C'est le contraire qui s'est produit. Tout ce que le photographe avait enfoui est remonté à la surface, et il a sombré dans un « profond état dépressif » qui a conduit son éditeur à annuler tous les rendez-vous avec les médias. Après avoir « beaucoup réfléchi, disait-il, aux vraies valeurs qui fondent l'existence humaine », il est parti à leur quête. En vain. Il n'a trouvé que sa solitude, et un regain de souffrance qui l'a englouti. Il s'est donné la mort. Le Toulousain avait 33 ans (*23.11.1967).

La carte des plants d'OGM est dévoilée

Paris, mercredi 25
Il a fallu une décision de justice pour que le ministère de l'Agriculture se résigne à rendre publique la liste des sites d'expérimentation des OGM. C'est en effet à la suite d'une plainte de l'organisation écologiste France Nature Environnement (FNE) que, le 1er mars, le tribunal administratif de Paris avait contraint le ministère à se plier à la loi votée en 1992 sur « la transparence des essais en plein champ d'OGM ». Les informations délivrées par la Rue de Varenne ont permis à la FNE d'établir une carte de ces sites. Présentée aujourd'hui, cette carte reste provisoire, tous les essais, pour la plupart effectués par des groupes américains, n'étant pas répertoriés au jour le jour.

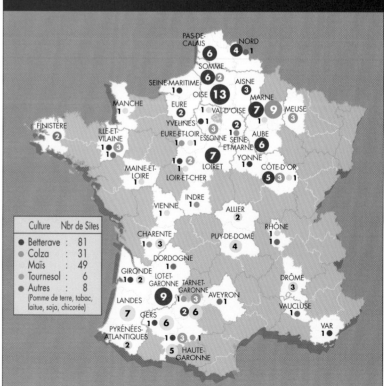

Répartition des champs d'OGM en 2000

Culture	Nbr de Sites
● Betterave	81
○ Colza	31
◔ Maïs	49
◑ Tournesol	6
◕ Autres	8

(Pomme de terre, tabac, laitue, soja, chicorée)

Philippines : libérez notre pote Estrada !

Manille, vendredi 27

Deux jours que Joseph Estrada est incarcéré, et le centre de la capitale philippine ne désemplit pas. Accusé d'avoir volé 80 millions de dollars dans les caisses de l'Etat, l'ancien président a encore le soutien de ceux qui l'avaient porté au pouvoir, ceux dont il se flattait d'être l'« Erap », le « pote », c'est-à-dire les pauvres, qui exigent sa libération. « C'était peut-être un mauvais président, dit l'un d'eux, mais c'était notre président. » Irrationnel, inexplicable, imparable. Sur son lit de camp, où il répète : « Je suis toujours le président », Estrada risque la peine de mort.

Les sages-femmes arrêtent la grève

Paris, vendredi 27

Il aura fallu aux sages-femmes cinq semaines de grève et une « manif » aujourd'hui encore pour être reçues et entendues par le ministre délégué à la Santé, Bernard Kouchner, qui leur a promis une revalorisation de leur profession. Elles s'estiment les victimes de la « surmédicalisation » des accouchements, avec pour effet une dégradation de leur statut. Les sages-femmes du secteur public ont arraché des avancées salariales, les libérales une réévaluation de leurs actes. Mais aucun engagement n'a été pris pour les salaires du privé.

Les jeunes Kabyles défient Alger

Tizi-Ouzou : après dix jours d'émeute en Kabylie, le premier bilan des affrontements s'élève à une soixantaine de morts.

Algérie, samedi 28

Selon toute probabilité, les chiffres exacts ne seront jamais connus. Ce soir, c'est cependant une trentaine de nouveaux morts, au moins, que la Kabylie pleure au terme de cette dixième journée d'émeute. En effet, tout a commencé le 18 avril avec la mort d'un lycéen, à l'intérieur de la gendarmerie de Beni Douala, près de Tizi-Ouzou. Ce jour-là, toute la Kabylie commémorait la révolte de 1980, le « printemps berbère », et la mort du jeune fut le détonateur de ce qui ressemble fort, cette fois-ci, à un soulèvement contre le pouvoir, à une insurrection qui s'est traduite par des affrontements violents entre les jeunes et les gendarmes, haïs de la population. Le plus inquiétant est que ces jeunes échappent aux forces d'opposition identitaire classiques, qui auraient pu les encadrer, et que les plus excités vont jusqu'à lancer des slogans islamistes. En fait, ces événements n'illustrent rien d'autre qu'un gigantesque « ras-le-bol », qui pourrait gagner toute l'Algérie. Le silence du président Bouteflika n'en est que plus assourdissant. (→ 21.5)

Le 28, les habitants de la Somme ont toujours les pieds dans l'eau. Depuis deux jours, l'état de catastrophe naturelle est déclaré dans 108 communes. Des bungalows seront installés pour abriter les personnes évacuées. (→ 2.5)

Le 30, Chandra Levy, stagiaire au Bureau fédéral des prisons, disparaît de son domicile de Californie. Fugue ou assassinat ? A 24 ans, elle est proche, très proche, d'un homme de 53 ans : le député démocrate Gary Condit.

Le porte-avions 'Charles de Gaulle'

Du *Richelieu* au *Charles de Gaulle*

La décision de remplacer les porte-avions *Clemenceau* et *Foch* par deux porte-avions à propulsion nucléaire date du 23 septembre 1980. Il s'agissait pour la Marine française de garder la capacité de déployer un groupe aéronaval partout dans le monde, quelle que soit la situation politique. Nécessitant d'importantes études de faisabilité, notamment en raison du choix politico-industriel d'employer les mêmes chaudières nucléaires que celles installées sur les sous-marins nucléaires lanceurs d'engins de nouvelle génération du type *Triomphant*, le programme est lancé le 4 février 1986. Vingt et un mois plus tard, le 24 novembre 1987, la première tôle est découpée aux chantiers : il ne faudra alors qu'un an et demi pour que la coque du *Charles de Gaulle* soit mise sur cale. Le chantier, qui nécessite l'intervention d'environ deux mille entreprises civiles différentes, connaît au début des années 90 plusieurs coups d'arrêt budgétaires, désorganisant durablement la réalisation du programme ; en réalité, du fait de ces reports financiers, le coût de réalisation du *Charles de Gaulle* augmentera de 15 % !

Le plus petit des « grands » porte-avions

Le porte-avions français, d'une longueur de 261,5 mètres et déplaçant 41 000 tonnes à pleine charge, possède plusieurs caractéristiques qui font de lui un navire unique en Europe, avec des performances opérationnelles très supérieures à celles du *Foch*. Les deux catapultes longues de 75 mètres peuvent propulser des avions de plus de 25 tonnes à 160 nœuds (290 km/h) avec une accélération de 5 G. Grâce à l'utilisation de la vapeur produite par les chaudières nucléaires — une caractéristique unique au monde —, le rythme de catapultage est d'un avion par seconde. La capacité des deux ascenseurs latéraux permet une élévation simultanée de 36 tonnes. La grande liberté laissée par l'usage de la propulsion nucléaire pour organiser le pont (absence de cheminée) permet au *Charles de Gaulle* de lancer une vague de 20 avions en 15 minutes, de les réparer et de les ravitailler pour les relancer quatre heures plus tard. Lors de l'exercice « Trident d'or », au mois de mai 2001, le porte-avions a assuré cent vols de combat par jour pendant une semaine.

Une force aéronavale se déplaçant de mille kilomètres par jour en totale autonomie

Un système de stabilisation original autorise les opérations aériennes par mer forte (force 7 sur l'échelle de Beaufort) : il s'agit de performances équivalentes aux porte-avions américains, plus longs et d'une masse deux fois et demie supérieure. Grâce à son indépendance énergétique, la vitesse de déplacement du groupe aéronaval articulé autour du *Charles de Gaulle* est supérieure à vingt nœuds alors que celle d'un porte-avions classique est tributaire de la vitesse de son pétrolier ravitailleur, limitée à douze nœuds. D'autre part, grâce à l'espace libéré par l'absence de son propre combustible de propulsion, le *Charles de Gaulle* peut ravitailler son escorte pendant dix jours : le groupe aéronaval dispose ainsi d'une autonomie totale supérieure à dix mille kilomètres. Le porte-avions embarque également 40 jours de vivres pour 2 000 personnes, soit 240 000 repas ou petits déjeuners frais. Le *Charles de Gaulle* a quitté Brest pour des essais le 26 décembre 1999 : les premiers appontages des Super Étendard, Rafale et Hawkeye ont été réalisés, avec succès, au

Mai 2001 : au cours de l'exercice naval « Trident d'or », réunissant 12 nations européennes et 75 bâtiments de guerre, le porte-avions américain USS Enterprise a rejoint le Charles de Gaulle. Révélateur, le sillage des deux navires qui filaient à 25 nœuds montre la finesse de coque du navire français: malgré un déplacement de 41 000 tonnes du Charles de Gaulle, moitié moindre que celui du USS Enterprise, la surface opérationnelle des ponts d'envol des deux bâtiments s'avère très proche.

Le Rafale à l'appontage sur le Charles de Gaulle. *Dernier-né de l'aviation militaire française, le Rafale est un avion de combat multirôle de la classe des 25 tonnes, possédant des capacités évolutives, un armement et un système de combat équivalents à plusieurs types de l'aviation embarquée américaine. Le « couple »* Charles de Gaulle-*Rafale est en 2002 le plus moderne du monde.*

cours du printemps et de l'été suivant. Remis définitivement à la Marine par son constructeur en septembre 2000, le porte-avions a immédiatement rejoint son port d'attache de Toulon.

Deux cents femmes font partie de l'équipage

Lors de sa première traversée de longue durée en direction des Antilles françaises, l'équipage a été féminisé avec l'arrivée à bord de près de 200 femmes à divers postes : ingénieur atomicien responsable de la conduite des chaudières, médecin ou officier de catapultage, mécanicien aéronaval ou coiffeur, informaticien ou commis... La complexité de la mise en œuvre des nombreuses installations et une avarie majeure (le bris d'une pale d'hélice) ont retardé l'entrée du *Charles de Gaulle* en service actif jusqu'en mai 2001. Pour autant, ses qualités nautiques se sont vite révélées : le navire, grâce à un système de compensation de gîte original, vire à plat avec un rayon de giration très faible, ce qui le rend particulièrement manœuvrant ; la finesse de la coque permet, malgré la puissance initiale des réacteurs nucléaires bien encadrée, d'entretenir une vitesse de croisière recevable. Pour exemple, après son avarie d'hélice aux Caraïbes, le *Charles de Gaulle* a traversé l'Atlantique nord sur une seule ligne d'arbre tournant à mi-régime par précaution, à la vitesse moyenne de 20 nœuds.

Une flambée médiatique inconsidérée

Au cours de ses deux années d'essais et de mise au point, pendant lesquelles une distance équivalant à deux fois le tour du monde sera parcourue, le nouveau bâtiment a subi une campagne médiatique sans précédent.

Dérisoires le plus souvent, les anathèmes lancés contre le navire procèdent d'une méconnaissance de ses capacités réelles avec la réussite de programmes comme le système de combat naval ou l'aide à la préparation des missions aériennes, et de la qualification immédiate des systèmes d'arme principaux, c'est-à-dire les divers aéronefs portés par le *Charles de Gaulle*, même lorsqu'il s'agit de prototype tel que le Rafale, ou de nouveauté comme le Hawkeye. Autre avancée majeure : la concrétisation d'un nouveau système d'autodéfense antimissiles, centré autour du missile de courte portée Aster 15, présentant des performances uniques au monde. Finalement, ce navire possède une technologie très sophistiquée dont la mise en œuvre s'est en grande partie réalisée sans anicroches, mais l'accent a été mis sur des modifications mineures et planifiées selon un calendrier cohérent avec un moindre coût. Ainsi le rallongement du pont oblique de 4,40 mètres, une opération rendue nécessaire par le choix tardif (en 1992) du

Le capitaine de vaisseau Laborde, pacha du Charles de Gaulle, *va commander le porte-avions pendant deux ans.*

Hawkeye comme avion de guet, a représenté moins de 1 % du coût total des travaux réglementaires réalisés au terme de la première phase d'essais. Des travaux qui seront entrepris d'octobre 1999 à mai 2000, au cours desquels ont été notamment prises en compte les ultimes modifications de la réglementation internationale en matière de radioprotection, qui impose un plafond de radiation artificielle inférieur à la radiation naturelle. L'ajout d'épaisseur d'absorbant à l'intérieur des multiples locaux proches des chaufferies représentera un coût très important, non prévisible.

Une construction à « coût objectif »

La construction du *Charles de Gaulle* ayant duré quinze années pour des raisons purement budgétaires, les installations utilisant des techniques nouvelles, notamment celles liées à l'informatique et aux télécommunications, qui ont connu durant cette même période une évolution accélérée, devaient être impérativement remises à niveau au fur et à mesure des essais et de leur validation opérationnelle. Un aspect peu évoqué concerne d'ailleurs le coût du programme : malgré d'incessants reports financiers effectués au gré des changements de majorité parlementaire, reports qui s'avèrent finalement fort onéreux par la désorganisation du chantier et les dédits aux centaines d'entreprises de sous-traitance, le coût final de construction du *Charles de Gaulle* (proche de trois milliards d'euros) est resté très en deçà des dérives habituelles des programmes militaires. En 1994, le gouvernement français, désireux de freiner une nouvelle fois la construction du porte-avions, a demandé un devis comparatif au seul autre chantier de constructions navales au monde capable de réaliser entièrement un programme, avec propulsion nucléaire, aussi complexe, le chantier qui construit les bâtiments (sous-marin ou porte-avions) nucléaires américains ; le coût annoncé pour mener à bien un pareil programme était — hors études — supérieur de 50 % !

Opérationnel six mois après son admission au service actif

Premier bâtiment de la Marine équipé d'un système permettant des transmissions protégées de données tactiques à haut débit avec les alliés de l'Otan, le porte-avions a appareillé le 1er décembre 2001 en direction de la mer d'Oman et du détroit d'Ormuz. Son système de conduite de l'action en temps réel (organisé autour d'un système d'exploitation navale des informations tactiques appelé SENIT 8) et les capacités de commandement dont dispose le *Charles de Gaulle* permettent à la France, et à la Défense européenne, d'être présents dans cette zone de conflit d'une manière autonome, mais avec un niveau d'engagement équivalent en performances à celui des alliés américains.

Frank Jubelin
Journaliste-écrivain

Mai

Lu	Ma	Me	Je	Ve	Sa	Di
	1	2	3	4	5	6
7	8	9	10	11	12	13
14	15	16	17	18	19	20
21	22	23	24	25	26	27
28	29	30	31			

Alger, mardi 1er
Opposé à la répression menée en Kabylie, le Rassemblement pour la culture et la démocratie (RCD) de Saïd Sadi quitte le gouvernement de coalition.

Modène, mardi 1er
Le ténor Luciano Pavarotti fête ses 40 ans de carrière dans sa ville natale.

Paris, mercredi 2
La cour d'appel ordonne la suspension de l'instruction menée par le juge Halphen sur les HLM de Paris.

Manche, mercredi 2
Début du pompage des cuves de l'épave du *Ievoli Sun* au large du Cotentin. (→ 22)

Versailles, mercredi 2
La cour d'appel confirme la condamnation des laboratoires SKB à indemniser deux femmes atteintes de sclérose en plaques après avoir été vaccinées contre l'hépatite B.

Loft Story, mercredi 2
David quitte volontairement le loft. (→ 3)

Orléans, jeudi 3
Jacques Chirac se dit favorable à une « écologie humaniste ». Il lance l'idée d'une « charte de l'environnement adossée à la Constitution ».

France, jeudi 3
Parution posthume de *Céréales Killer*, le 175e San-Antonio.

Loft Story, jeudi 3
Fabrice remplace David. (→ 5)

Madrid, jeudi 3
Le président syrien, Bachar el-Assad, affirme que « le racisme des Israéliens a surpassé le nazisme ».

Europe, jeudi 3
Le taux de chômage dans la zone euro est de 8,4 %, contre 9,2 % il y a un an.

Saint-Denis, samedi 5
Football : l'Olympique lyonnais remporte la Coupe de la Ligue face à l'AS Monaco (2-1).

Loft Story, samedi 5
Delphine quitte le loft pour « raisons médicales ». (→ 7)

Dinant (Belgique), dimanche 6
Le secrétaire d'Etat allemand à la Défense demande pardon, au nom de son pays, pour le massacre, en août 1914, de 674 civils dinantais.

🏛 5 455,55   🛢 28,19 $

€ 0,8946 $

Le « cerveau » de l'attaque du train postal met fin à sa cavale

Londres, jeudi 3
Scoop magistral pour *The Sun* qui, ce matin, annonce le retour au pays de Ronald Biggs, le « cerveau » du hold-up réussi contre le train postal Glasgow-Londres, le 8 août 1963. Il avait été arrêté peu de temps après et condamné à 30 ans de prison en janvier 1964. Mais, le 7 juillet 1965, Biggs s'évadait et filait en Amérique du Sud pour s'installer finalement au Brésil et jouir de son butin. Il ne put jamais être extradé, ayant un fils de nationalité brésilienne. L'homme est aujourd'hui ruiné et malade. Il a envoyé hier un courrier électronique à Scotland Yard : « Je suis prêt à me plier à la loi. » Son retour sera payé entièrement par *The Sun*. (→ 7)

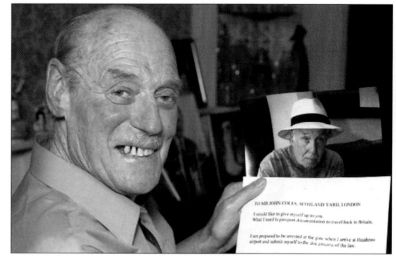

Le quotidien « The Sun » aurait déboursé 150 000 dollars pour le rapatrier.

Une suite contestée pour *les Misérables*

France, jeudi 3
Non, Cosette n'en a pas fini avec les affreux Thénardier ! Et Marius, lui, va connaître les geôles de Toulon... Des aventures que Hugo n'avait pas prévues en écrivant la dernière ligne des *Misérables*, mais que François Cérésa a imaginées dans *Cosette ou le temps des illusions*. Le livre sort aujourd'hui à 65 000 exemplaires et soulève déjà des polémiques. A-t-on le droit de toucher à Hugo ? Pour ses descendants, qui ont décidé d'aller en justice, cette suite constitue une atteinte à l'intégrité de l'œuvre de leur ancêtre. De son côté, l'éditeur, Plon, prépare la suite de la suite, *Marius ou le Fugitif*. (→ 12.9)

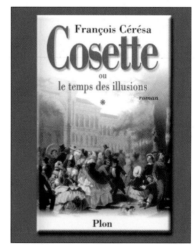

Une pub rêvée pour François Cérésa !

Les Afghans fuient en masse leur pays

Kaboul, vendredi 4
En 1999, la population afghane était estimée à 25 millions de personnes. Elle ne dépasserait aujourd'hui que de peu 21 millions. Fuyant tout à la fois les combats entre les talibans et l'Alliance du Nord du commandant Massoud, et une sécheresse qui sévit depuis quatre ans, 2 millions d'entre eux ont trouvé refuge au Pakistan, et 1,5 million en Iran, abrités dans des camps de fortune. Sans compter les 100 000 Afghans qui tentent, en vain, de pénétrer au Tadjikistan qui refuse de les recevoir, et autant qui se dirigent vers le Turkménistan.

La guerre d'Algérie vue par Aussaresses

Paris, vendredi 4
Le général Paul Aussaresses servit en Algérie, où il était commandant. A Alger, il avait la charge de traquer les terroristes du FLN, le Front de libération nationale. D'empêcher les attentats. Par tous les moyens. Dans *Services spéciaux, Algérie 1955-1957* publié chez Perrin, il raconte. Sans regrets ni remords. Comment il n'a pas hésité à faire torturer, comment des hommes ont été exécutés, sans jugement. Sur ordre des plus hautes autorités de l'époque. Dont le garde des Sceaux, François Mitterrand. Le président de la République, Jacques Chirac, s'est dit « horrifié ». (→ 6.6)

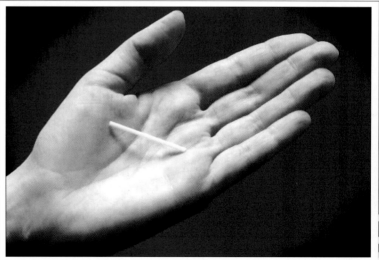

Le 2, les premiers implants contraceptifs sont commercialisés en France sous la marque Implanon. Cette barrette, longue de 4 cm et d'un diamètre de 2 mm, implantée dans le bras, serait efficace à 100 % durant trois ans.

Un pape à la mosquée

Touriste dans l'espace

C'est une première historique que réalise en Syrie le pape de l'œcuménisme.

L'homme d'affaires américain Dennis Tito avait été entraîné à Baïkonour.

Damas, dimanche 6

En 2 000 ans de Chrétienté, jamais souverain pontife n'était entré dans un lieu de culte musulman. Le tabou a été levé par Jean-Paul II, qui s'est déchaussé avant de pénétrer dans la mosquée des Omeyyades où il a été reçu par le cheikh Ahmed Kaftaro, le grand mufti de la république de Syrie. Le pape a lancé un appel en faveur d'«une nouvelle manière de présenter nos deux religions, non pas en opposition, comme cela est advenu trop souvent par le passé, mais en partenariat pour le bien de la famille humaine ». Hier en Grèce, première étage de son voyage sur les pas de saint Paul, le Saint-Père avait solennellement demandé « pardon » aux orthodoxes pour les péchés que les catholiques avaient commis au fil des siècles contre eux. (→ 8)

Kazakhstan, dimanche 6

Fatigué, mais content ! Dennis Tito lève le pouce en sortant du Soyouz qui vient de le ramener sur terre. Le milliardaire américain a déboursé la coquette somme de 20 millions de dollars pour être le premier touriste de l'espace. Il était parti le 28 avril de la base de Baïkonour, avec deux cosmonautes professionnels, russe et kazhak, pour des vacances à bord de la Station spatiale internationale (ISS). La Nasa était contre, mais les dollars de Tito ont su convaincre les Russes... Après deux premiers jours de vol plutôt pénibles, cet homme de 60 ans s'est bien adapté à la vie dans la station, à laquelle le Soyouz s'est arrimé le 1er mai. Dépitée, la Nasa envisage maintenant de faire payer aux Russes les frais de séjour de Dennis Tito dans l'ISS.

Création mercredi 2, à l'Opéra-Bastille, de *Nosferatu*, le nouveau ballet de Jean-Claude Gallotta, sur une musique de Pascal Dusapin. C'est José Martinez qui incarne le mythique vampire (ici avec Claire-Marie Osta).

Le 2, les trois premières pompes destinées à faire baisser le niveau du canal de la Somme entrent en action à Saint-Valery. Le département prend en charge le coût du pompage, estimé à 2,7 millions de francs pour un mois.

Mai

 5 567,25   28,43 $

€   0,8758 $

Pas de trêve dans le combat de l'ETA

Saragosse, lundi 7
350 000 personnes défilent dans les rues de la capitale de l'Aragon. Plus de la moitié de la population de la ville. « Pour la liberté, et contre le terrorisme », proclame la banderole. Manuel Gimenez Abad, le président régional du Parti populaire de José Maria Aznar, le Premier ministre, a été abattu hier de deux balles sous les yeux de son fils. Le crime, nul n'en doute, est le fait de l'ETA. Le mouvement indépendantiste basque a repris la lutte en décembre 2000. Depuis, les meurtres se succèdent. Abad est la 30e victime. Qui sera la prochaine ?

Procès en assises de Markus Warnecke

Saint-Omer, mercredi 9
Le 21 juin 1998, Markus Warnecke était à Lens. C'était le jour du match Allemagne-Yougoslavie de la Coupe du monde de football. Le gendarme Daniel Nivel ne s'en souvient même pas : les séquelles de son agression. C'est miracle s'il a survécu. Quatre de ses agresseurs ont été condamnés l'an passé en Allemagne. Ne restait à juger que Markus Warnecke. Il nie avoir frappé le maréchal des logis-chef. Mais il y a les témoins, qui ont parfaitement vu ce hooligan avec un dragon tatoué sur le bras gauche. Il risque 15 ans de réclusion. (→ 22)

La détermination de Sharon reste intacte

Imane Hijou, âgé de quatre mois, est mort sous un bombardement israélien.

Bande de Gaza, mardi 8
Imane Hijou a été enterré à Deir al Balah, en présence de ses parents mais pas de sa sœur, très grièvement blessée hier par le raid aérien qui a valu au bébé d'être tué dans le camp de réfugiés de Khan Younès, au sud de la bande de Gaza. Une opération de représailles après des attaques au mortier sur une colonie israélienne voisine. Si Ariel Sharon « regrette » la mort de l'enfant, il a approuvé les opérations menées depuis dimanche par Tsahal en Cisjordanie, près de Bethléem notamment, et a assuré les députés de sa pleine détermination : « Nous ne ferons pas que réagir aux attentats, a-t-il promis sous les huées de la gauche, mais nous prendrons l'initiative. » (→ 11)

La justice enquête à l'hôpital Pompidou

Paris, mercredi 9
La famille de Christian Dodier voit sa plainte aboutir : une enquête pour « homicide involontaire et mise en danger délibérée de la vie d'autrui » est confiée à un juge d'instruction, Marie-Odile Bertella-Geoffroy, afin d'établir la responsabilité du HEGP (le très moderne Hôpital européen Georges-Pompidou) dans le décès, le 5 février, de ce patient, victime de la légionellose. Les conduites d'eau chaude pourraient avoir véhiculé la bactérie *Legionella*. (→ 10.7)

Le 7, le couple princier belge fait savoir que Mathilde est enceinte de deux mois. (→ 25.10)

Lundi 7, la 15e Nuit des Molières consacre *Une bête sur la lune*, la pièce de Richard Kalinoski jouée au Théâtre de l'Œuvre : cinq récompenses, dont deux pour Corinne Jaber et Simon Abkarian, sacrés meilleurs comédiens.

Le tueur présumé d'Evreux se fait justice

Tout avait commencé lors d'un banal contrôle routier dans le centre-ville.

Evreux, vendredi 11
Olivier Aubert est mort cette nuit à l'hôpital du Chesnay (Yvelines), où il avait été transporté jeudi matin, après avoir été retrouvé pendu avec un lacet dans sa cellule de la prison d'Evreux. Il n'a pu être réanimé. Ce contremaître de 48 ans conduisait la BMW d'où avaient été tirés, dans la nuit de dimanche à lundi derniers, les coups de feu qui coûtèrent la vie à un policier, lors d'un contrôle. Il avait été interpellé dès lundi matin, à son domicile, et avait commencé par accuser un mystérieux passager dont l'existence fut rapidement mise en doute par les enquêteurs. Mardi, Aubert avait fini par avouer, mais sans pouvoir expliquer son geste. Il était, selon son avocat, dépressif...

Nantes champion de France de football

Nantes, samedi 12
Marée jaune à la Beaujoire, pour le sacre du FC Nantes. Il suffisait aux Canaris de battre l'AS Saint-Etienne pour devenir champions de France. Le score final de 1-0 a suffi à leur bonheur, d'autant qu'ils y ont mis la manière. Belle récompense pour ce club qui a toujours su privilégier le recrutement local et favoriser un jeu où l'efficacité devait être associée à l'élégance. Récompense aussi pour la Socpresse (éditrice du *Figaro*) qui a repris le FC Nantes il y a un an.

Victoire de Berlusconi

Le triomphe de sa coalition provoque une onde de choc dans toute l'Europe.

Rome, dimanche 13
A l'Assemblée comme au Sénat, la Maison des libertés est majoritaire. Silvio Berlusconi a gagné son pari : la coalition de droite, qui regroupe son parti, Forza Italia, la Ligue du Nord d'Umberto Bossi et l'Alliance nationale de Gianfranco Fini, va lui permettre de retrouver le poste de Premier ministre qu'il avait quitté il y a sept ans après seulement neuf mois de pouvoir. Mieux encore : ses partenaires, et néanmoins rivaux, ne sont pas en mesure de lui dicter leurs conditions : le mouvement de Bossi n'atteint pas 4 %. Les Italiens font ainsi confiance au plus riche de leurs compatriotes, qui leur a promis une baisse des impôts, la suppression des droits de succession, l'augmentation des retraites, bref, une « révolution libérale ». Dans un « contrat avec les Italiens », il s'est engagé à ne pas se représenter s'il ne réalisait pas, dans les cinq ans, les 4/5 des promesses qu'il leur a faites. (→ 9.6)

Le 12, à Neuilly, des manifestants, ulcérés par « Loft Story », déposent des ordures devant le siège de M6 pour dénoncer la « télé-poubelle ». D'autres tentent de prendre d'assaut le loft installé à la Plaine-Saint-Denis. (→ 17)

Le 12, à Copenhague, les Estoniens Tanel Padar et Dave Benton gagnent le Concours de l'Eurovision avec la chanson *Everybody*. Les couleurs de la France étaient défendues par une Québécoise, Natasha Saint-Pierre.

Mai

Lu	Ma	Me	Je	Ve	Sa	Di
	1	2	3	4	5	6
7	8	9	10	11	12	13
14	15	16	17	18	19	20
21	22	23	24	25	26	27
28	29	30	31			

Paris, lundi 14
937 millions de francs : tel est le montant total des indemnités que verseront les assureurs d'Air France aux familles des 92 victimes allemandes du crash du Concorde.

Saint-Denis, mardi 15
Hachette, la Caisse d'Epargne et TF1 font leur entrée dans le capital de *l'Humanité*.

France, mardi 15
Selon l'Institut de veille sanitaire, un retraité sur quatre a été exposé à l'amiante durant sa vie professionnelle.

Dortmund, mercredi 16
Football : Liverpool remporte la Coupe de l'UEFA face au club espagnol d'Alavés (5-4).

Paris, jeudi 17
Jean-Michel Lemétayer est élu président de la FNSEA.

France, jeudi 17
La durée de l'interdit bancaire est ramenée de 10 ans à 5 ans.

Japon, jeudi 17
Nissan annonce un bénéfice net de 3 milliards d'euros.

Loft Story, jeudi 17
Kenza est éliminée. (→ 24)

France, vendredi 18
Entrée officielle en service actif du porte-avions nucléaire *Charles de Gaulle*. (→ 21)

La Haye, samedi 19
Mariage du prince Constantijn des Pays-Bas avec Laurentien Brinkhorst, fille du ministre de l'Agriculture.

Paris, dimanche 20
Football : Guy Roux annonce son retour comme entraîneur à l'AJ Auxerre. (→ 18.6)

Le Mans, dimanche 20
Max Biaggi remporte le Grand Prix de France moto 500 cm^3 sur Yamaha.

Washington, dimanche 20
Vice-président des Etats-Unis, Dick Cheney demande à Israël de ne plus utiliser d'avions F-16 contre les Palestiniens.

DECES

Rome, lundi 14
Mauro Bolognini, cinéaste (*28.6.1922).

Paris, mardi 15
Jean-Philippe Lauer, égyptologue (*7.5.1902).

🏛 5 638,24   🛢 28,84 $

€ 0,8767 $

Mille milliards de $ blanchis par an

Monaco, lundi 14
Cinq ans après l'entrée en vigueur de la loi permettant de lutter contre le blanchiment d'argent, rares furent les participants au Sommet mondial sur les relations entre la justice et les institutions bancaires à se montrer satisfaits. Le procureur général de la Cour de cassation, Jean-François Burgelin, résumait ainsi le sentiment général : « Il y a des frontières pour les commissions rogatoires, pour les extraditions, pas pour les capitaux. » Mille milliards de dollars sont ainsi blanchis chaque année. La Russie, à elle seule, en injecterait 10 % dans les économies occidentales.

Elle a fait un bébé à l'âge de 62 ans

Fréjus, lundi 14
Le faire-part pourrait être libellé en ces termes : Benoît-David est né à la clinique des Lauriers aujourd'hui, à Fréjus ; il pèse 3 kilos et la maman se porte bien. Mais ce que ne dirait sans doute pas le faire-part, c'est que la maman, Jeanine Salomone, a 62 ans, et que le bébé est le fruit de la fécondation *in vitro*, effectuée aux Etats-Unis, de l'ovocyte d'une jeune Américaine par un spermatozoïde de Robert Salomone, le propre frère de Jeanine. De sorte que, si la mère biologique du nouveau-né n'est pas Jeanine Salomone, Robert, lui, est à la fois son père et son oncle !

Les feuilles de soins s'empilent à la Sécu

Paris, lundi 14
Gilles Johannet, qui dirige la Caisse nationale d'assurance maladie, juge le retard « intolérable ». Mais il n'a aucune solution miracle pour que les 15 millions de feuilles de soins en attente de remboursement, certaines depuis plusieurs mois, soient traitées dans des délais rapides. Il estime que le retard devrait être ramené à dix millions à la fin juin. Les assurés de Paris et de Lille sont principalement touchés. La faute incomberait tant à la trop faible utilisation de la carte Vitale et de la télétransmission des feuilles qu'au manque de personnel.

A Patrick Henry de réussir sa réinsertion

Aujourd'hui âgé de 47 ans, il avait déjà déposé sept demandes de libération.

Caen, mardi 15
Ce matin, Patrick Henry est libre. Ou presque. Il est sorti cette nuit de la prison de Caen, suite à la décision prise, le 26 avril, par la juridiction régionale de Basse-Normandie : une libération conditionnelle, « soumise au régime de placement à l'extérieur pendant une durée de 8 mois ». Le 20 janvier 1977, Patrick Henry avait été condamné à la prison à vie pour l'assassinat de Philippe Bertrand, un enfant de 7 ans qu'il avait kidnappé. Me Robert Badinter avait sauvé sa tête au terme d'une plaidoirie contre la peine de mort. En prison, Henry a fait des études, devenant même un professionnel de l'imprimerie. C'est d'ailleurs un imprimeur de la région, Charles Corlet, qui l'a engagé.

Un condamné sur trois échappe à la prison

Paris, jeudi 17
L'étude, due à l'Union syndicale des magistrats (USM), est accablante : le tiers des peines de prison ferme ne sont pas effectuées. Non pas que les condamnés demeurent introuvables : c'est la plupart du temps le juge de l'application des peines qui décide de ne pas les faire exécuter. Il en a le pouvoir lorsqu'elles ne dépassent pas six mois. Le manque de moyens humains fait aussi que des sentences ne sont même pas signifiées. Quant aux condamnés à sursis avec « mise à l'épreuve », seuls 25 % d'entre eux seraient pris en charge.

Le 15, la Bibliothèque nationale de France préempte, pour 11 millions de francs, le manuscrit (non définitif) de 876 pages du *Voyage au bout de la nuit* de Louis-Ferdinand Céline lors d'une vente aux enchères à Drouot.

Le processus de Matignon progresse sous l'œil des nationalistes

Paris, jeudi 17
Les députés ont achevé l'examen, en première lecture, des 52 articles du projet de loi sur la Corse, sous l'œil vigilant des nationalistes de Corsica Nazione, dont Jean-Guy Talamoni, présents dans les tribunes. L'ancien ministre de l'Intérieur, Jean-Pierre Chevènement, n'a pas pu empêcher le transfert de compétences au profit de l'Assemblée territoriale de Corse d'être adopté. La langue corse serait enseignée à tous les élèves sauf avis contraire des parents ; les élus locaux pourraient déroger à la loi littoral qui, depuis 1986, protège les côtes du bétonnage. Le chemin législatif est encore long, et soumis à l'arrêt des violences en Corse. (→ 26.9)

Jean-Pierre Chevènement a dénoncé les prémices d'« une France éclatée ».

Trop de lycéens sont victimes de violences

Paris, samedi 19
Une étude réalisée pour le conseil régional d'Ile-de-France révèle que les lycéens vivent dans la peur, non pas de l'échec scolaire, mais de la violence, dont ils sont 45 % à avoir déjà été victimes au sein même des établissements, sous les regards de leurs camarades, qui confirment, à 77 %, avoir été témoins de tels actes. Les principales violences subies sont les insultes, suivies des coups et du racket. Elles donnent rarement lieu à un dépôt de plainte, fût-ce auprès des autorités du lycée, par crainte de représailles. Le nombre de sanctions prises est donc infinitésimal.

Dix médailles pour les judokas français

Paris, dimanche 20
La France finit en beauté au Palais omnisports de Paris-Bercy, avec la médaille d'or surprise de Frédérique Jossinet, vainqueur de la Roumaine Laura Moïse en moins de 48 kg. Au total, ces championnats d'Europe de judo auront rapporté aux Bleus dix médailles : deux en or (avec celle de Céline Lebrun en moins de 78 kg), trois en argent et cinq en bronze. Le bilan est d'autant plus positif que les as du judo français, Djamel Bouras, Sarah Nichilo-Rosso et Marie-Claire Restoux, avaient été mis en réserve du mondial. Du coup, la Belgique a pris la tête devant la France.

La Chambre du fils et la Pianiste sont couronnés à Cannes

Nanni Moretti reçoit la Palme d'or pour son film « la Chambre du fils ».

Cannes, dimanche 20
Personne ne conteste la Palme d'or que le jury de Cannes, présidé par Liv Ullmann, a décerné à celui que l'on tient pour une figure majeure du cinéma italien moderne, Nanni Moretti : *la Chambre du fils* a réuni les suffrages des spectateurs et des critiques. Plus controversés sont les trois prix accordés à *la Pianiste* de l'Autrichien Michael Haneke : grand prix du jury et prix d'interprétation féminine et masculine (pour Isabelle Huppert et Benoît Maginel). Ils sont nombreux, sur la Croisette, à dire que le grand prix du jury aurait dû être attribué au cinéaste portugais Manoel de Oliveira (93 ans !) pour son émouvant *Je rentre à la maison*.

Le 19, dans le Doubs, les huit spéléologues suisses bloqués depuis trois jours dans une grotte de Goumois sont sauvés. Inexpérimentés, ils ont été surpris par la montée des eaux et s'étaient réfugiés dans une cavité à sec.

Le 20, au Parc des Princes, Leicester l'emporte sur le Stade français en finale de la Coupe d'Europe de rugby (34-30). Les Anglais ont inscrit trois essais. Tous les points français sont dus au pied de Diego Dominguez.

Mai

Lu	Ma	Me	Je	Ve	Sa	Di
	1	2	3	4	5	6
7	8	9	10	11	12	13
14	15	16	17	18	19	20
21	22	23	24	25	26	27
28	29	30	31			

France, lundi 21
Le plan de restructuration d'AOM-Air Liberté prévoit la suppression de 1 328 postes en équivalent temps plein. Les pilotes enclenchent une grève illimitée. (→ 28)

Saint-Omer, mardi 22
Markus Warnecke est condamné à cinq ans de prison.

France, mardi 22
L'opération « Pièces jaunes » a rapporté 65 millions de francs, 48 % de plus que l'an dernier.

Manche, mardi 22
Fin du pompage des cuves du *Ievoli Sun*.

Londres, mardi 22
British Airways renoue avec les bénéfices : 242 millions d'euros (avant impôts) pour l'exercice clos au 31 mars.

Afghanistan, mercredi 23
Les talibans imposent à tous les non-musulmans le port d'un signe distinctif, tel « un badge jaune sur la poitrine ».

Nord, jeudi 24
Une étudiante de 21 ans est violée par six jeunes gens dans le train Dunkerque-Lille, sans que nul ne réagise. (→ 31)

France, jeudi 24
Manifestations contre un projet de loi visant à soumettre les *raves parties* à une autorisation préalable. (→ page 53)

Loft Story, jeudi 24
Steevy est éliminé. (→ 31)

Erevan (Arménie), vendredi 25
Signature d'un pacte entre six des douze pays de la CEI, issue de l'ex-Urss, dont la Russie, pour la création d'une force de réaction rapide destinée à lutter contre les rebelles islamistes en Asie centrale.

Paris, vendredi 25
Le camp de Drancy est classé monument historique.

Washington, samedi 26
Le Congrès adopte une baisse d'impôts de 1 350 milliards de dollars sur dix ans.

Monaco, dimanche 27
Michael Schumacher remporte le Grand Prix de F1.

New York, dimanche 27
Mariage de Mgr Milingo, un évêque catholique, avec Maria Sung, lors d'une cérémonie de l'organisation Moon. (→ 7.8)

 5 581,94   28,56 $
€ 0,8565 $

Montebourg veut faire tomber Chirac

Paris, lundi 21
Député socialiste de Saône-et-Loire, Arnaud Montebourg est un obstiné. Ancien avocat, il est certain qu'il est possible d'abattre juridiquement le président de la République, c'est-à-dire de le traduire en Haute Cour de justice pour prise illégale d'intérêts, trafic d'influence et recel d'abus de biens sociaux, actes ressortant, selon lui, des investigations menées sur les scandales de la Mairie de Paris. Il est parvenu à convaincre 29 autres députés de signer une résolution qui permettrait de contourner la justice ordinaire. Ce n'est qu'un début. La Constitution exige un minimum de 58 signatures pour que le texte soit débattu à l'Assemblée. (→ 10.10)

« Marche noire » de 300 000 Kabyles

Tizi-Ouzou, lundi 21
Ils sont au moins 300 000, dans les rues de Tizi-Ouzou, à manifester la colère du peuple kabyle. Venus des villes et des villages, ils portent des bandeaux ou des brassards noirs, et d'autres ont revêtu leurs costumes traditionnels. A la révolte spontanée du début a succédé un mouvement organisé, pris en main par les tribus et par les comités de village. Cette fois, la revendication identitaire est liée au rejet du pouvoir. On entonne les chansons de Matoub Lounès. Et on ne hurle plus en arabe, mais en tamazight... ou en français !

L'ONU contre les « douze salopards »

Stockholm, mardi 22
Les « douze salopards », ce sont les douze POP (polluants organiques persistants) que 127 pays réunis à Stockholm sous l'égide de l'ONU se sont engagés à éliminer. Ces POP particulièrement toxiques sont des pesticides et des produits chimiques industriels. Les Etats-Unis, une fois n'est pas coutume, se sont associés à cette initiative. Il faut dire que ces « douze sapolards » sévissent pour la plupart dans le tiers monde, les pays développés n'ayant pas attendu aujourd'hui pour les proscrire.

Le *Charles de Gaulle* contrôle une flotte

Deux Rafale, dix-sept Super Etendard et deux Hawkeye étaient à bord.

Méditerranée, lundi 21 mai
Douze nations et soixante-quinze bâtiments participent à l'exercice *Trident d'or*. Pour la première fois, le porte-avions nucléaire français y trouve l'occasion de tester son rôle de navire de commandement. Placé au centre de la toile d'araignée des communications entre les navires en mer, les appareils en l'air et tous les centres de décisions à terre, le PAN *Charles de Gaulle* réussit à établir une situation très précise du théâtre des opérations, en permanence et en temps réel. Unique en Europe, son réseau Athreis transmet en effet les diverses informations à la vitesse de 2,7 mégabits/seconde.

Une nouvelle victime du « jeu du foulard »

Bourges, mercredi 23
Son frère l'a retrouvé mort dans sa chambre, pendu par une ceinture à un barreau de son lit superposé. A 13 ans, Karim ne s'est pas suicidé. Il a joué, et il a perdu. Le « jeu du foulard », très en vogue auprès des collégiens, se pratique d'ordinaire à deux. L'un serre le cou de l'autre de toutes ses forces, jusqu'à provoquer l'évanouissement. Le but : éprouver, sans recours à des psychotropes, des visions hallucinatoires. Puis revenir à la vie et raconter à ses copains. Une dizaine d'élèves de 12 à 15 ans en sont déjà morts.

Le 24, Erik Weihenmayer, un écrivain américain vivant dans le Colorado, est, à 32 ans, le premier aveugle à atteindre le sommet de l'Everest.

Le Bayern Munich remporte la finale de la Ligue des champions

Milan, mercredi 23

Lorsque, après les prolongations, le Bayern Munich et le FC Valence se retrouvent à égalité 1-1, les joueurs bavarois ont une hantise : perdre la finale de la Ligue des champions aux tirs au but, alors que leur saison a été marquée par une supériorité qui leur a déjà valu de triompher dans le championnat d'Allemagne. Mais le club entraîné par Ottmar Hitzfeld possède un gardien de but de génie, Oliver Kahn. Il a donné la victoire au Bayern en plongeant du bon côté pour stopper une balle de Mauricio Pellegrini. Le match lui-même avait été essentiellement défensif, les deux buts ayant été marqués sur penalty. Les deux Français du Bayern, Willy Sagnol et surtout Bixente Lizarazu, ont été à la hauteur de l'enjeu.

Le FC Valence ne s'est incliné qu'à l'issue de l'épreuve des tirs au but.

Bush n'a plus de majorité au Sénat

Washington, jeudi 24

Depuis 26 ans, James Jeffords, élu de l'Etat du Vermont, exprimait sa liberté de pensée dans les rangs du Parti républicain, en électron libre favorable à l'avortement, hostile à la peine de mort, soucieux du sort des minorités ethniques, etc. Depuis son élection, George Bush ne prêtait que peu d'attention à ses états d'âme, lui faisant même l'affront d'oublier de l'inviter à des réceptions officielles. Funeste erreur : en claquant la porte du Parti républicain, James Jeffords offre aux démocrates la majorité au Sénat. Ils y disposent de 50 sièges, un de plus que le parti du Président, qui va être contraint de composer avec leurs exigences.

Chinoiseries autour de *Tintin au Tibet*

Pékin, mercredi 23

China Children Publishing House, l'éditeur choisi par Casterman pour publier en Chine l'œuvre d'Hergé, est formel : l'« erreur » sera réparée. Le titre de la version en chinois de *Tintin au Tibet*, mise sur le marché hier, avait été changé et était devenu *Tintin au Tibet chinois*. Aussitôt au courant, la Fondation Hergé a réagi contre ce qu'elle considère comme un détournement politique, mettant son veto sur cette édition. C'est trop tard pour les 10 000 exemplaires qui sont déjà diffusés. L'« erreur » sera rectifiée au prochain tirage. (→ 20.6)

Déjà cent victimes humaines de l'ESB

Londres, vendredi 25

La forme humaine de la maladie de la vache folle a déjà fait 100 victimes en Grande-Bretagne, annoncent les autorités sanitaires du pays, dont les prévisions à moyen terme sont tout sauf rassurantes. Elles estiment que la maladie de Creutzfeldt-Jakob, dont la période d'incubation diffère selon les gens, pourrait n'atteindre son pic que dans dix à vingt ans, et toucher alors plusieurs milliers de personnes. A Oxford, le professeur Roy Anderson, spécialiste mondial de la maladie, a même cité le chiffre de 14 000 victimes possibles. (→ 4.9)

La Coupe de France va à Strasbourg

Paris, samedi 26

Les Strasbourgeois, c'est Jean qui pleure et Jean qui rit. Rétrogradé en D2 après une saison catastrophique sanctionnée par une dernière place en championnat, le RC Strasbourg, dirigé par l'ancien joueur de tennis Patrick Proisy, remporte la Coupe de France face, en finale, au Amiens Sporting-Club. Du jamais vu dans l'histoire du football français. Tout s'est joué dans les tirs au but, après un score vierge. Et là, le gardien du RC Strasbourg, José Luis Chilavert, fit merveille : également buteur, il a marqué le but de la victoire.

Emeutes raciales en Angleterre

Oldham, dimanche 27

Voici quarante-huit heures que cette cité industrielle, située dans le nord-ouest de l'Angleterre, est le théâtre de violents heurts à caractère racial. De jeunes Asiatiques, Pakistanais et Bengalis, y affrontent de jeunes Britanniques, la police ne parvenant pas à rétablir le calme. Une querelle entre deux adolescents, samedi soir, a déclenché une explosion de haine latente depuis plusieurs mois. « Un vrai carnage », commente le chef de la police qui recense les blessés, les habitations et commerces saccagés, et les véhicules incendiés.

Le 25, Alberto Diaz Guttierez, dit Alberto Korda, s'éteint à Paris à l'âge de 72 ans. Il est l'auteur de la plus célèbre photo de Che Guevara prise le 5 mars 1960 à La Havane alors qu'il travaillait pour le journal *Revolucion*.

Le 26, au palais des Beaux-Arts de Bruxelles, la violoniste lettone Baiba Skride, qui vient de fêter ses 20 ans, remporte le premier prix du Concours Reine-Elisabeth, en présence de la reine Fabiola.

Mai

Lu	Ma	Me	Je	Ve	Sa	Di
	1	2	3	4	5	6
7	8	9	10	11	12	13
14	15	16	17	18	19	20
21	22	23	24	25	26	27
28	29	30	31			

France, lundi 28
Suspension de la grève des pilotes d'AOM-Air Liberté. (→ 19.6)

Paris, mardi 29
La cour d'appel confirme la condamnation de François Santoni à 4 ans de prison pour tentative de racket dans l'affaire du golf de Spérone. (→ 17.8)

Paris, mardi 29
Le boycottage des produits Danone a échoué : les ventes ont crû de 6 à 7 % en mars et avril.

Paris, mardi 29
Air France affiche un bénéfice net de 421 millions d'euros en 2000, en hausse de 18,9 %. Le taux d'occupation moyen de ses avions a atteint 78,1 %.

Soudan, mardi 29
Arrêté le 21 février, l'opposant islamiste Hassan el-Tourabi est libéré mais assigné à résidence.

Paris, mercredi 30
Jacques Chirac se fait projeter à l'Elysée *le Fabuleux Destin d'Amélie Poulain*.

Paris, mercredi 30
Le délai légal pour pratiquer l'interruption volontaire de grossesse est porté de 10 à 12 semaines.

Aulnay-sous-Bois, mercredi 30
Pour lutter contre l'insécurité, la mairie décrète un couvre-feu pour les moins de 13 ans. (→ 9.7)

Berlin, mercredi 30
Le chef d'orchestre Daniel Barenboïm renonce à diriger *la Walkyrie* de Richard Wagner au prochain festival d'Israël. La programmation de l'œuvre avait suscité une polémique.

Indonésie, mercredi 30
Ouverture de la procédure de destitution du président Abdurahman Wahid. (→ 23.7)

Alger, jeudi 31
200 000 Berbères manifestent pacifiquement pour dénoncer la répression en Kabylie.

Lille, jeudi 31
Six mineurs sont déférés au parquet pour le viol dans le train Dunkerque-Lille.

Haute-Corse, jeudi 31
Trois détenus s'évadent de la prison de Borgo grâce à un faux fax autorisant leur libération.

Loft Story, jeudi 31
Julie est éliminée. (→ 7)

 5 581,94   28,56 $

€ 0,8565 $

Des islamistes coupables des attentats du Kenya et de Tanzanie

New York, mardi 29
Les forces américaines en position dans le Golfe ont été mises en état d'alerte renforcée après le verdict du jury new-yorkais. Les quatre accusés sont en effet soupçonnés de relever d'un puissant réseau terroriste, aux ramifications internationales, dirigé par un certain Oussama Ben Laden, Saoudien qui vivait en Afghanistan. Les quatre hommes : un Jordanien, un Américain d'origine libanaise, un Saoudien et un Tanzanien, ont été jugés coupables d'avoir participé aux attentats commis, en août 1998, contre les ambassades américaines en Tanzanie et au Kenya. Après dix semaines d'audience, il n'a pas été possible de déterminer l'étendue de leurs complicités. (→ 12.6)

L'attentat contre l'ambassade US au Kenya avait fait 190 morts en 1998.

De lourdes peines dans l'affaire Elf

Paris, mercredi 30
Sophie Portier, présidente de la 11ᵉ chambre correctionnelle, énonce le jugement. Roland Dumas : 30 mois de prison, dont six ferme. Christine Deviers-Joncour : 3 ans, dont un et demi ferme. Loïk Le Floch-Prigent, ancien P-dg d'Elf : 3 ans et demi ferme. Alfred Sirven : 4 ans ferme. Roland Dumas a pâli, s'est tourné vers son avocat, qui lui a confirmé : « Six mois de prison. » Au cours du procès, les charges retenues contre lui s'étaient pourtant amenuisées. Il ne restait dans le dossier que le recel d'abus de biens sociaux, revu aussi à la baisse : 800 000 francs.

Mauvais temps pour les sectes en France

Paris, mercredi 30
Selon Marylise Lebranchu, le garde des Sceaux, le texte définitivement adopté, à l'unanimité des députés, permet « de lutter contre les dérives sectaires sans [attenter] à la liberté de conscience ». Dans cet esprit, la notion de « manipulation mentale », qui figurait dans le texte initial, a été abandonnée, au profit de l'extension du délit d'« abus de faiblesse ». Les associations condamnées à ce titre pourront être dissoutes par les TGI. Reste que la notion de secte n'est toujours pas bien définie.

Yasser Arafat n'a plus de dauphin attitré

Fayçal Husseini est mort au Koweït.

Jérusalem, jeudi 31
Qui ? Qui, maintenant, pour prendre la succession de Yasser Arafat ? Qui pour maintenir le dialogue avec les Israéliens ? Qui ? Fayçal Husseini, à 60 ans (*1940), était le mieux placé, et les Palestiniens, qui sont venus en nombre le pleurer devant sa Maison de l'Orient, sont désemparés. Mort au Koweït d'une crise cardiaque, il fut non seulement l'un des chefs de la première Intifada, mais aussi un homme d'ouverture dont l'entregent auprès des Occidentaux comme des Israéliens était précieux, et dont le charisme s'alimentait de sa foi en la paix, alors que, disait-il, « ce conflit est en train de faire de nos peuples des monstres ».

Le 29, 2 500 personnes posent nues devant le musée d'Art contemporain de Montréal pour le photographe Spencer Tunick, apôtre du « Nude Art ».

Raves d'idéal et raves cauchemars

Pour mieux comprendre les « raves parties », il faut revenir en arrière et parler tout d'abord de musique. Au milieu des années 80 apparaît la *house music*, nom emprunté à un club dance de Chicago, le Warehouse (l'entrepôt). Issus d'instruments informatiques, les rythmes binaires et répétitifs de la *house* séduisent un grand nombre de jeunes. En vacances à Ibiza, les teenagers anglais s'éclatent en dansant des nuits entières sur ces nouveaux sons et sous l'influence d'une drogue récemment introduite en Europe : « l'ecstasy ». On appelle ces soirées un peu spéciales « acid house ». De retour chez eux, certains vont reproduire ce genre de fêtes et c'est à Manchester que les premières vagues *houses* et *acid house* vont déferler. Plusieurs clubs se convertissent du jour au lendemain à cette musique, et des milliers de jeunes délaissent leurs bonnes vieilles habitudes de consommation (alcool et drogues dures) en faveur de l'ecstasy. Du coup, le taux de violence dans les rues et la fréquentation dans les bars traditionnels diminuent. Les autorités anglaises ferment les yeux et tolèrent le phénomène jusqu'au jour où, à la fin des années 80, le club le plus populaire de la ville (L'Hacienda) défraie la chronique. Une histoire de surdose d'ecstasy impliquant le décès d'une jeune fille alerte l'opinion publique et donne le prétexte qu'attendaient la police et la presse anglaises pour lancer la répression et pousser dans la marge et l'illégalité ces soirées. Cette vague de réactions médiatiques et les prises de position violentes des autorités à l'encontre de ces « fêtes » vont largement contribuer à l'apparition d'un nouveau genre de soirée clandestine : la « rave ».

Rave d'idéal
La donne a donc changé. Les lieux de fêtes sont improvisés, des milliers de personnes se donnent rendez-vous dans des hangars, des lofts, des terrains vagues, des forêts pour danser clandestinement sur les sons de leur génération. Très rapidement, ces réunions sont associées à une consommation massive de stupéfiants, et la chasse aux sorcières est lancée (ce qui arrange bien les affaires des directeurs des boîtes de nuit qui voient dans ces réunions un manque à gagner énorme). Mais des milliers de « ravers » y participent. Les petites soirées au clair de lune des débuts laissent la place à de grosses organisations lourdes qui utilisent les dernières innovations technologiques sonores et visuelles. Le phénomène se propage en Europe comme une traînée de poudre et, en France, les premières raves apparaissent sur le modèle anglais fin 1989. Au fil des mois, les raves françaises prennent de l'ampleur grâce au bouche à oreille et aux annonces des lieux en direct sur quelques radios spécialisées sous la forme de

jeux de pistes, quelques heures avant le début de la fête. Aujourd'hui, Internet et le téléphone mobile sont des vecteurs essentiels dans la communication de ces événements officiels ou clandestins (*free party*).

Les raves : entrez dans la transe
Ce qui attire et fascine dans la rave, c'est son côté initiatique, répétitif comme dans les pays d'Afrique où la musique et la transe ne font qu'une depuis des siècles. La rave est hors règles, hors cadre institutionnel, elle est spontanée. C'est une manifestation urbaine qui cherche cependant à construire dans l'éphémère le sentiment d'un ailleurs. Bien qu'elle soit généralement clandestine, improvisée, voire désorganisée (ce qui pose de gros problèmes de sécurité, d'hygiène et de santé du fait des lieux totalement isolés, sans eau potable, toilettes, poubelles, aération, etc.),

la rave a un objectif clair, sans ambiguïté possible. A l'image du film *On achève bien les chevaux*, il faut danser en dépassant ses propres limites pour échapper à la banalisation, à l'uniformisation, au monde des normes et des valeurs et à son propre conditionnement (état de transe). C'est le rendez-vous de milliers de personnes qui fusionnent toutes sur un seul et même rythme, un seul et même battement de cœur, orchestré par un maître de cérémonie : le D.J. Synchroniser sa solitude au rythme des autres, être en symbiose. Sur l'explosion de ces « fêtes transes » s'exprime la contestation d'une culture qui s'appuie sur des idéologies auxquelles on ne croit plus. L'univers du discours et des fausses promesses est détrôné par celui des pulsations et de la danse. La répétition du tempo diminue la notion du temps et provoque une légère hypnose. Elle maintient les danseurs dans un état de tension intense obligeant le corps à répéter

les mêmes mouvements comme des machines, des automates. Avec leurs platines, les DJ accélèrent le rythme de la musique (sans que personne ne s'en aperçoive). Ainsi la rapidité du tempo peut atteindre 250 BPM (le nombre de beat par minute), ce qui demande un effort physique très violent. La soirée se décompose en deux moments forts. Le tempo s'accélère par paliers pour arriver à l'explosion finale, l'orgasme rythmique et physique (la montée). La musique se calme, reprend un rythme plus lent pour laisser la place à la récupération (la descente). Elle repartira de plus belle une seconde fois dans la soirée. Les substances artificielles prises au cours de la soirée (ecstasy, acide, cannabis) ont entre autres pour but d'intensifier la perception musicale, de décupler les sensations, les émotions et de permettre au marathonien raver de tenir physiquement le coup toute la nuit, parfois même durant plusieurs jours...

Rave de cauchemar
Plus d'une décennie après, l'intérêt quasi planétaire de ce phénomène étonne. L'explosion populaire de la techno parade parisienne sans égaler toutefois le succès de la love parade de Berlin qui compte 1 million de participants, la place accordée à ce courant musical dans les principaux médias musicaux, la célébrité des DJ français perçus comme de véritables héros de l'ombre, la récupération du mouvement par certains politiques pour être politiquement « DJeunes ». Mais, derrière cet engouement planétaire, se dessine une réalité qui inquiète les autorités. Après un été politique aux multiples rebondissements, l'amendement Mariani (rejeté au printemps par la majorité plurielle) a finalement été adopté par les députés en cinquième lecture le 31 octobre dernier. Les free parties doivent être autorisées par la préfecture, sans quoi la sonorisation des organisateurs pourra être saisie immédiatement. C'est l'une des six dispositions principales du projet de loi sur la sécurité quotidienne. La gauche se trouve dans un contexte électoral où le thème de la sécurité sera l'un des principaux enjeux de la présidentielle. Deux morts, des viols, des centaines de blessés : le bilan estival des raves a accéléré ce rebondissement politique. La rave fut donc en 2001 au centre d'un rapport de force, de pressions exercées par la classe politique, les autorités, les organisateurs et les ravers. Ces mêmes ravers qui seront obligés en 2002 de radicaliser et de marginaliser encore plus le mouvement pour survivre et espérer garder le goût peut-être éphémère de la liberté.
A suivre !

Laurent Lavige
Producteur-animateur sur France Inter

Juin

Lu	Ma	Me	Je	Ve	Sa	Di
				1	2	3
4	5	6	7	8	9	10
11	12	13	14	15	16	17
18	19	20	21	22	23	24
25	26	27	28	29	30	

Chili, vendredi 1er
La peine de mort est abolie.

Macao (Chine), dimanche 3
Le club belge de La Villette Charleroi remporte la Coupe du monde de tennis de table.

Katmandou (Népal), lundi 4
Le régent Gyanendra est couronné roi après le décès du roi Dipendra.

Paris, mardi 5
Lionel Jospin admet avoir été trotskiste dans sa jeunesse.

Paris, mercredi 6
Le général Aussaresses est mis à la retraite d'office. (→ 28)

France, mercredi 6
Le britannique Emap prend la totalité du capital du *Chasseur français*.

Marseille, mercredi 6
Relégué en D2 pour mauvais bilan, l'OM fait appel. (→ 21)

Buenos Aires, jeudi 7
Arrestation de Carlos Menem, ancien président argentin, pour vente illégale d'armes. (→ 4.11)

Paris, jeudi 7
L'historien Pierre Nora est élu à l'Académie française au fauteuil de Michel Droit. (→ 21)

Loft Story, jeudi 7
Philippe est éliminé. (→ 11)

Londres, vendredi 8
Robin Cook cède le ministère des Affaires étrangères à Jack Straw, « eurosceptique ».

Téhéran, vendredi 8
Mohammad Khatami est réélu président de l'Iran à 77 %.

Dublin, vendredi 8
Les Irlandais rejettent le traité de Nice de l'UE à 54 %. (→ 12)

Rome, samedi 9
Silvio Berlusconi est nommé président du Conseil.

Montréal, dimanche 10
Ralf Schumacher remporte le Grand Prix du Canada de F1.

Marseille, dimanche 10
Mise en service commercial du TGV Méditerranée. (→ 22)

DECES

Paris, dimanche 3
Flora Groult, écrivain (*23.5.1924).

Maine-et-Loire, mercredi 6
Marie Brémont, doyenne de la France (*25.4.1886).

 5 439,93   28,78 $

€ 0,8483 $

Tuerie royale en série à Katmandou

Katmandou, vendredi 1er
Sanglant coup d'Etat ou tragédie de la passion amoureuse ? Les Népalais s'interrogent sur les raisons qui ont poussé ce soir le prince héritier du petit royaume himalayen à abattre en plein dîner familial, au palais de Narayan Hity, le roi Birendra Bir Bikram Shah Dev, son père, la reine Aishwarya, sa mère, mais aussi son frère et sa sœur, et quatre autres de ses proches parents. Le jeune prince Dipendra reprochait à la reine de s'être opposée à son mariage avec Devyani Rana, une aristocrate dont l'unique tort serait d'être d'origine indienne par sa mère. Le prince a tenté de se suicider après son forfait. Dans un état désespéré, il n'en a pas moins été proclamé roi. (→ 4)

Dans un pays en proie à une guérilla maoïste, la monarchie est un facteur de stabilité. Le prince Gyanendra, frère du roi assassiné, assume la régence.

Le kamikaze fait un carnage à Tel-Aviv

Ramallah, samedi 2
Yasser Arafat tente désespérément de sauver ce qui peut l'être, après le terrible attentat perpétré hier soir, peu avant minuit, par un kamikaze palestinien devant une discothèque de Tel-Aviv où s'agglutinaient des dizaines de jeunes Israéliens : vingt morts, dont le porteur de la bombe. Mais, en ordonnant aujourd'hui un cessez-le-feu immédiat, le président de l'Autorité palestinienne ne peut guère s'attendre à la « modération » d'Ariel Sharon, d'autant que tant le Djihad islamique que le Hamas ont annoncé qu'ils poursuivraient leurs opérations suicides en Israël.

Le chef d'Abu Sayyaf abattu par l'armée

Philippines, samedi 2
Sur l'île de Basilan, dans le sud des Philippines, l'armée a porté un coup dur au groupe islamiste Abu Sayyaf, retranché dans une église et dans un hôpital. Khadaffy Janjalani, le chef des rebelles, a été tué au cours des affrontements. Les forces envoyées sur l'île par la présidente Arroyo ont hélas ! fait une découverte macabre : deux des otages capturés le 27 mai par Abu Sayyaf, des Philippins, ont été trouvés décapités. En outre, le gros des islamistes a pu s'enfuir avec trois otages américains, dont un qui serait blessé, et une cinquantaine de Philippins enlevés sur place.

Anthony Quinn dit adieu aux caméras

Etats-Unis, dimanche 3
Irlandais par son père et mexicain par sa mère, Anthony Quinn avait tout pour devenir une grande figure d'aventurier exotique à Hollywood ! Décédé à Boston à l'âge de 86 ans (*21.4.15), celui dont le vrai nom était Antonio Quinones-Oaxaca fit ses débuts à l'écran dans les années 30, généralement dans des rôles d'Indien ou, bien sûr, de Mexicain. En fait, c'est Federico Fellini qui le révéla pleinement dans *la Strada*, en 1954. Il imposera ensuite son style rugueux dans des films prestigieux tels que *Lawrence d'Arabie* (1962) ou *Zorba le Grec* (1964).

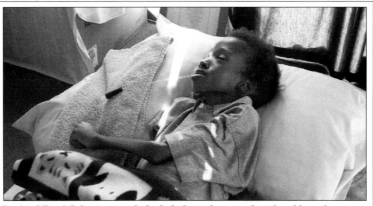

Le 1er, Nkosi Johnson, symbole de la lutte des pays les plus démunis contre le sida, meurt à Johannesburg à l'âge de 12 ans. Cette même semaine, la maladie a 20 ans (le 5). Le 6, le groupe pharmaceutique américain Pfizer offre un médicament antisida aux 50 pays les plus pauvres de la planète.

En 1962, il incarne Barabbas dans le film éponyme de Richard Fleischer.

Le TGV met Marseille à trois heures de la capitale

Des travaux titanesques ont dû être réalisés pour permettre la performance. Les viaducs sont les plus impressionnants.

Marseille, jeudi 7

Le progrès ne tue heureusement pas les bonnes vieilles traditions : c'est avec les flonflons de la fanfare que le président de la République a été accueilli en gare Saint-Charles, à sa descente du TGV Méditerranée. La nouvelle ligne Paris-Marseille qu'il inaugurait met désormais la capitale à seulement trois heures de la cité phocéenne. Cet exploit, fruit de sept années d'études et de cinq autres de travaux, aura coûté 25 milliards de francs hors taxes. Le maître d'œuvre a notamment construit vingt grands viaducs, plus de 16 km de tunnels et de tranchées couvertes, et trois gares nouvelles dont celle d'Aix-TGV, que le train desservira sept fois par jour (dix-sept pour Marseille). (→ 10)

Fumer nuit à la santé de Philip Morris

Los Angeles, jeudi 7

Bien sûr, l'agent de change Richard Boecken, 56 ans, n'aurait jamais dû fumer deux paquets de cigarettes par jour depuis l'âge de 16 ans. Il n'en demeure pas moins que le jury d'un tribunal de Los Angeles a fait droit à sa plainte contre la société Philip Morris, responsable selon lui du cancer qui ronge ses poumons : l'entreprise a été condamnée à lui verser plus de 3 milliards de dollars. Lundi, plusieurs industriels du tabac dont Philip Morris avaient déjà été condamnés par un jury de Brooklyn à payer 17,8 millions de dollars à une compagnie d'assurance.

Tony Blair remporte une large victoire aux élections législatives

Il embrasse son père, Leo, à l'issue des résultats confirmant sa réélection.

Londres, jeudi 7

Le décompte des voix sera définitif demain. Mais, dès ce soir, le Labour a le sourire : pour la deuxième fois d'affilée, Tony Blair jouit d'une forte majorité aux Communes, avec 413 sièges sur les 659 à pourvoir. Plusieurs leçons peuvent être tirées de ce scrutin. La victoire travailliste est assombrie par un taux énorme d'abstention (environ 40 %), et l'on note une progression significative des libéraux-démocrates (52 sièges) du populaire Charles Kennedy : une petite épine plantée sur la gauche du Premier ministre. De leur côté, les conservateurs (166 sièges) n'ont pu que se maintenir : il est vrai que la City avait soutenu Tony Blair. (→ 8)

Le 7, Carole Fredericks (*5.6.1952) meurt d'une crise cardiaque après un concert à Dakar. Sœur du bluesman Taj Mahal, la chanteuse américaine avait fait carrière en France, surtout au côté de Jean-Jacques Goldman.

Verdict belge pour le génocide au Rwanda

Bruxelles, vendredi 8

Désormais forte d'une compétence universelle, la justice belge a frappé moins lourdement que prévu quatre Rwandais pour leur participation au génocide de 1994 : seulement vingt années de réclusion criminelle pour Alphonse Higaniro, un organisateur des massacres, douze pour Vincent Ntezimana. Deux religieuses, sœur Gertrude et sœur Maria Kisito, ont été condamnées à quinze et douze ans pour avoir livré des milliers de Tutsis aux exterminateurs hutus.

Le 8, deux filles de mythes de la boxe s'affrontent à New York.

L'impératrice Farah Pahlavi pleure sa fille

La princesse Leïla n'avait que 31 ans.

Londres, dimanche 10
Fille de roi, gracieuse, intelligente, un cœur d'or, une éducation parfaite et une culture raffinée, Leïla Pahlavi avait tout pour être la femme la plus heureuse du monde. Et pourtant, la fille cadette du chah d'Iran n'a pas voulu vivre : elle s'est laissée mourir dans son hôtel londonien, emportée dans un sommeil éternel après avoir absorbé des tranquillisants. Née le 27 mars 1970 à Téhéran, elle n'était pas une princesse heureuse. Chassée par la révolution islamique de son pays à l'âge de 8 ans, Leïla donnait le change par son humour. Mais pas à sa mère, l'impératrice Farah, qui aura tout fait pour la guérir de ce mal à vivre qui la consumait depuis la mort du chah, en 1980. (→ 16)

Le Giro terni par des affaires de dopage

Milan, dimanche 10
Les annales du cyclisme pointeront moins la victoire finale de Gilberto Simoni dans ce Tour d'Italie que les scandales qui l'ont illustré. Et c'est le dopage qui, une fois de plus, est en cause. 1er juin : Sergio Barbero est renvoyé dans ses foyers pour prise d'EPO, et des produits dopants sont découverts dans le camping-car du beau-père d'Ivan Gotti. 5 juin : c'est Pascal Hervé qui est exclu. 6 juin : idem pour Riccardo Forconi. Même jour : saisie massive par la police de substances interdites dans les hôtels des coureurs. 7 juin : étape annulée. 8 juin : exclusion de Dario Frigo, le 2e du classement général ! (→ 16.8)

Choqués par les descentes de police, les coureurs ont fait grève le 7 juin.

Le 10, au Stade de France, le Stade toulousain bat l'AS Montferrand en finale du championnat de France de rugby (34-22). C'est la seizième fois que les joueurs de la Ville rose ramènent chez eux le Bouclier de Brennus.

Deux Belges ont enflammé Roland-Garros

Gustavo Kuerten a dessiné un cœur sur la terre battue avec sa raquette.

Paris, dimanche 10
Déjà vainqueur en 1997 et en 2000, Gustavo Kuerten triomphe dans les Internationaux de France de tennis : le Brésilien s'impose irrésistiblement en finale à l'Espagnol Alex Corretja. Hier, l'Américaine Jennifer Capriati était venue très difficilement à bout de la révélation du tournoi, la jeune Belge Kim Clijsters. Chez les dames, c'est d'ailleurs le tennis belge qui a offert le spectacle. Jeudi, Kim était en effet opposée en demi-finale à sa compatriote Justine Hénin : elle l'a battue au terme d'une rencontre palpitante. Du côté français, on ne saurait oublier le beau parcours de Sébastien Grosjean, qui s'est incliné vendredi en demi-finale face à Alex Corretja. Il avait sorti Andre Agassi mercredi, en quart de finale.

Victorieuse, Jennifer Capriati avec la Belge Kim Clijsters, une Flamande qui a battu en demi-finale une autre Belge, la Wallonne Justine Hénin.

La Coupe des Confédérations aux Bleus

Yokohama (Japon), dimanche 10
Et de trois ! Après le Mondial 1998, après l'Euro 2000, les Bleus battent les Japonais par 1-0 (but de Vieira) en finale d'une compétition-test, la Coupe des Confédérations : elle s'est déroulée en effet en Corée du Sud et au Japon, pays organisateurs du Mondial 2002. Répétition générale prometteuse, donc, pour l'équipe de France de football conduite par son capitaine Marcel Desailly, même si les Bleus ont peiné à retrouver leur jeu offensif. Et une bonne occasion, aussi, de se familiariser à l'avance avec des conditions climatiques que beaucoup ont jugées éprouvantes ; il leur faudra s'y adapter.

Roger Lemerre, entraîneur comblé.

Juin

Lu	Ma	Me	Je	Ve	Sa	Di
				1	2	3
4	5	6	7	8	9	10
11	12	13	14	15	16	17
18	19	20	21	22	23	24
25	26	27	28	29	30	

Allemagne, lundi 11
Accord entre le gouvernement et les groupes énergétiques sur l'abandon du nucléaire civil.

Paris, mardi 12
L'Assemblée nationale ratifie le traité de Nice de l'UE.

New York, mardi 12
Condamnation du Saoudien Mohamed al-Owhali à la prison à perpétuité, « sans possibilité de libération », pour l'attentat contre l'ambassade américaine de Nairobi, au Kenya.

Europe, mercredi 13
La France se classe 12ᵉ des quinze pays de l'UE pour le PIB par habitant.

Loft Story, jeudi 14
Kimy est éliminée. (→ 21)

Shanghai, vendredi 15
Les présidents chinois, russe, kazakh, ouzbek, kirghiz et tadjik créent l'Organisation de coopération de Shanghai (OCS) pour lutter contre le terrorisme et le séparatisme islamiques.

Blois, vendredi 15
Fermeture du dernier centre de sélection du service national.

France, vendredi 15
Les investisseurs étrangers détiennent 41,29 % du capital des entreprises du CAC 40.

Aix-la-Chapelle, vendredi 15
L'équipe belge remporte la Coupe du monde de jumping.

Paris, samedi 16
Leila Pahlavi est inhumée au cimetière de Passy.

Etats-Unis, samedi 16
Basket : les Los Angeles Lakers gagnent le championnat NBA.

Le Mans, dimanche 17
Victoire de Tom Kristensen, Frank Biela et Emanuele Pirro sur Audi R8 aux 24 Heures.

Paris, dimanche 17
Joseph Sitruk est réélu grand rabbin de France.

DECES

Bordeaux, lundi 11
Mgr Pierre Eyt, cardinal-archevêque (*4.6.1934).

Auxerre, vendredi 15
Henri Alekan, chef opérateur de cinéma (*2.2.1909).

Los Angeles, dimanche 17
Donald Cram, prix Nobel de chimie 1987 (*22.4.1919).

 5 243,84   28,23 $

€ 0,8612 $

Timothy McVeigh n'est pas mort en direct

Indiana (Etats-Unis), lundi 11
Il a attendu la mort sans prononcer un mot, les yeux fixés sur la caméra vidéo de la chambre d'exécution du pénitencier fédéral de Terre Haute, dans l'Indiana. Une simple injection intraveineuse a ensuite ôté la vie à cet homme de 33 ans qui, le 19 avril 1995, avait assassiné 168 personnes dans l'attentat contre un immeuble d'Oklahoma City, siège de bureaux du FBI. Motivé par la seule haine de l'Etat, ce crime n'a pas inspiré de remords à Timothy McVeigh, juste des regrets pour ce qu'il a appelé des « dommages collatéraux ». Il avait été envisagé de diffuser en direct, à la télévision, son exécution. Elle n'a été vue, sur écran géant, que par 231 survivants ou parents des victimes.

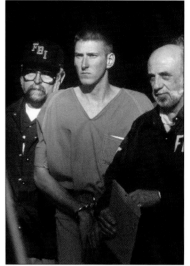
Il a assumé son crime jusqu'au bout.

Les Bulgares ont retrouvé Siméon II

Sofia, dimanche 17
Les Bulgares avaient oublié depuis des lustres qu'ils avaient un roi. Or, aujourd'hui, non seulement ils l'ont retrouvé, mais ils l'ont amené aux portes du pouvoir, sinon du trône. Siméon II avait ceint la couronne en 1943, à l'âge de 6 ans. En 1946, les communistes lui faisaient prendre le chemin de l'exil. Mais, aujourd'hui, les Bulgares sont à bout et ne font plus confiance à leurs politiciens, de droite comme de gauche. L'ancien roi a lancé en hâte le Mouvement national Siméon II. Résultat : 43 % aux législatives ! (→ 12.7)

Le 15, Mgr Pican risque six mois avec sursis pour non-dénonciation de l'abbé pédophile Bissey (→ 4.9).

Loana perd contre le magazine *Voici*

Nanterre, lundi 11
Cette fois-ci, Loana en est pour ses frais. L'héroïne du Loft est déboutée par le tribunal de grande instance de Nanterre : elle avait en effet attaqué *Voici*, estimant que l'hebdomadaire avait porté atteinte à sa vie privée en publiant un article sur Mindy, sa fille, dont elle cachait l'existence. Les juges, en outre, condamnent la vedette de « Loft Story », l'émission phare de M6, à verser 15 000 francs à *Voici*. Loana Petrucciani avait été plus heureuse le 1ᵉʳ juin : suite à de pareilles plaintes contre *Entrevue* et *France Dimanche*, elle avait obtenu de la justice 78 000 et 80 000 francs de dommages et intérêts. (→ 14)

Les Quinze sous la pression des casseurs

Göteborg, samedi 16
Les Quinze ont la gueule de bois, au terme du sommet qui les a réunis à Göteborg. Ce matin, le port suédois était un champ de ruines, après les affrontements qui ont opposé hier la police, totalement débordée, aux casseurs de l'antimondialisation. La réunion des chefs d'Etat et des chefs de gouvernement européens portait sur l'élargissement de l'Union. Dans la rue, la manifestation pacifique des adversaires de l'Europe et du « tout libéral » a tourné au drame quand des groupes déterminés ont saccagé des boutiques et attaqué les forces de l'ordre. Celles-ci ont tiré, faisant trois blessés, dont un grave.

Délai de grâce pour AOM-Air Liberté

Créteil, mardi 19
Le tribunal de commerce de Créteil donne trois mois au P-dg du groupe AOM-Air Liberté, Marc Rochet. La mise en redressement judiciaire du deuxième pôle aérien français, dont le dépôt de bilan avait été annoncé vendredi dernier, suffira-t-elle à lui éviter la liquidation pure et simple ? Marc Rochet a moins d'un mois de trésorerie devant lui. Et, du fait que Swissair et Marine-Wendel, les deux principaux actionnaires, ne sont pas décidés à mettre la main à la poche pour une nécessaire restructuration, l'avenir paraît sombre. (→ 27.7)

Le 16, la tour de Pise, redressée de 40 cm (10 ans de travaux), est restituée aux autorités de la ville.

Lu	Ma	Me	Je	Ve	Sa	Di
				1	2	3
4	5	6	7	8	9	10
11	12	13	14	15	16	17
18	19	20	21	22	23	24
25	26	27	28	29	30	

Bruxelles, lundi 18
Des rescapés de Sabra portent plainte contre Sharon. (→ 1.7)

Grande-Bretagne, lundi 18
Première condamnation d'un Anglais pour tourisme sexuel au Cambodge : 8 ans de prison.

Paris, mardi 19
Le Medef se retire de la gestion des caisses de Sécurité sociale. Il refuse que celle-ci serve à financer les 35 heures.

Pakistan, mercredi 20
Le général Pervez Musharraf est investi président.

Pékin, mercredi 20
L'édition chinoise de *Tintin au Tibet* ne sera pas réimprimée. Les autorités ont refusé qu'il retrouve son titre d'origine.

France, jeudi 21
Orange devient la marque de téléphonie unique de France Telecom : Itinéris, Mobicarte et Ola disparaissent.

Belgique, jeudi 21
L'Ordre national des avocats est scincé entre deux ordres : l'un néerlandophone, l'autre francophone et germanophone.

Paris, jeudi 21
Le romancier Angelo Rinaldi est élu à l'Académie française au fauteuil de José Cabanis.

Paris, jeudi 21
L'Olympique de Marseille obtient son maintien en D1.

Loft Story, jeudi 21
Fabrice est éliminé. (→ 5.7)

Turquie, vendredi 22
Le Parti de la Vertu islamique est dissous au nom de la « laïcité de la République ».

Ukraine, samedi 23
Arrivée de Jean-Paul II en terre orthodoxe. Présence critiquée.

Nürburgring, dimanche 24
Michael Schumacher gagne le Grand Prix d'Allemagne de F1.

DECES

Paris, lundi 18
René Dumont, agronome et écologiste (*13.3.1904).

San Francisco, jeudi 21
John Lee Hooker, bluesman, père du *boogie* (*17.8.1920).

Paris, samedi 23
Roger Thérond, directeur historique de *Paris-Match* (*24.10.1924).

  5 183,67   26,87 $

€   0,8570 $

Les Verts se choisissent un polytechnicien

Paris, mercredi 20
Les pronostics ne sont jamais faciles à faire avec les Verts. Les militants étaient appelés à élire un candidat pour la prochaine présidentielle. On attendait Noël Mamère, largement en tête au premier tour du 11 juin, c'est Alain Lipietz qui l'a emporté, avec seulement 75 voix d'avance sur le très médiatique député-maire de Bègles. Appuyé – en sous-main – par Dominique Voynet, Alain Lipietz a d'abord été maoïste avant d'épouser la cause écologiste. Mais il n'est pas qu'un militant. Ingénieur des Ponts et Chaussées, il a intégré en 1997 le Conseil d'analyse économique créé par le Premier ministre. Ses prises de position sont toujours radicales. Voici donc un intellectuel qui part à l'assaut de l'Elysée. (→ 29.10)

Alain Lipietz bat Noël Mamère.

Deux enfants tueurs remis en liberté

Londres, vendredi 22
Ils n'avaient que 10 ans quand, en 1993 à Liverpool, ils avaient tué un bébé de 2 ans, James Bulger, après l'avoir torturé. Condamnés à quinze années de prison, les deux assassins avaient épouvanté l'Angleterre. Ils ont aujourd'hui purgé les huit ans de peine incompressible, et la justice britannique a décidé de les libérer. Avec une nouvelle identité pour les soustraire à une possible vengeance. Mais les parents du petit James ont juré de les retrouver.

Le 19, le musée Grévin est rouvert après cinq mois de rénovation.

Condamnation de l'instituteur pédophile

Un début de procès mouvementé.

Nevers, samedi 23
Dix-huit ans de prison, dont une peine de sûreté de douze : la cour d'assises de Nevers rend son verdict au terme d'un procès pour le moins singulier. Son ouverture avait été retardée, l'instituteur pédophile de Cosne-sur-Loire, laissé en liberté, ayant disparu. Les gendarmes ne l'avaient retrouvé que le 12. Jacques Kaisersmertz, âgé de 62 ans, répond de onze viols et agressions sexuelles sur mineurs de moins de 15 ans. Il en avait reconnu plus de 70, mais il y avait prescription pour la plupart. Dans sa cellule, l'accusé a tenté par deux fois de se suicider : la veille de son procès et, de nouveau, la nuit dernière.

Jan Ullrich a-t-il été payé par Virenque ?

Paris, mercredi 20
Nouvelle tempête dans le cyclisme ! Bruno Roussel publie *Tour de vices*, un livre empli de révélations sur les mœurs du Tour de France. L'ancien directeur sportif de l'équipe Festina en raconte de belles, notamment sur son leader Richard Virenque. Ainsi, non seulement le grimpeur français se dopait-il, mais encore lui serait-il arrivé d'« acheter » ses victoires. Le 20 juillet 1997, quand Jan Ullrich se dirigeait vers la victoire finale, son maillot jaune solidement accroché aux épaules, Virenque aurait remis 100 000 francs au coureur allemand pour qu'il le laisse gagner la grande étape de Courchevel. Interrogé, le champion français dément. (→ 15.8)

La SNCF présente ses excuses aux clients

Paris, vendredi 22
Gros effort de communication de la SNCF : tirée à 100 000 exemplaires, une brochure explique les ratés du TGV Méditerranée et présente aux usagers les excuses de la compagnie. Trois jours après l'inauguration de la nouvelle ligne, le TGV accusait des retards de plusieurs heures, suite à un tassement de ballast. D'autres incidents se sont produits les jours suivants. Premier bilan : le taux de régularité de 90 % visé n'a été que de 77 % la première semaine.

Le 23, la Gay Pride investit Paris. La présence de Bertrand Delanoë, le nouveau maire, est remarquée.

Juin

Lu	Ma	Me	Je	Ve	Sa	Di
				1	2	3
4	5	6	7	8	9	10
11	12	13	14	15	16	17
18	19	20	21	22	23	24
25	26	27	28	29	30	

Luxembourg, lundi 25
François Léotard est nommé représentant de l'Union européenne en Macédoine.

Paris, mardi 26
Adoption par les députés de l'Allocation personnalisée d'autonomie. Elle bénéficiera à 800 000 personnes âgées à partir du 1er janvier 2002.

Paris, mercredi 27
Naissance du n° 1 mondial du nucléaire, Topco, par fusion de Framatome et de la Cogema.

New York, mercredi 27
Kofi Annan est réélu secrétaire général de l'ONU. (→ 12.10)

Paris, jeudi 28
Jacques Chirac suspend le général Paul Aussaresses de son titre de commandeur de la Légion d'honneur. (→ 28.11)

France, vendredi 29
Dernier « Bouillon de culture » de Bernard Pivot, sur France 2.

Paris, vendredi 29
Par arrêt de la cour d'appel, Bernard Tapie retrouve le droit de gérer une entreprise.

Argenton-sur-Creuse, samedi 30
Jeannie Longo, 42 ans, gagne à nouveau le titre de championne de France de cyclisme sur route après celui, remporté jeudi, du contre-la-montre.

Paris, samedi 30
Handball : Montpellier gagne la Coupe de France pour la 3e fois d'affilée.

Villeurbanne, samedi 30
Basket : Pau-Orthez remporte son 4e titre de champion de France en six ans.

Washington, samedi 30
Le vice-président Dick Cheney est opéré : un stimulateur cardiaque lui est implanté.

DECES

Paris, lundi 25
Igor Barrère, journaliste (*17.12.1931).

Allemagne, lundi 25
Kurt Hoffmann, cinéaste (*12.11.1910).

Culan (Cher), mercredi 27
Maurice Estève, peintre (*2.5.1904).

Los Angeles, mercredi 27
Jack Lemmon, acteur (*8.2.1925).

 5 225,33   25,77 $

€   0,8476 $

Tabachnik innocenté au procès de l'OTS

Grenoble, lundi 25
La thèse soutenue par le procureur était que les conférences prononcées par Michel Tabachnik avaient été « l'arme psychique des assassinats ». Les victimes auraient été ainsi mises en condition, préparées à effectuer le « voyage vers Sirius », autrement dit à être tuées. Aussi avait-il requis cinq ans de prison à l'encontre du chef d'orchestre. Le tribunal ne l'a pas suivi, prononçant la relaxe d'un homme que beaucoup d'anciens de l'OTS ont voulu défendre. (→ 10.7)

Slobodan Milosevic a été remis au TPI

La Haye, vendredi 29
1,28 milliard de dollars : telle est la somme qui sera versée cette année à Belgrade. La décision a été prise ce vendredi par une quarantaine de pays donateurs assistés de la Banque mondiale. Cette aide (dons et prêts), accordée à la république fédérale de Yougoslavie, est directement liée à la remise de Slobodan Milosevic au TPI, hier, sur décision de Zoran Djindjic, le Premier ministre de la Serbie. Incarcéré dans une cellule de 15 m², Milosevic a été placé en semi-isolement. Le procureur, Carla Del Ponte, veut éviter qu'il communique avec les autres détenus serbes. Seule la Russie s'indigne, dénonçant un « chantage économique ». (→ 3.7)

Condamnation inattendue de Patrick Dils

Son procès en révision a eu lieu à huis clos devant la cour d'assises des mineurs.

Reims, vendredi 29
Stupeur à l'annonce du verdict de la cour d'assises de la Marne, où s'est achevé ce soir le procès en révision de Patrick Dils : 25 ans de réclusion criminelle, alors que l'acquittement était demandé par l'avocat général. Le 28 septembre 1986, deux enfants âgés de 8 ans avaient été assassinés à Montigny-lès-Metz. En 1989, Dils (16 ans au moment des faits) était condamné à perpétuité. La révision a été fondée sur les incohérences de l'accusation, sur les conditions dans lesquelles les aveux ont été obtenus, et, surtout, sur la présence sur les lieux du crime de Francis Heaulme, un tueur en série.

Rebondissement dans l'affaire Ben Barka

Paris, vendredi 29
Ce soir, *le Monde* publie le résultat d'une enquête menée conjointement avec un hebdomadaire marocain, *le Journal*. Une enquête fondée sur le témoignage d'Ahmed Boukhari, un ancien des services spéciaux du roi Hassan II. Quand Mehdi Ben Barka a été enlevé à Paris le 29 octobre 1965, Boukhari tenait le standard de ces services à Rabat. Il a pu suivre à distance tout ce qui s'est passé. Des confidences ont complété par la suite ses informations. Selon lui, l'opposant marocain a été torturé à mort par des agents marocains dans une villa de Fontenay-le-Vicomte, en présence du ministre de l'Intérieur, le général Oufkir. Le corps, rapatrié, aurait été dissous dans de l'acide.

Madonna est à Bercy le 26 pour le premier de ses quatre concerts parisiens. C'est le grand retour sur scène de la chanteuse, après huit ans d'absence.

Le 27, sortie en France de *Tomb Raider*, avec Angelina Jolie dans le rôle de Lara Croft.

Mondialisme : la globalisation morale

Le jugement porté par la nébuleuse antimondialiste sur la généralisation du modèle occidental à l'échelle planétaire se fonde surtout sur la critique du système économique libéral, guidé par le profit. La contestation concerne donc les mouvements boursiers incontrôlés (d'où cette taxe Tobin, dont Attac demande l'application) ; la course aux rendements agricoles (d'où le débat sur les OGM et les protestations des écologistes ou des « josébovistes ») ; la logique d'un développement cynique (d'où le retour des utopistes et des anarchistes) ; la puissance occulte des réseaux informatiques ; etc.

Mais, curieusement, les antimondialistes ne s'intéressent qu'accessoirement au statut moral du système libéral. Certains d'entre eux s'insurgent cependant, au motif principal que la fraternité y serait un leurre et la charité une ostentation passagère. De fait, on perçoit un fort contraste entre une intolérance de proximité (le « vivre ensemble » tourne souvent à « l'incivilité », comme on le dit pudiquement) et l'altruisme à distance (ce que l'on nomme désormais l'humanitaire). Les mêmes « sauvageons », qui jouent les casseurs de banlieue et qui lapident la police ou l'école, sont prêts à manifester, le cœur sur la main, contre le racisme ou en faveur de n'importe quel thème tiers-mondiste.

Cette dualité schizophrénique est grossie par la médiatisation des actions caritatives. La télévision fournit en un instant les substances qui mobilisent facilement l'opinion : l'indignation, l'horreur, l'émotion, le spectacle du deuil ou de la souffrance. Troublé par sa bonne conscience, le public découvre les maux auxquels il échappe et voit le scandale de son propre confort.
C'est alors, pour remédier à son malaise, qu'il pétitionne ou s'acquitte de quelque don, avant d'oublier à nouveau l'injustice universelle et de reprendre ses querelles de voisinage ou ses histoires de famille. Car il n'est pas certain que la télévision soit le meilleur vecteur du sens, ni qu'elle infuse un vrai esprit communautaire. Elle joue sur la rapidité et sur le choc des images. Elle diffuse des reportages interchangeables de catastrophes ou de victimes — des enfants, le plus souvent. Tout ce qui ne peut s'exhiber est donc passé sous silence, c'est-à-dire l'essentiel : le poids de l'histoire et l'explication de ses déterminismes. La télévision donne à ressentir plus qu'à concevoir. Elle ne suggère aucune distanciation. Elle stimule la pitié. Or le primat du sentimental sur l'intelligence est une forme du totalitarisme, qui suppose l'adhésion, sans discussion ni réflexion, à des valeurs, voire à des leaders.

Il n'est pas question ici de discuter sur le bien-fondé ou la nécessité des mises en scène humanitaires. Des opérations comme le Téléthon ont démontré leur efficacité. Mais la sécularisation de la charité ne va pas forcément de pair avec la mobilisation d'une vraie conscience politique. Elle en devient même l'inverse. Tout se passe comme si le prêche avait remplacé la philosophie et comme si la morale kantienne (centrée sur l'exigence réflexive des devoirs de la personne)[1] s'était effacée devant les droits de l'homme. La demande des droits l'emporte sur la conception des devoirs. On voit bien les effets d'un tel phénomène jusque dans le système scolaire, où les « séances d'éducation citoyenne » singent les « talk shows » des plateaux télévisuels. On y fabrique des consommateurs de droits, futurs chicaneurs et plaideurs. L'ancienne « instruction civique » supposait, dans ses termes mêmes, un savoir et un civisme. La sensibilisation « citoyenne » invite surtout à des revendications, à se mobiliser contre les malheurs du monde, à se défier des ennemis de l'intérieur supposés (tels le racisme ou l'antisémitisme), à dénoncer abstraitement une mondiale responsabilité. Les lycéens ignorent souvent la Constitution et les lois élémentaires de la République, mais chacun d'eux a dû défiler au moins une fois pour dire « ça suffit » ou « plus jamais ça ».

Entendons-nous bien : il n'y a, évidemment, que des avantages à éveiller les consciences sur les droits de l'homme et sur les principes humanistes universels. Mais cette propagande éthique ne doit pas servir d'alibi, ni entretenir une inculture politique et philosophique, débilitante pour notre démocratie, au moment où l'empire de la morale prétend à une ambition planétaire. Car c'est dans cette optique que le monde actuel tend à trouver son nouvel équilibre international. Rompant avec une logique de conflits et de stratégies politiques étroitement nationales, il s'agit d'instaurer une mondialisation de la morale, une sorte de cosmopolitisme de la dignité humaine. Tout y prépare depuis les années qui ont suivi la Seconde Guerre mondiale, notamment avec la création de l'ONU et des divers organismes de régulation internationale. Mais il a fallu, pour que cette logique touche à son terme, que le mur de Berlin finisse de tomber et que le spectre de la guerre totale s'éclipse.

En ce sens, la « postmodernité » se reconnaît à son rejet des modèles globaux et des pensées à système, dont on a trop vu les résultats dévastateurs (le marxisme, notamment), voire la criminelle barbarie (le nazisme et tous les avatars du fondamentalisme). Pourtant, après la « déconstruction » chère à Jacques Derrida, vient le temps d'un autre système global[2] :

une universalité morale, un humanisme unanimement partagé. Cette évolution produit déjà ses effets, comme le prouvent divers concepts nouveaux, comme « le droit d'ingérence », ou des institutions récentes, tel le Tribunal pénal international de La Haye. Fait plus significatif encore, on voit que le pouvoir judiciaire se fonde de plus en plus souvent non sur les lois ou la constitution d'une nation mais sur des théories supérieures, tels les droits de l'homme ou « les principes supérieurs de l'humanité », inscrits dans une « charte des droits fondamentaux », déjà validée par les Etats européens. Dès lors, les juges peuvent exercer un pouvoir quasi illimité, sans les entraves des formalités judiciaires ou législatives locales, et ils fondent leur légitimité sur des textes aussi impératifs qu'évasifs. Les nations, les frontières et les souverainetés s'effacent. Un juge espagnol peut faire arrêter Pinochet à Londres. La communauté européenne peut provoquer la chute, l'arrestation et la comparution du président yougoslave Milosevic devant un tribunal spécial. On peut hisser au pinacle le sous-commandant Marcos et être indifférent au sort du commandant Massoud. Les juges italiens, par l'opération « mains propres », ont pu changer la configuration politique de leur nation sans que les électeurs n'aient vraiment à en décider.

Sur le plan spirituel, tout se passe comme si la charité, vertu et notion fondamentalement chrétiennes, avait été remplacée par l'humanité. Le paroxysme de la faute possible, c'est désormais le « crime contre l'humanité ». A l'amour du prochain, en tant qu'il est créature de Dieu, on substitue l'amour de l'homme, en tant qu'il participe à cette universalité qu'est l'humain. L'homme et l'humain ne sont plus superposables : si je dis qu'un homme est

« inhumain », je signifie qu'il s'écarte de l'idée universelle d'humanité décrétée par ailleurs et valable pour tous. Flairant la difficulté sans la résoudre, les associations qui font de l'amour d'autrui leur pain quotidien ne se disent plus « charitables » mais « caritatives ». L'avenir de la planète, ce n'est plus, comme on l'a cru dès le siècle des Lumières, le progrès scientifique ou technique (souvent dénoncé, notamment dans le domaine de la génétique) ; c'est l'universalisme de l'humain, qu'on pourra bientôt étendre à nos quasi semblables que sont les animaux, selon un mouvement anthropomorphique inévitable, déjà entamé. Car, rappelons-le, dès 1978, l'Unesco a proclamé une « Déclaration universelle des droits de l'animal » [3]. Or il est à craindre que ces vues générales et confusionnistes, quelque généreuses et utiles qu'elles soient, ne finissent par dispenser d'analyser les cas particuliers et d'éliminer toute jurisprudence, nuances nécessaires que Montesquieu prônait déjà dans *l'Esprit des lois* [4]. Le nouveau credo unanimiste installe une globalisation qui comporte en soi toutes les dérives possibles des idéologies univoques. Il a déjà ses tribunaux, ses soldats (tels ceux qui s'interposent au Rwanda, au Kosovo, en Afghanistan). Il aura bientôt sa police.

Répétons-le : rien n'est plus nécessaire que l'adhésion de toute intelligence honnête aux principes universels qui ont dicté les droits de l'homme. Mais l'angélisme des principes se corrompt forcément quand il devient la pensée unique et la règle générale, surtout dans la période même où la définition de l'humain est discutée par la science. Comment imposer une loi morale fondée sur l'humanité quand la notion d'humanité devient problématique ? « Cet immense paradoxe auquel nous voilà

promis n'a plus grand-chose à voir avec l'ancien attachement, gentil et débonnaire, pour l'humanisme des préaux d'école ; ce civisme rantanplan auquel s'abreuvent encore nos péroraisons politiques. » [5] Il est donc temps de réhabiliter, au moins dans nos écoles, une vraie culture historique et un savoir civique élémentaire. Tout pédagogue doit inciter au principe cartésien de la critique préalable et de l'analyse par soi-même, sauf à se soumettre d'emblée à une sorte d'« eugénisme moral » ou à l'idée d'une « société pure » universelle, dont tous les esprits libres et tous ceux qui ont un peu de mémoire ont le devoir de se méfier.

Ainsi se réalise la prophétie de Heidegger [6] : le « désenchantement du monde », uniformément asservi par la technique, par la rationalité, par le consensus mental. Pour Heidegger, l'artificialisation de la nature par la culture est la vocation obligée — et criminelle — de l'humanisme moderne, celui qui a conduit à toutes les grandes utopies, fascistes ou communistes, à la volonté impie d'un monde un et parfait. Nostalgique de l'individualisme, du droit à la différence et du vitalisme naturel, Heidegger craignait l'asservissement béat de la personne dans le consentement universel. En ce sens, contrairement à ce que proclament les antimondialistes, ce n'est pas seulement l'économie libérale et mondialisée (avec ses alliés informatiques, médiatiques et scientifiques) qui a assuré cette victoire inquiétante, mais une sorte d'euthanasie de la conscience morale subjective et privée, ce que Nietzsche désignait d'avance comme le « désarmement de la pensée ».

Xavier Darcos

agrégé de l'université, docteur ès lettres, ancien doyen de l'inspection générale de l'Education nationale & professeur associé à l'université Paris IV-Sorbonne

sénateur-maire de Périgueux

(1) « Le Ciel étoilé au-dessus de ma tête et la loi morale en moi », écrit E. Kant dans sa préface de la *Critique de la raison pure*, 1787
(2) *La fin de la modernité*. Gianni Vattino, Seuil, 1987
(3) *Le silence des bêtes*. Elisabeth de Fontenay, Fayard, 1993
(4) XIV, 1 : « Le caractère de l'esprit et les passions sont extrêmement différents dans les divers climats ; les lois doivent être relatives et à la différence de ces passions et à la différence de ces caractères. »
(5) *Le principe d'humanité*, p. 17. Jean-Claude Guillebaud, Seuil, 2001
(6) Dans sa *Lettre sur l'humanisme*, Aubier-Montaigne, 1950

Lu	Ma	Me	Je	Ve	Sa	Di
						1
2	3	4	5	6	7	8
9	10	11	12	13	14	15
16	17	18	19	20	21	22
23	24	25	26	27	28	29
30	31					

Bruxelles, dimanche 1er
Le parquet juge recevable une plainte pour crimes de guerre contre le Premier ministre israélien Ariel Sharon.

Argenton, dimanche 1er
Didier Rous est champion de France de cyclisme sur route.

Magny-Cours, dimanche 1er
Michael Schumacher remporte le Grand Prix de France.

France, dimanche 1er
Le Smic augmente de 4,05 %.

Saitama (Japon), dimanche 1er
Boxe : Julien Lorcy retrouve le titre WBA des poids légers.

Toulouse, lundi 2
Le Toulouse Football Club dépose son bilan.

Londres, lundi 2
Barry George est condamné à la prison à vie pour l'assassinat de la journaliste vedette de la BBC, Jill Dando, en avril 1999.

Ile-de-France, mardi 3
Un Francilien sur trois affirme avoir déjà été victime d'un délit.

La Haye, mardi 3
Première comparution devant le TPI de Slobodan Milosevic, qui refuse la lecture de l'acte d'accusation. (→ 23.8)

Buenos Aires, mercredi 4
L'ancien président argentin Menem est incarcéré. (→ 20.11)

Bonneville, mercredi 4
Rémy Chardon, président de la Société d'exploitation du tunnel du Mont-Blanc, est le 12e mis en examen dans l'enquête sur l'incendie de mars 1999.

Berlin, mercredi 4
Le tribunal administratif refuse la divulgation du dossier de la Stasi sur Helmut Kohl.

Chine, vendredi 6
Bilan de l'opération « Frapper fort » : 1 781 personnes auraient été exécutées en trois mois.

Bradford (Angleterre), samedi 7
168 policiers sont blessés lors d'affrontements interethniques.

DECES

Russie, dimanche 1er
Nikolaï Basov, prix Nobel de physique 1964 (*14.12.1922).

Ludwigshafen, jeudi 5
Suicide de Hannelore Kohl, épouse de l'ancien chancelier Helmut Kohl (*7.3.1933).

 4 999,36   26,42 $

€ 0,8462 $

La Belgique préside l'UE pour six mois

Bruxelles, dimanche 1er
Le hasard du calendrier veut que la présidence de l'Union européenne, confiée à la Belgique, commence un dimanche, jour de congé. Pourtant, de délicats chantiers attendent Guy Verhofstadt, Premier ministre belge et président de l'UE pour six mois. Car il lui faudra effacer les souvenirs du désastreux sommet de Göteborg, tenu sous une présidence suédoise plutôt vacillante, gérer le « non » des Irlandais au traité de Nice et, déjà, préparer la refonte des institutions prévue en 2004. Enfin, ce fédéraliste convaincu devra redresser le déficit d'image dont souffre l'UE, et cela en plein accord avec Romano Prodi, président de la Commission.

David Trimble jette l'éponge et s'en va

Belfast, dimanche 1er
Le jour même où débutent, comme chaque année en juillet, les marches orangistes, sources d'affrontements entre les communautés protestante et catholique, David Trimble remet sa démission. Le Premier ministre de l'Irlande du Nord en avait pris l'engagement au cas où, le 1er juillet, l'IRA, qui respecte une trêve depuis trois ans, n'aurait pas commencé un désarmement définitif. Il faut dire que, des deux côtés, on jouait serré : le protestant David Trimble devait tenir compte de la contestation de plus en plus violente de l'aile dure de son parti, tandis que l'IRA, en acceptant son ultimatum, risquait la rupture avec ses radicaux. (→ 6.11)

« Pétrole contre nourriture » en Irak

Vienne, mardi 3
Contrairement à ce que l'on pouvait attendre, du fait du ralentissement général de l'économie mondiale, les pays membres de l'Opep décident de maintenir leurs quotas actuels de 24,2 millions de barils par jour. La position adoptée par l'Opep ne tient toutefois pas compte d'une possible reprise des exportations par l'Irak, arrêtées depuis le 4 juin dernier. Le gouvernement de Saddam Hussein avait pris cette mesure radicale en réponse au Conseil de sécurité qui n'avait prolongé que d'un seul mois le programme connu sous le nom de « pétrole contre nourriture ». Mais des négociations sont en cours pour le porter à six mois. (→ 26.11)

Une très belle avancée technologique de l'imagerie médicale

Yoqneam (Israël), lundi 2
Installée depuis 1998 à Yoqneam, la société Given Imaging Ltd. est fière d'annoncer que la capsule qu'elle a créée vient de recevoir la norme CE qui lui permet d'être commercialisée dans l'Union européenne. Baptisée M2A™, cette capsule ingérable – et éjectable par la voie naturelle – est dotée d'une caméra qui permet de visionner l'intégralité de l'intestin grêle de la personne qui l'avale. Son avantage est double : elle permet au médecin d'avoir une vue complète du viscère, ce qui n'était pas le cas jusqu'alors, et au patient de ne plus subir les affres de l'endoscopie. La capsule coûte environ 460 euros.

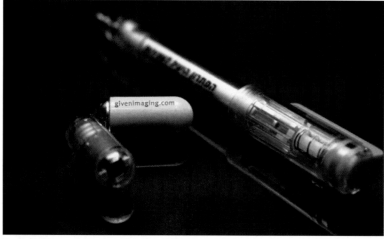

La « vidéo capsule » permet de visionner sans douleur la totalité de l'intestin.

Le 2, Abiomed, le premier cœur artificiel entièrement autonome, est implanté au Jewish Hospital de Louisville, Kentucky. (→ 30.11)

Le 1er, à Périgueux, la Félibrée, fête de l'Occitanie organisée tous les ans dans une ville différente du Périgord, attire plus de 50 000 visiteurs.

L'avion espion US est rendu en kit

Chine, mardi 3

Un Antonov An-124 s'arrache de la base aérienne chinoise d'Hainan, en direction de l'île d'Okinawa. Après cette escale japonaise, l'appareil se dirigera vers Manille, puis Hawaii, avant de se poser jeudi prochain à Marietta (Georgie) aux Etats-Unis. Le gros porteur emmène avec lui, en pièces détachées, l'avion espion américain EP-3 dont l'atterrissage forcé sur l'île d'Hainan, le 1er avril, avait entraîné une crise entre Pékin et Washington. C'est le 24 mai que les Chinois ont finalement donné le feu vert aux Américains pour venir procéder au démontage de l'avion. On ignore s'ils ont pu, entre-temps, en percer tous les secrets.

Le pactole pour Loana et Christophe, vainqueurs de « Loft Story »

Laure, Loana, Christophe et Jean-Edouard attendent les résultats de la finale.

La Plaine-Saint-Denis, jeudi 5

La nuit sera courte pour les quatre finalistes de « Loft Story ». C'est en effet très tard ce soir, sur le plateau de M6, qu'ils ont attendu les votes des téléspectateurs, avant d'aller en boîte célébrer leur victoire ou noyer leur chagrin. Et, sans vraie surprise, c'est Loana et Christophe qui vont toucher le gros lot, soit chacun un chèque de 1,5 million de francs. Il leur faudra toutefois encore, avant de le recevoir, passer ensemble 45 jours dans une villa de Saint-Tropez sous l'œil de deux webcams, mais à l'abri des paparazzi : la villa choisie ayant été identifiée, la production en a loué une autre, tenue secrète. Ils ont dix jours pour profiter de leurs proches et se détendre, avant de se cloîtrer à nouveau. (→ 29.9)

Les intempéries tuent lors d'un concert en plein air à Strasbourg

Strasbourg, vendredi 6

Le concert des « Mamas et Papas » avait commencé à la tombée de la nuit. Puis la pluie s'est mise de la partie, obligeant le groupe yiddish a interrompre le spectacle, donné en plein air dans le parc de Pourtalès, à Strasbourg. Certains spectateurs vont alors se réfugier sous la bâche qui protège une buvette, les autres attendent l'accalmie sous la pluie. Et en quelques minutes, les éléments se déchaînent : un érable est déraciné par le vent et projeté sur le public, de la buvette à la scène. Le bilan est dramatique : 10 morts et 85 blessés, dont 17 grièvement. Le maire et le préfet évoquent la « fatalité ». (→ 10)

Météo France prévoyait « de fortes bourrasques de vent » ; ce fut une tornade.

Les célibataires ont doublé en trente ans

France, vendredi 6

Les « psy » parleront d'intolérance à la frustration, qui fait exploser les couples. Les magazines évoqueront une conséquence de la libéralisation des mœurs. Toujours est-il que selon une étude publiée par l'Insee, 12,6 % des Français vivent seuls. Deux fois plus qu'il y a trente ans. Or ce n'est pas le nombre de veufs qui a explosé mais bel et bien celui des célibataires et des divorcés. Et, comme ce sont le plus souvent les mères qui ont la garde des enfants, à l'âge de 40 ans, les hommes seuls sont deux fois plus nombreux que les femmes.

Le 4, les trésors de la grotte de Cussac, en Dordogne, sont rendus publics. Ornée de gravures datant d'environ 25 000 ans, la grotte fut découverte le 30 septembre 2000. Le secret avait été gardé pour raisons de sécurité.

Le 8, et comme l'an dernier, l'Américaine Venus Williams gagne la finale dames de Wimbledon (6-1, 3-6, 6-0), mais cette fois aux dépens de la jeune Belge Justine Hénin, désormais classée 5e joueuse mondiale.

Juillet

Lu	Ma	Me	Je	Ve	Sa	Di
						1
2	3	4	5	6	7	8
9	10	11	12	13	14	15
16	17	18	19	20	21	22
23	24	25	26	27	28	29
30	31					

Anvers, lundi 9
Le Belge Marc Wauters gagne au sprint la 2e étape du Tour de France. (→ 16)

Santiago, lundi 9
La cour d'appel suspend toutes les poursuites engagées contre Augusto Pinochet en raison de son état de santé.

Wimbledon, lundi 9
Le Croate Goran Ivanisevic gagne son 1er tournoi du Grand Chelem (9-7 au 5e set) face à l'Australien Patrick Rafter.

Madrid, mardi 10
Un attentat à la voiture piégée, attribué à l'ETA, tue un policier dans la capitale espagnole.

Paris, mardi 10
Dominique Voynet quitte le ministère de l'Environnement. Yves Cochet lui succède.

Strasbourg, mardi 10
Le bilan du drame de samedi est porté à 12 morts.

Grenoble, mardi 10
Le parquet fait appel de la relaxe de Michel Tabachnik dans l'affaire de l'OTS.

Lusaka (Zambie), mardi 10
L'Ivoirien Amara Essy est élu secrétaire général de l'OUA, l'Organisation de l'unité africaine.

Paris, mardi 10
Un 12e cas de légionellose est détecté à l'hôpital Pompidou.

Paris, mercredi 11
Claude Chirac est entendue comme témoin dans l'enquête sur les voyages privés effectués par son père de 1992 à 1995 et payés en espèces. (→ 14)

Washington, mercredi 11
Les Etats-Unis qualifient la destruction par Israël, à Gaza, d'habitations palestiniennes de « provocation grave ».

Paris, vendredi 13
La Cour de cassation confirme l'« arrêt Perruche » : un enfant handicapé peut engager des poursuites pour réparation du préjudice d'être né. (→ 18.9)

Silverstone, dimanche 15
Victoire de Mika Hakkinen au Grand Prix d'Angleterre de F1.

DECES

Port-au-Prince, jeudi 12
Paul Magloire, ancien président d'Haïti (1950-1956) (96 ans).

 5 025,24   25,38 $

 0,8517 $

Contrat record pour l'arrivée de Zinedine Zidane au Real Madrid

Madrid, lundi 9
On parle de 500 millions de francs ! Tel serait le prix faramineux versé par Florentino Pérez, le président du Real Madrid, à la Juventus de Turin pour lui enlever Zidane. Une bonne affaire non seulement pour la Juve, mais aussi pour le grand club madrilène qui attend de fructueuses retombées commerciales de la venue de Zizou. Ce dernier, qui a été dès aujourd'hui présenté à Madrid par son nouveau président, toucherait un salaire annuel de 50 millions de francs. Net d'impôts. Le meneur de jeu de l'équipe de France est engagé pour quatre ans. Ce transfert fera en outre une heureuse : Véronique, son épouse, est d'origine espagnole.

Zizou avait pourtant promis qu'il finirait sa carrière à la Juventus de Turin.

Couvre-feu pour les moins de 13 ans

Paris, lundi 9
Victoire pour Serge Grouard, maire RPR d'Orléans. Le Conseil d'Etat valide l'arrêté municipal instaurant un couvre-feu pour les moins de 13 ans dans trois quartiers « sensibles » de 23 heures et 6 heures. La haute juridiction estime que cette mesure ne porte pas atteinte aux libertés et que, au contraire, elle contribue à la protection des mineurs. En 1997, le même Conseil d'Etat avait invalidé des arrêtés de même nature, pris par les maires RPR de plusieurs villes. Ce revirement a été salué par les nombreux élus locaux confrontés à l'insécurité urbaine. (→ 11.11)

Dépistage national du cancer du sein

Paris, mercredi 11
Chaque année, le cancer du sein fait 10 000 victimes en France. Chiffre énorme qui devrait être réduit grâce au dépistage systématique, dont la mise en œuvre est rendue possible par un accord passé entre la Caisse d'assurance maladie, d'une part, et, d'autre part, la Fédération nationale des radiologues. Les femmes de 50 à 74 ans bénéficieront tous les deux ans d'une mammographie gratuite, la découverte des tumeurs précoces étant évidemment le meilleur moyen d'optimiser les chances de guérison. Cette nouvelle disposition pourrait être généralisée d'ici à 18 mois.

Vers un Bordeaux-Clermont plus court

Aquitaine, jeudi 12
Enfin une autoroute transversale ! Du moins une portion de ce qui sera le grand axe autoroutier Bordeaux-Clermont-Ferrand : l'A89, longue de 340 km, qui sera achevée en 2006. Pour l'heure, ce sont 73 km qui ont été ouverts à la circulation, reliant Mussidan (Dordogne) et Libourne-ouest (Gironde), via 91 ponts dont 2 viaducs. Au printemps prochain, la jonction entre Tulle-est et Ussel-ouest, en Corrèze, doit être établie. Un bonheur n'arrivant jamais seul, un nouveau tronçon de l'A20, entre Souillac et Cahors-nord (Lot), vient aussi d'être inauguré.

Le 10, au stade Gaston-Simounet de Bergerac, Elton John chante devant 10 000 fans pour son seul concert français de l'année.

Siméon II accepte d'être Premier ministre

Sofia, jeudi 12
Vainqueur des législatives du 17 juin dernier, l'ex-roi Siméon II a été mis au pied du mur. Après avoir hésité pendant près d'un mois, il a accepté de former un gouvernement. Il est vrai qu'en promettant de délivrer la Bulgarie de la corruption, de lutter contre la pauvreté et de relancer une économie chaotique, l'ancien exilé se donnait une lourde tâche. Fort de ses 120 députés (sur 240), il devrait pouvoir disposer au Parlement de la majorité absolue avec l'appoint des 21 élus de la minorité turque. Il lui faudra toutefois compenser par son incontestable charisme son manque quasi total d'expérience politique.

Siméon II de Saxe-Cobourg-Gotha.

Pékin accueillera les JO de 2008

Moscou, vendredi 13
Le Comité international olympique, réuni à Moscou depuis mardi, a livré son verdict : Pékin sera donc la ville organisatrice des Jeux olympiques de 2008. Dès la nouvelle connue, les Chinois se sont précipités en masse sur la place Tiananmen pour faire la fête. Venu à Moscou pour appuyer la candidature de Paris, le Premier ministre Lionel Jospin avait bien du mal à cacher sa déception. Il est vrai que les Français tombent de haut : sur 106 voix, la capitale n'en a eu que 18, contre 56 pour Pékin et 22 pour Toronto. Quant à la question des droits de l'homme en Chine, elle n'a pas été prise en compte.

Fait rarissime : le président Jiang Zemin est venu saluer la foule en liesse.

La France profonde agitée par les raves

Salles-la-Source, dimanche 15
Ils ont roulé toute la nuit par routes départementales et chemins boueux pour échapper à la maréchaussée et se retrouver sous la pluie dans un champ de Salles-la-Source, un petit village de l'Aveyron, situé au nord de Rodez. Résultat : une *rave free* plutôt ratée puisque les « teufeurs » n'étaient « que » 10 000, au lieu des 40 000 annoncés. A l'extérieur, les forces de l'ordre étaient discrètes. A l'intérieur, Médecins du monde était là pour tester la qualité de la drogue. Cette nuit, dans une *rave* organisée en Moselle, à Saint-Jure, un jeune homme a succombé à un malaise.

Chirac s'exprime sur l'affaire des voyages

Paris, samedi 14
Après avoir présidé le traditionnel défilé du 14 Juillet, dont l'Espagne était cette année l'invité d'honneur, et qui a vu parader pour la dernière fois des appelés du contingent, aussi transis par la pluie que par le froid, le chef de l'Etat s'est prêté à la non moins rituelle interview télévisée. Il l'avait soigneusement préparée, tant les critiques à son égard ont été ces dernières semaines virulentes. Pour Jacques Chirac, les scandales dans lesquels on tente de l'impliquer, tels ces voyages, payés en espèces, pour lui-même et ses proches, entre 1992 et 1995, participent d'un complot. A-t-il utilisé les fonds secrets à des fins personnelles ? Absolument pas.

Le président s'est montré combatif.

Quant aux sommes évoquées, elles feront... « pschitt » ! Très en verve, le président a concentré ses attaques sur le gouvernement, incapable à ses yeux de résoudre ces maux que sont l'insécurité et le chômage.

La tour Eiffel perd sa jolie robe bleue

Paris, samedi 14
En raison de l'usure du système de colorisation, les 20 000 ampoules de la tour Eiffel cessent aujourd'hui de scintiller en bleu. Le spectacle, qui n'avait pas que des admirateurs – la teinte atténuait la luminosité –, sera-t-il renouvelé ? Nombre d'élus de la capitale y sont favorables. Le coût d'une installation durable serait de 36 millions de francs, sans compter la maintenance. En attendant que la décision soit prise, on sait déjà que l'œuvre de Gustave Eiffel doit être repeinte, pour la 18e fois depuis son érection, en fin d'année : 50 tonnes de peinture seront nécessaires.

Essai réussi pour le bouclier antimissile

Océan Pacifique, dimanche 15
Le projet MD (Missile Defense) des Américains ne fait pas l'unanimité, c'est le moins que l'on puisse dire, tant auprès des Européens que des Russes et des Chinois. Mais, pour le Pentagone, son utilité et sa fiabilité ne pourront plus être controversées : un missile antimissile lancé depuis les îles Marshall a détruit à 224 km d'altitude, et à 24 000 km/h, la fusée intercontinentale Minuteman lancée du site de Vandenberg (Californie). Ce test réussi vient compenser deux précédents échecs, d'autant que la cible était dotée d'un leurre qui n'a pas trompé le missile.

Le 15, le maire de Paris, Bertrand Delanoë, décide de fermer les quais de la Seine aux voitures au profit des piétons et des cyclistes. Les Franciliens contraints de prendre leur voiture pour aller au travail pestent contre les embouteillages que cela engendre, et qui aggravent en outre la pollution.

Le 15, *Helios*, aile volante radioguidée propulsée par 14 moteurs électriques alimentés par l'énergie solaire, décolle de l'île de Kauai (Hawaii) et atteint l'altitude de 23 100 km. Envergure : 75,3 m. Longueur : 2,4 m. (→ 13.8)

Juillet

Lu	Ma	Me	Je	Ve	Sa	Di
						1
2	3	4	5	6	7	8
9	10	11	12	13	14	15
16	17	18	19	20	21	22
23	24	25	26	27	28	29
30	31					

Göttingen (Allemagne), lundi 16
Le parquet lance un mandat d'arrêt contre deux dirigeants du groupe armé philippin Abu Sayyaf, pour l'enlèvement l'an dernier de touristes allemands sur l'île de Jolo. (→ 3.8)

Gênes, lundi 16
Un carabinier est blessé à l'œil par l'explosion d'un colis piégé, tandis qu'un engin incendiaire est désamorcé à temps. (→ 22)

Moscou, lundi 16
Jiang Zemin et Vladimir Poutine signent le premier traité de coopération et d'amitié sino-russe depuis 1950.

L'Alpe-d'Huez, lundi 16
Lance Armstrong remporte en solitaire la plus mythique étape du Tour de France. (→ 29)

Meurthe-et-Moselle, mardi 17
Découverte du 347e cas d'ESB en France depuis 1991. (→ 18)

Paris, mercredi 18
Depuis la création de la station météo de Paris-Montsouris en 1873, une telle pluviométrie n'a jamais été recensée en juillet.

Paris, mercredi 18
Le gouvernement maintient l'abattage total des troupeaux dans lesquels un cas d'ESB a été détecté, malgré l'avis contraire de l'Afssa, Agence française de sécurité sanitaire.

Tchad, jeudi 19
Le paléontologue français Michel Brunet découvre, dans le désert du Djourab, un crâne vieux de 6 millions d'années qui pourrait être celui d'un hominidé.

Washington, jeudi 19
Les ordinateurs du Pentagone et de la Maison Blanche sont éteints, victimes d'un virus nommé « Code Red ».

New York, samedi 21
La conférence de l'ONU visant à réglementer le commerce des armes légères s'achève sur un échec, en raison de l'opposition des Etats-Unis, de la Russie et de la Chine.

DECES

Marseille, mercredi 18
Alex Jany, un des plus grands nageurs français (*5.1.1929).

Milan, dimanche 22
Indro Montanelli, journaliste et polémiste (*22.4.1909).

 4 880,70   24,55 $

€ 0,8728 $

Morris laisse Lucky Luke encore plus seul

Bruxelles, lundi 16
Le « poor lonesome cow-boy » n'a plus que son cheval et ses souvenirs. Son créateur est décédé aujourd'hui. Né le 1er décembre 1923, le jeune dessinateur belge a 23 ans quand il imagine le personnage du cow-boy Lucky Luke. Sa première aventure, *Arizona 1880*, paraît en 1947 dans l'*Almanach de Spirou*. Elle est signée d'un pseudonyme qui ne le quittera plus : Morris. Au même rythme que son succès, il s'impose comme un maître de la ligne claire. Signataire de 97 albums (en collaboration avec René Goscinny de 1955 à 1977), il laisse une belle vision humoristique de l'Ouest. Quant à Lucky Luke, il en a fait un cow-boy immortel.

Lucky a arrêté de fumer en 1983.

Inde-Pakistan : l'échec du sommet

Agra, lundi 16
Le général Pervez Mucharraf, chef de l'Etat pakistanais, et Atal Bihari Vajpayee, Premier ministre indien, se sont rencontrés à Agra, en Inde. C'est le seul fait positif qui puisse être mentionné car, sur la question cruciale du Cachemire indien, dont l'autodétermination est exigée par le Pakistan, aucun accord n'a pu être trouvé. L'Inde, qui ne veut pas en entendre parler, accuse Islamabad d'armer les islamistes qui y mènent la guérilla, alors que le Pakistan nie un terrorisme transfrontalier. (→ 6.8)

Le Belge Jacques Rogge à la tête du CIO

Il est le huitième président du CIO.

Moscou, lundi 16
Après la désignation de Pékin pour les JO de 2008, il restait au Comité international olympique à élire son nouveau président. Jacques Rogge avait la faveur des pronostiqueurs, et c'est bien ce chirurgien belge de 59 ans qui succède à Juan Antonio Samaranch, dont il était d'ailleurs un peu le dauphin. Rogge n'a pas l'intention de faire la révolution : ce qu'il veut, c'est faire en sorte que le mouvement olympique retrouve une échelle humaine qu'il avait quelque peu perdue. Et, ce qui ne sera sans doute pas le plus facile, réduire le train de vie des membres du CIO.

Swissair vole au secours de Sabena

Genève, mardi 17
Lourdement endettée, la compagnie aérienne helvétique Swissair a un gros souci : son homologue belge Sabena, dont elle est actionnaire à hauteur de 49,5 % et dont le déficit se creuse dangereusement. Swissair s'est engagée auprès de l'Etat belge (détenteur de 50,5 % des actions) à porter sa participation à 85 %, mais elle n'est pas en mesure de le faire. D'où un conflit avec Bruxelles, ainsi résolu : la répartition des parts reste inchangée, et les Suisses injecteront 1,7 million de francs et reprendront neuf Airbus A319-320 commandés par Sabena. (→ 3.10)

Léopold III avait la dignité d'un roi

Bruxelles, 16 juillet
Cinquante ans jour pour jour après l'abdication de ce roi mal aimé, les Belges se ruent sur l'ouvrage qu'il a écrit quelques mois avant sa mort, en septembre 1983. Paru le 7 juin dernier, plus de 100 000 exemplaires ont déjà été vendus. Record absolu. Seconde épouse du roi, la princesse Liliane a hésité dix-sept ans avant de se décider à publier ces textes, écrits à la première personne. Les lecteurs découvrent enfin toute la vérité sur le déroulement des événements de mai 1940. Ils apprennent que le roi n'était en aucun cas un félon et que l'histoire politiquement correcte s'écarte bien souvent de l'Histoire.

Consternation dans la cité wallonne de Saint-Hubert, capitale mondiale de la vénerie : le 18, les députés de Wallonie décident, à une voix de majorité, de maintenir de façon définitive l'interdiction de la chasse à courre testée depuis juillet 2000. Les cors ne résonneront plus que pour le souvenir.

Escalade de violences antimondialisation à Gênes

Le 20, Carlo Giuliani devient le martyr de la nouvelle contestation antilibérale.

Les casseurs venus à Gênes n'ont pas servi la cause de l'antimondialisation.

Gênes, dimanche 22

Ce fut bien pire qu'à Göteborg le 15 juin dernier, en dépit du dispositif policier impressionnant mis en place par le gouvernement italien. Ce G8, qui réunissait les chefs d'Etat et de gouvernement des sept pays les plus développés, plus Vladimir Poutine, était en effet à risque, des dizaines de milliers d'« antimondialisation » ayant convergé de toute l'Europe en direction de Gênes. Le quartier de la ville où avait été installé le siège de la conférence, ainsi que la gare maritime, avaient été classés « zone rouge » et protégés par des milliers de carabiniers et des blindés. Le G8 a donc commencé vendredi dans un climat de tension extrême et, dès les premières heures, la manifestation antimondialisation, que la plupart de ses initiateurs voulaient pacifique et responsable, dégénérait : casqués, encagoulés et même parfois équipés de masques à gaz, des petits groupes radicaux, les « black blocks », s'en prenaient aux forces de l'ordre pour tenter de pénétrer à l'intérieur de la « zone rouge ». La police italienne, visiblement mal préparée, n'a pas su conserver son sang-froid : peu après 17 heures, Carlo Giuliani, 23 ans, était abattu à bout portant par un carabinier, puis écrasé par la Jeep d'où le coup avait été tiré. Samedi, ils étaient 200 000 à manifester leur indignation dans Gênes, tandis que des affrontements se poursuivaient. Le G8 s'achève ce soir sur le bilan d'un mort et 600 blessés. (→ 3.8)

Le géant Nortel au bord du gouffre

Canada, jeudi 19

Son titre était coté 123 dollars il y a un an, il vient de tomber à 11 dollars à la Bourse de Toronto. La chute a été brutale pour Nortel Networks, qui affiche pour le premier semestre une perte sèche de 19,4 milliards de dollars. Le fabricant de composants pour fibres optiques, un géant de la nouvelle économie canadienne, doit ces résultats catastrophiques à des coûts de restructuration exorbitants (des licenciements massifs ont été en effet engagés en début d'année), à la dépréciation rapide de nombre de ses actifs (entreprises déficitaires) et à la baisse de ses ventes, enregistrée notamment aux Etats-Unis.

Quand les vaches découvrent et apprécient la haute technologie

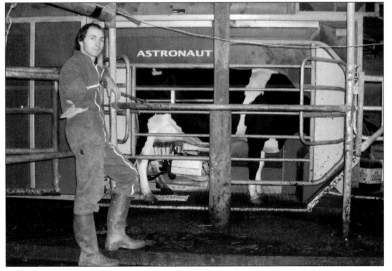

Elles viennent se faire traire quand elles le souhaitent, 3 ou 4 fois par jour.

Marans (Charente), dimanche 22

Depuis son bureau, devenu véritable tour de contrôle de l'exploitation, Bernard Babin analyse les résultats affichés sur l'écran de l'ordinateur, pilote du robot de traite. Chacune des quarante-deux vaches laitières s'y trouve répertoriée : nombre de passages (volontaires) en station de traite, quantité attendue et quantité produite, analyse du lait, situation de la bête dans le cycle de lactation, période de chaleur ou temps restant avant la mise bas. Derrière la vitre, le hall de stabulation libre s'ouvre sur 70 hectares de pâturages et de cultures. Décontractées, les vaches produisent 25 % de plus qu'avant, et Bernard, seul à gérer l'exploitation, passe tout son dimanche en famille.

Juillet

Lu	Ma	Me	Je	Ve	Sa	Di
						1
2	3	4	5	6	7	8
9	10	11	12	13	14	15
16	17	18	19	20	21	22
23	24	25	26	27	28	29
30	31					

Borgo (Haute-Corse), lundi 23
Un attentat à l'explosif commis en plein jour contre une caserne blesse 15 gendarmes. (→ 27)

Jakarta, lundi 23
Abdurrahman Wahid, destitué par le Parlement, est remplacé à la présidence de l'Indonésie par Megawati Sukarnoputri.

Washington, mercredi 25
La Chambre des représentants lève l'interdiction qui était faite aux Américains de se rendre à Cuba depuis l'embargo décrété par les USA en 1960. (→ 30.11)

Bruxelles, jeudi 26
Protais Zigironyirazo, beau-frère de Juvenal Habyarimana, le président rwandais assassiné, est arrêté : le TPI l'accuse d'être l'un des principaux artisans du génocide de 1994.

Paris, jeudi 26
L'ordre des médecins demande de ne plus prescrire la DHEA en raison des incertitudes liées à ses effets secondaires.

Paris, jeudi 26
Hachette acquiert la totalité des magasins Virgin de France.

Créteil, vendredi 27
Jean-Charles Corbet, soutenu par le personnel, est choisi par le tribunal de commerce pour la reprise d'AOM-Air Liberté. Le plan préserve 2 706 emplois. Swissair s'est engagée à verser 1,3 milliard de francs. (→ 21.8)

Corse, vendredi 27
L'avocate nationaliste Marie-Hélène Mattéi reçoit un colis piégé. Le leader nationaliste Jean-Guy Talamoni en avait lui aussi reçu un hier. (→ 17.8)

Munich, dimanche 29
Céline Lebrun décroche la médaille d'or toutes catégories des championnats du monde de judo.

New York, lundi 30
L'ancien Président Bill Clinton inaugure ses nouveaux bureaux dans l'ancien ghetto de Harlem, devenu un quartier à la mode.

DECES

Cieszyn, dimanche 29
Edward Gierek, ancien premier secrétaire du Parti communiste polonais (*6.1.1913).

Orinda (Californie), mardi 31
Paul Anderson, écrivain de science-fiction (*25.11.1926).

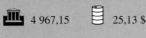

4 967,15   25,13 $

€   0,8738 $

La lave de l'Etna continue de couler

Sicile, lundi 23
Catane est une ville grise, recouverte de cendre volcanique, son aéroport est fermé et l'état d'urgence vient d'être déclaré par le gouvernement italien. A vingt kilomètres de là, le plus grand volcan d'Europe s'est à nouveau réveillé. C'est le 21 janvier que l'Etna a donné de sérieux signes d'une reprise d'activité, connaissant un paroxysme inquiétant le vendredi 13 juillet, avec projections, coulées de lave et tremblement de terre. La face sud-est de ce volcan de type dit strombolien présente cinq fractures depuis vendredi dernier, et la lave descend inexorablement. Toutefois, la coulée devrait épargner Nicolosi et Belpasso et passer entre ces deux localités. Un plan d'évacuation n'en a pas moins été préparé, au cas où... En revanche, une station de ski et un restaurant d'altitude sont d'ores et déjà quasi condamnés.

© Cnes 2001 - Distribution Spot Image

Deux vues prises par le satellite Spot les 19 et 23 juillet.

La « Reine des Bandits » est assassinée

New Dehli, mercredi 25
C'était Cartouche et Robin des Bois réincarnés en femme : au pays de la métempsycose, cela n'avait au fond rien d'étonnant. Jetée par la misère dans le banditisme dès l'âge de 11 ans, Phoolan Devi devint l'idole des pauvres du nord de l'Inde en pillant et massacrant les riches. La « Reine des Bandits » passera quand même onze ans en prison avant de se faire élire député en 1996 et en 1999. Elle a été abattue devant chez elle. Elle n'avait que 38 ans. Mais quelle vie !

Le 25, à Montréal, Céline Dion et René Angélil portent leur enfant, René-Charles, sur les fonts baptismaux, le jour même de ses six mois.

Protocole de Kyoto : le fiasco est évité

Bonn, lundi 23
Victoire difficile, mais victoire. Et Paula Dobrianski, représentante des Etats-Unis, a dû le reconnaître : son pays, pourtant hostile au protocole de Kyoto sur la réduction des effets de serre, ne renoncera pas à «ses responsabilités». Les 180 ministres de l'Environnement réunis à Bonn sont en effet parvenus à préciser les règles d'application du protocole et son arsenal de sanctions. C'est aussi un succès pour l'Union européenne qui, déterminée, a réussi à arracher la signature de pays réticents, dont le Japon, l'Australie, le Canada et la Russie. (→ 10.11)

Offensive tamoule au Sri Lanka

Colombo, mardi 24
Les Tigres ont voulu prouver qu'ils pouvaient frapper où il le voulaient et quand ils le voulaient. Ce matin, des guérilleros tamouls déguisés en soldats ont semé la terreur dans l'ouest du Sri Lanka, loin de leurs fiefs du nord et de l'est. D'abord, ils ont détruit huit avions de combat sur une base aérienne militaire, près de l'aéroport international de la capitale, Colombo. Puis ils ont semé la terreur dans l'aéroport même où certains se sont fait sauter avec leur bombe, d'autres tirant tous azimuts. Bilan : 13 Tigres et 7 militaires tués, et deux Airbus en cendres.

Un cerveau humain pour trois macaques

Boston, jeudi 26
L'homme se rapproche de jour en jour un peu plus du singe... A la tête d'une équipe de scientifiques de la Harvard Medical School de Boston, aux Etats-Unis, Evan Snyder vient de réaliser une première capitale : des cellules souches prélevées sur le cerveau d'un fœtus humain ont été greffées dans celui de trois fœtus de macaques bonnets. Et ça a marché ! Les cellules souches humaines ont normalement rempli leurs fonctions en contribuant au développement du cortex des singes. L'expérience inverse n'est pas envisagée...

Esquisse de trêve en Macédoine

Skopje, jeudi 26

On respire un peu dans la capitale de la Macédoine : l'UCK s'est retirée de Tetovo. Violant le cessez-le-feu du 5 juillet dernier, les combattants albanais avaient investi la ville sans rencontrer beaucoup de résistance, dans la nuit du 24 au 25. Mais cette démonstration de force aura eu au moins pour résultat de faire venir à Skopje Javier Solana, le chef de la diplomatie européenne, et George Robertson, le secrétaire général de l'Otan. Après leur rencontre avec les partis albanais et Boris Trajkovski, le président macédonien, ils ont pu relancer les négociations. (→ 17.8)

Lance Armstrong remporte son troisième Tour de France d'affilée

Maillot jaune depuis sa victoire à Saint-Lary-Soulan le 13, il a écrasé ses rivaux.

Paris, dimanche 29

Nette et sans bavure. Enfin presque. La troisième victoire d'affilée de Lance Armstrong dans la Grande Boucle a été légèrement ternie par une information stupéfiante, si l'on ose dire : le coureur américain avait pour conseiller le docteur Michele Ferrari, le promoteur de l'EPO dans les pelotons (et qui doit en répondre devant la justice italienne au mois de septembre). Foin de polémiques. Ferrari ou pas Ferrari, Armstrong fut impérial avec sa pédalée rapide, en montagne et contre la montre. Et les autres ? On saluera la courageuse impuissance de Jan Ullrich, voué à la deuxième place, et les barouds de Laurent Jalabert (deux étapes).

Les extrémistes juifs provoquent une bataille rangée à Jérusalem

Jérusalem, dimanche 29

Pour reconstruire le second temple de Jérusalem (détruit en 70 par les Romains) sur son site d'origine, il faudrait chasser tous les musulmans de l'esplanade des Mosquées et ne rien laisser du troisième haut lieu de l'islam. Tel est pourtant le projet que n'hésitent pas à défendre les Fidèles du mont du Temple, des ultras juifs prêts à toutes les provocations. Ces fous de Yahvé ont aujourd'hui posé symboliquement la première pierre de « leur » troisième temple. D'où jets de pierres et de baskets par les musulmans, et heurts violents entre ces derniers et la police israélienne : une cinquantaine de blessés, dont une quinzaine de policiers.

Une fois encore, l'esplanade des Mosquées est le théâtre d'affrontements.

Encore des records pour Ian Thorpe

Fukuoka, dimanche 29

Non seulement il est le plus beau, du moins aux yeux des Japonaises, mais encore il est le plus fort. Et de loin ! Aux championnats du monde de natation de Fukuoka, au Japon, l'Australien Ian Thorpe a battu en nage libre quatre records du monde, médaille d'or en prime bien sûr, soit : 200 m (1'44''06), 400 m (3'40''17), 800 m (7'39''16) et relais 4 x 200 m avec l'équipe d'Australie (7'04''66). A cette moisson Ian Thorpe a ajouté deux médailles d'or supplémentaires avec ses équipiers : relais 4 x 100 m nage libre (3'14''10) et, enfin, relais 4 x 100 m quatre nages (3'35''35).

Le 29, au Grand Prix d'Allemagne d'Hockenheim, vol plané de la Prost de Luciano Burti : il a heurté au départ la Ferrari de Michael Schumacher. « Schumi » abandonne, laissant la victoire à son frère Ralf (sur Williams).

Le 31, BMW vend le 2 049ᵉ exemplaire de son modèle C1. Lancée en avril 2000, cette 125 cm³ est la première qui se conduise sans casque mais avec ceinture de sécurité grâce à son armature. Elle vaut de 39 000 à 44 000 F.

Clonage : l'homme sujet ou objet ?

Cette année, les progrès des sciences et des techniques appliquées à la médecine dans le but de soigner l'homme ont été omniprésents. Mais de quoi parle-t-on exactement?

Les cellules souches

On peut distinguer différents types de cellules souches. Les cellules embryonnaires, obtenues dans les quatre premiers jours de croissance de l'embryon, peuvent à elles seules permettre le développement d'un être humain. Il s'agit alors de *clonage reproductif*. Ces cellules ont l'intérêt d'être encore « totipotentes », c'est-à-dire encore non différenciées. On les appelle également cellules ES (Embryonic Stem Cells).

Si on les prélève pour les mettre en culture, on obtient des lignées de cellules souches que l'on peut ensuite différencier en autant de tissus qu'en comporte le corps humain. C'est ce qu'on appelle le *clonage thérapeutique*. Il permet d'obtenir des cellules souches ES ayant le même patrimoine génétique que le patient, qui pourra alors profiter de greffes de tissus compatibles. Il est également possible de réaliser des modifications génétiques sur ces cellules et corriger certains défauts. Les cellules souches obtenues à partir de procédés de « clonage » dans une visée thérapeutique, qui sont donc des cellules souches embryonnaires, ont comme intérêt de ne poser aucun problème de tolérance immunologique vis-à-vis du patient ; c'est-à-dire de n'induire aucun rejet du traitement par l'organisme. Par contre, elles nécessitent de produire un embryon, un clone non destiné à se développer, ce qui le différencie dans la finalité d'un clone conçu dans une perspective de reproduction.

Il existe des cellules souches *pluripotentes* ayant pour vocation de former tous les tissus de l'organisme ; *multipotentes,* présentes dans l'organisme adulte, à l'origine de plusieurs types de cellules différenciées ; *unipotentes,* ne donnant qu'un seul type de cellules différenciées. L'intérêt thérapeutique des cellules souches s'inscrit dans les applications de la *thérapie cellulaire.*

La thérapie cellulaire

Les cellules souches peuvent être prélevées à différents endroits du corps. Quand elles proviennent de la moelle osseuse ou du sang, même placentaire, ces cellules souches dites *hématopoïétiques* sont utilisées pour traiter des maladies hématologiques (maladies du sang). De même, on utilise de façon courante des *cellules souches de l'épiderme* pour réaliser des greffes de peau. Des recherches sont actuellement effectuées sur les cellules de foie et de pancréas : ces dernières pourraient être utilisées dans les cas de diabète. Si l'on étudie aujourd'hui le potentiel des cellules souches d'origine adulte à des fins thérapeutiques, on sait que les cellules fœtales présentent beaucoup d'avantages : elles possèdent une grande capacité de multiplication et franchissent plus facilement, grâce à leur immaturité, les barrières d'incompatibilité

Des équipes cultivent aujourd'hui des cellules ES *in vitro.* Cette méthode a pour but non seulement d'améliorer la réussite des fécondations *in vitro*, mais aussi d'explorer le mécanisme des cancers et des maladies dégénératives, et, enfin, de créer des tissus qui pourraient être utilisés comme greffes dans le traitement de certaines maladies. Le concept clé est la production, avec des caractéristiques simplifiées, de l'architecture tissulaire, qui permet l'intégration immédiate et interactive de ces tissus dans le corps humain.

La thérapie génique

Autre principe, celui de la thérapie génique, qui repose sur le transfert à des cellules d'une construction génétique formée d'un fragment d'ADN et le plus souvent d'un « vecteur » porteur de ce fragment. L'ADN thérapeutique peut être inséré dans un vecteur d'origine virale (adénovirus, rétrovirus, poxvirus comme le virus de la vaccine ou un herpès virus) ou dans un vecteur synthétique, tel un liposome. On peut aussi introduire l'ADN de manière *ex vivo* dans des cellules issues ou non du patient. Le gène apporté peut, dans le cas d'une maladie génétique, compenser le défaut du gène existant, ou être utilisé pour apporter une fonction cellulaire particulière capable de s'opposer à un processus pathologique (notion de gène médicament). Dans le cas d'un gène déficient, la thérapie génique consiste jusqu'à présent à apporter le gène assurant la suppléance du gène déficient sans le corriger *in situ.* Le gène introduit s'intègre dans un site du génome et assure la suppléance du gène défectueux. La correction complète du gène muté par la méthode de recombinaison homologue sera bientôt possible, ce qui impliquera une vraie correction et donc une guérison totale. Les maladies susceptibles d'être soignées à l'aide de la thérapie génique sont les déficiences immunitaires combinées sévères, les hypercholestérolémies familiales, la maladie de Gaucher, les cancers ou le sida.

La thérapie génique somatique est donc acceptée dans un encadrement et des procédures de contrôle variant d'un pays à l'autre. En France, par sécurité et par éthique, tout protocole d'essai clinique de thérapie génique passe devant une commission consultative de protection des personnes (CCPPRB) qui donne son avis. Cet avis est transmis à l'Agence française de sécurité sanitaire et des produits de santé (AFSSAPS), qui autorise les protocoles.

Ainsi, et dans ces conditions, l'année 2001 a vu le succès obtenu par le Pr Alain Fisher, chef du service d'immunologie-hématologie de l'hôpital Necker-Enfants malades et par Marina Cavazzana-Calvo de l'Institut national de la santé et de la recherche médicale : celui de la première thérapie génique efficace. Depuis 1990, cette technique si prometteuse a connu ses années de tâtonnements et d'échecs. Aujourd'hui, la thérapie génique connaît un nouveau départ.

Les nouvelles technologies : paradigme de la médecine face à la mort ?

Cette année, la révision des lois de bioéthique a rouvert le débat sur l'utilisation des cellules souches. Les mythes antiques et les croyances légendaires mettent en lumière le désir puissant que nous avons de repousser la mort, de la combattre. Le mythe de l'immortalité jouxte celui de la jeunesse. Certains considèrent que l'utilisation des cellules souches et les techniques qui l'accompagnent sont à interdire, car le clonage pourrait servir à la création d'êtres biologiquement à l'identique, ce qui contrevient aux lois de la nature. Mais il s'agit d'une vision fantasmatique qui se focalise sur les dérives liées au seul clonage reproductif.

Le clonage nous ramène certes à ces questions puisque, dans une approche reproductive, d'un adulte on peut créer un semblable biologique. On pourrait même le créer plus jeune. Mais, dans le réel, nous savons qu'il ne sera pas un autre nous-même. Les études chez les jumeaux homozygotes (les vrais jumeaux) ont montré que les comportements, les acquis non seulement psychiques mais aussi physiques (comme l'obésité et le risque-cardiovasculaire) diffèrent chez des êtres génétiquement identiques, l'environnement de l'être créant ces différences.

Référons-nous à la pensée de Malraux sur la condition humaine, et soulignons que « si vous prenez un homme, vous changez ses reins, c'est toujours cet homme. Vous changez son foie, son cœur, ses poumons, ses cornées, ses ongles, ses articulations, ses ligaments, ses tissus, ses cellules, ses gènes... Il est toujours cet homme. » En fait, plus la science progresse, plus elle nous a démontré, à ce jour, que ce qui fait les qualités de l'homme ne se situe probablement pas dans sa matérialité mais dans son « être au monde ». Quoi qu'il en soit, l'utilisation des cellules souches et le clonage suscitent un vif débat, débat qui commence et qui montre comment, dans nos sociétés modernes, l'homme reste confronté au sens de ses origines et de sa finitude.

En excluant du champ du possible le clonage reproductif, les opposants au clonage rejettent dans le même mouvement le clonage thérapeutique et parfois l'utilisation même des cellules souches, au principal motif que, si les techniques de clonage sont mises en place dans une approche thérapeutique, elles seront alors opérationnelles et faciliteront le clonage reproductif. C'est donc la peur qui engendre le débat, en ne voyant que le risque de dérive ou de mésusage d'une évolution technique qui remet en cause le rapport fondamental qui lie l'homme et la nature.

Mais n'en était-il pas de même il y a trente ans dans le débat qui entourait les premières greffes d'organes ; débat dans lequel d'aucuns stigmatisaient la violation du tabou de la mort, du corps mort et sa réification. La question de l'utilisation des cellules souches est à poser en regard du combat contre la mort.

Quelle est la raison d'être de la médecine en 2001 ?

Il convient alors de poser l'essence de la médecine, la thérapeutique étant sa finalité même. Notre collectivité s'opposerait-elle à la lutte contre la maladie et la mort ? Si non, le clonage thérapeutique et l'utilisation des cellules souches sont alors à envisager comme une nouvelle approche qui utilise l'humain pour soigner l'humain, comme le furent et le sont largement aujourd'hui, et avec bonheur, les greffes d'organes ou de tissus. La médecine demande à la société une possibilité de progresser dans le soin et dans le « guérir ». Elle accepte, voire réclame, que soit proclamé le principe de limites, de règles de contrôle. Il s'agit donc de savoir ce que la société attend de la médecine. Est-il possible de réclamer sans cesse des progrès (soigner, voire guérir les maladies d'Alzheimer, de Parkinson, améliorer la transfusion sanguine, etc.) jusqu'à abonder financièrement dans des campagnes de générosité et, à la fois, refuser des approches novatrices, qui transgressent certes la nature et violentent parfois les mœurs, les consciences et les croyances, mais qui peuvent permettre d'améliorer la santé des hommes et le bien-être de l'humanité ? C'est en fait la question de « jusqu'où peut aller le combat face à la maladie et à la mort ? » qui est ici posée.

Les débats sont passionnés, parfois dramatisés. Quel avis raisonné peut donc se faire le citoyen? Par-delà les questions éthiques classiques, il devient nécessaire de prendre position par rapport à ces questions précises. Il faut définir des chemins entre les diverses positions. Chacune détient sa part de vérité. Elles doivent être couplées à l'évaluation éthique des pratiques en médecine clinique et en recherche biomédicale pour mieux cerner les conséquences prévisibles et, par ses résultats, nourrir le débat social, démocratique et argumenté. Ce n'est qu'à ce prix que nous pourrons tracer des frontières entre le permis et l'interdit et inspirer confiance dans le progrès médical.

L'on comprend les risques d'une objectivation de l'homme devant de tels progrès. C'est à la société de faire ses lois et garantir à la fois le progrès et la sécurité. La société, par le débat, doit se déterminer sur le corps et sur ses produits : sont-ils commercialisables et brevetables ? Un projet de loi déposé en novembre 2001 par le ministère de l'Industrie garantit la non-patrimonialité du corps et de ses produits, alors que la directive européenne de 1998 (permettant le brevetage de gènes isolés de l'organisme où ils avaient été prélevés) qui devait s'appliquer en juin 2000 n'est toujours pas appliquée en décembre 2001. Il s'agit là de déterminer la spécificité du vivant et de l'espace de liberté que nous nous accordons vis-à-vis de nos constructions humaines, notamment scientifiques et techniques, mais aussi économiques et juridiques. L'homme pour ne pas devenir objet devra, par son intelligence, trouver ces espaces de liberté.

Professeur Christian Hervé,
Directeur du Laboratoire d'éthique médicale de l'université Paris-V

Lu	Ma	Me	Je	Ve	Sa	Di
			1	2	3	4	5
6	7	8	9	10	11	12
13	14	15	16	17	18	19
20	21	22	23	24	25	26
27	28	29	30	31		

Azerbaïdjan, mercredi 1er
Changement d'alphabet pour les Azéris : le cyrillique disparaît au profit du script latin.

Washington, mercredi 1er
La Chambre des représentants vote l'interdiction du clonage humain, y compris à des fins thérapeutiques. (→ 9)

Lyon, jeudi 2
Un convoyeur de fonds, blessé hier à Vénissieux dans l'attaque d'un fourgon blindé, succombe à ses blessures.

Monde, jeudi 2
Les actes de piraterie maritime ont encore augmenté de 21,5 % au 1er trimestre 2001.

Grande-Bretagne, jeudi 2
Le nombre d'animaux abattus en raison de la fièvre aphteuse s'élève à 3,5 millions. Plus de 1 800 foyers sont recensés.

Pérou, jeudi 2
Les autorités lancent un mandat d'arrêt contre l'ancien président Alberto Fujimori, réfugié au Japon. (→ 3)

Italie, vendredi 3
Trois hauts responsables de la police sont limogés, en raison des erreurs qu'ils ont commises lors du sommet de Gênes.

Tokyo, vendredi 3
Le gouvernement japonais fait savoir qu'il n'extradera pas Alberto Fujimori.

Northam (Australie), samedi 4
Départ de Steve Fossett pour sa 5e tentative de tour du monde en ballon en solitaire. (→ 17)

France, samedi 4
Début sur TF1 de l'adaptation française de « Survivor » : « Les Aventuriers de Koh-Lanta », présenté par Hubert Auriol.

Londres, samedi 4
La reine Mère fête ses 101 ans. Elle paraît guérie de l'anémie qui l'avait conduite à l'hôpital en milieu de semaine.

Kaboul, dimanche 5
Arrestation de 24 membres de l'organisation humanitaire non gouvernementale Shelter Now International (SNI). Ils sont accusés par les talibans de prosélytisme chrétien.

Ile de Basilan, dimanche 5
Un assaut de l'armée philippine permet la libération de 13 des otages du groupe Abu Sayyaf.

  5 031,39   25,96 $

€ 0,8860 $

Tension entre l'ONU et les talibans

Kaboul, mercredi 1er
Les talibans lancent aujourd'hui un « avertissement » aux experts que le Conseil de sécurité, lundi, a décidé d'envoyer dans les pays limitrophes de l'Afghanistan afin de s'assurer de l'application des résolutions prises en 1999 et 2000 par l'ONU contre le régime de Kaboul. Elles stipulent notamment un embargo total sur les armes et une interdiction de vol de ses avions hors de son territoire. Le Conseil de sécurité a rappelé que les talibans devaient extrader Oussama Ben Laden, le responsable, selon les Américains, des attentats de 1998 contre leurs ambassades au Kenya et en Tanzanie. (→ 11.9)

La Colombie fait la guerre aux rebelles

Bogota, mercredi 1er
Le général Fernando Tapias exulte : les Forces armées révolutionnaires de Colombie (Farc) ont laissé sur le terrain quatre-vingt-quatre des leurs lors des affrontements qui les ont opposées ces trois derniers jours à l'armée régulière. Le général en chef a également précisé que vingt et un soldats avaient trouvé la mort. Mais cette victoire doit être relativisée : on estime en effet à 16 000 hommes les effectifs des Farc, auxquels il faut ajouter les quelque 6 000 membres de l'Armée de libération nationale (ELN), l'autre branche de la guérilla d'extrême gauche.

L'ardoise des USA grandit à l'ONU

New York, mercredi 1er
Conseilleurs, mais pas payeurs, les Etats-Unis se font sermonner par Kofi Annam. Le secrétaire général de l'ONU a signifié au Congrès que de graves tensions ne manqueront pas de surgir avec les autres Etats membres si Washington ne règle pas sa dette à l'égard de l'organisation : elle s'élève à près de 2 milliards de dollars ! Au mois de décembre 2000, un accord avait été pourtant conclu, les Etats-Unis s'engageant à verser immédiatement 585 millions. Mais l'ONU attend toujours. (→ 12.11)

Le corps de Karine est retrouvé calciné

Karine Schaaf avait 17 ans.

Bitche, jeudi 2
Disparue le 22 juillet après avoir été heurtée à bicyclette par une voiture sur une petite route de Bitche, en Moselle, la jeune Karine Schaaf a été retrouvée dans une forêt proche. Morte et carbonisée. C'est le suspect numéro un, Stéphane Krauth, qui a lui-même fourni aux gendarmes les indications permettant de localiser le cadavre. Ce jeune homme âgé de 22 ans s'était spontanément rendu hier. Selon lui, il se serait agi d'un accident mortel. Pris de panique, il se serait débarrassé du corps après l'avoir brûlé avec de l'essence. Les enquêteurs sont réservés. D'autant qu'un témoin qui a vu redémarrer la voiture après l'accident affirme que Krauth n'était pas seul. (→ 17)

Des chrétiens assassinés par Abu Sayyaf

Philippines, vendredi 3
Tandis que 5 000 soldats philippins ont été engagés sur l'île de Basilan pour libérer les otages américains prisonniers d'Abu Sayyaf, le groupe islamiste continue de semer la mort. Aujourd'hui, l'armée a retrouvé les corps décapités de cinq des trente villageois chrétiens enlevés hier soir par les séparatistes musulmans dans le centre de l'île. Ce crime porte la signature de Ghalib Andang, plus connu dans le pays sous le sobriquet de « commandant Robot ». (→ 5)

Rassemblement des Témoins de Jéhovah

Villepinte, dimanche 5
Ils étaient près de 95 000 rassemblés depuis vendredi à Villepinte, dans la région parisienne, et des dizaines de milliers d'autres encore à Bordeaux et à Lyon. Venus de toute l'Europe, d'Amérique et d'Asie, les Témoins de Jéhovah ont communié dans leur foi en l'avènement du paradis sur terre. Cette secte biblique d'origine américaine se dit aujourd'hui forte de 120 000 adeptes actifs en France et d'autant de sympathisants, ce qui semblerait confirmer une certaine stagnation. Mais ils n'étaient guère plus de 1 500 en 1945.

400 nouveaux adeptes ont été baptisés par immersion pendant le week-end.

Lu	Ma	Me	Je	Ve	Sa	Di
			1	2	3	4	5
6	7	8	9	10	11	12
13	14	15	16	17	18	19
20	21	22	23	24	25	26
27	28	29	30	31		

Irlande du Nord, lundi 6
L'IRA accepte « le principe de son désarmement ».

Castel Gandolfo, mardi 7
Mgr Emmanuel Milingo est reçu par le Saint-Père. (→ 29)

Washington, mardi 7
Dix millions de dollars : tel est le montant de l'avance accordée par l'éditeur Knopf à l'ancien Président Bill Clinton pour la rédaction de ses Mémoires.

France, mercredi 8
Heinz-Harald Frentzen intègre l'écurie de F1 d'Alain Prost. Jean Alesi la quitte et rejoint Jordan. (→ 10.10)

Phnom Penh, vendredi 10
Le roi du Cambodge, Norodom Sihanouk, instaure une cour spéciale destinée à juger, en collaboration avec l'ONU, les anciens chefs khmers rouges.

République tchèque, vendredi 10
Le Français Serge Baudo prend la direction de l'Orchestre symphonique de Prague.

Manche, samedi 11
Le Suisse Ueli Staub disparaît à 2,5 km des côtes françaises, alors qu'il tentait la traversée de la Manche à la nage au départ de Douvres.

Drôme, samedi 11
2 500 m² de maïs transgénique sont détruits par des inconnus.

Val-d'Oise, dimanche 12
Habib Mezaoui est arrêté par les policiers du Raid chez sa compagne, à Persan.

Monde, dimanche 12
835 millions d'ordinateurs personnels ont été vendus dans le monde depuis le lancement du PC par IBM il y a 20 ans.

Cincinnati (Ohio), dimanche 12
Tennis : vainqueur du tournoi, le Brésilien Gustavo Kuerten déloge Andre Agassi de la place de n° 1 mondial.

DECES

Salvador de Bahia, lundi 6
Jorge Amado, romancier brésilien (*10.8.1912).

Tsavo (Kenya), jeudi 9
Jacky Boxberger, champion français de demi-fond (*16.4.1949).

Paris, dimanche 12
Pierre Klossowski, peintre et écrivain (*9.9.1905).

 4 846,02   26,56 $

€   0,8949 $

Terreur islamiste au Cachemire indien

Inde, lundi 6
La tension s'est soudain aggravée au Cachemire ce week-end et, ce matin, le ton monte à New Delhi entre le Premier ministre indien, Atal Bihari Vajpayee, et l'aile dure de son parti, le BJP (nationaliste hindou). Depuis le sommet indo-pakistanais du mois dernier, les affrontements se sont en effet multipliés entre l'armée et la guérilla islamiste. Et, samedi, une vingtaine de villageois hindous ont été assassinés par des musulmans. Le 21 juillet, treize pèlerins hindous avaient déjà été abattus. Tenté par la démission, Vajpayee y a renoncé, afin de ne pas plonger le pays dans une nouvelle crise politique.

La Syrie fait toujours la loi au Liban

Beyrouth, mardi 7
Il ne fait pas bon, au Liban, se dire hostile à la présence militaire de la Syrie dans le pays. Des membres ou des proches du Courant patriotique libre (CPL), le parti officieusement dirigé par l'ancien Premier ministre Michel Aoun, ainsi que des militants des Forces libanaises, mouvement interdit, ont été arrêtés à Beyrouth par la sécurité militaire. Sur les 100 à 150 personnes raflées figurent des responsables importants de ces deux formations chrétiennes. Certaines auraient déjà été déférées devant un tribunal militaire : pour « insultes » au chef de l'Etat, Emile Lahoud.

Du rôle de l'Eglise pendant l'Holocauste

Rome, mardi 7
Coup de froid sur les relations entre le Vatican et la communauté juive : le porte-parole du Saint-Siège admet l'échec de la commission créée il y a deux ans, avec des historiens juifs et catholiques, pour étudier le rôle de l'Eglise pendant la guerre et plus particulièrement l'attitude du pape Pie XII face à l'Holocauste. Pour le Vatican, ce sont certains historiens juifs qui ont provoqué la suspension des travaux, en juillet. Le Congrès juif mondial, lui, accuse le Vatican de mauvaise volonté délibérée.

L'anticholestérol de Bayer retiré de la vente

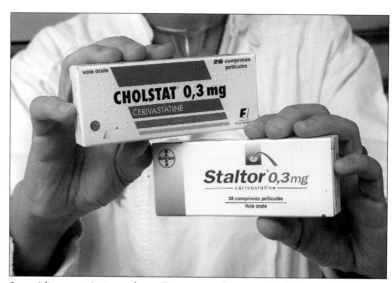

Le médicament était vendu en France sous les noms de Staltor et Cholstat.

Francfort, mercredi 8
Mauvaise passe pour Bayer, le géant pharmaceutique allemand : le titre a chuté de 17 % ce soir à la Bourse de Francfort. Il faut dire que, outre de mauvais résultats prévus pour 2001, Bayer a subi le contrecoup brutal de sa décision, annoncée hier, de retirer de la vente le Baycol-Lipobay, son anticholestérol dont l'association à un autre médicament, le Lipur, est tenue pour responsable de la mort de 39 personnes, dont 31 aux seuls Etats-Unis. Ce retrait devrait coûter 650 millions d'euros à la firme de Leverkusen. Et, comme sa branche chimie ne se porte pas très bien non plus compte tenu du ralentissement de l'économie mondiale, on s'attend à des licenciements massifs.

Les réformateurs relèvent la tête en Iran

Téhéran, mercredi 8
Le président Mohammad Khatami a prêté serment avec trois jours de retard. Le vainqueur réformateur de l'élection présidentielle du 8 juin se succède donc à lui-même, mais non sans avoir marqué un point contre le pouvoir judiciaire, opposé à toute réforme. Samedi, le Parlement a fait pour la première fois obstacle aux volontés de l'ayatollah Chahroudi, le chef de la justice, en récusant trois membres du Conseil des gardiens de la constitution. La crise a finalement été dénouée en faveur de la justice. Elle n'en sort pas moins fragilisée.

Le 8, sortie en France de *Jurassic Park 3*, produit par Steven Spielberg mais réalisé par Joe Johnston. Les dinosaures sont d'autant plus dangereux que les scénaristes du film les ont dotés d'une intelligence inattendue !

Belmondo hospitalisé d'urgence à Paris

Paris, mercredi 8
Avec tout l'humour dont on le sait capable, Jean-Paul Belmondo disait récemment qu'il avait passé l'âge de jouer « les enjambeurs de canapé ». Ce qui lui est arrivé aujourd'hui le confirme douloureusement : dans la villa de Lumio, en Corse, où il était en vacances, « Bébel » a été pris d'un malaise vasculaire cérébral. Il a été immédiatement transporté aux urgences de l'hôpital de Bastia, puis, dans la soirée, par avion sanitaire, à l'hôpital Saint-Joseph, à Paris. Le côté droit de la face partiellement paralysé, le comédien de 68 ans ne peut plus parler, mais il a conservé toute sa lucidité. En attendant les résultats définitifs des analyses, sa famille a demandé à l'hôpital de ne délivrer aucune information. (→ 22)

Il venait de tourner un film pour TF1.

Maureen Reagan était une grande dame

Californie, mercredi 8
Elle était la fille de Ronald Reagan et de l'actrice Jane Wyman, qui fut la première épouse du quarantième président des Etats-Unis. Décédée à l'âge de 60 ans, près de Sacramento, des suites d'un cancer de la peau, Maureen Reagan était respectée de toute la communauté scientifique et humanitaire. Elle avait mené avec tout son cœur des campagnes pour faire avancer la recherche médicale contre la maladie d'Alzheimer, dont son père est atteint. Elle avait aussi défendu aux Nations unies, en tant que représentante des Etats-Unis, la cause des femmes dans le monde.

Elle était née le 4 janvier 1941.

Attentat à Jérusalem

La bombe du kamikaze a sauté dans la pizzeria à une heure d'affluence.

Jérusalem, vendredi 10
La réponse israélienne ne s'est pas fait attendre, après l'attaque menée hier midi contre une pizzeria juive de Jérusalem-Ouest par un terroriste palestinien, et qui a fait seize morts (dont le kamikaze lui-même). C'est en effet peu après minuit que, dès ce matin, la police israélienne s'est emparée de la Maison d'Orient, la vidant de ses occupants. En fermant le siège officieux du gouvernement de Yasser Arafat à Jérusalem-Est, Ariel Sharon a voulu signifier qu'il tenait l'Autorité palestinienne pour responsable des attentats commis par les porteurs de bombe du Djihad islamique ou du Hamas.

Bush autorise le clonage thérapeutique

Etats-Unis, jeudi 9
Il est 21 heures lorsque l'image du Président George W. Bush apparaît sur les écrans de la télévision. Dans un message à la nation, il annonce le financement public de recherches sur les cellules souches, mais avec une réserve importante : ces cellules ne pourront être prélevées que sur des embryons humains déjà morts, conservés en laboratoire. Cette demi-mesure ne ravit ni les scientifiques ni les conservateurs, qui craignent une dérive vers le clonage humain.

Le 10, à Berlin, les affiches appelant à financer le mémorial de l'Holocauste sont retirées. Le slogan avait fait scandale. Il reprenait au second degré la formule négationniste : « L'holocauste n'a jamais eu lieu. »

Beyrouth : le groupe Bouygues a transformé 65 hectares de décharge en une digue promenade et une luxueuse Marina. Quatre-vingts caissons et 180 000 m³ de béton mettent promeneurs et voitures à l'abri des tempêtes.

La guerre civile endeuille l'Angola

Angola, vendredi 10

Plus de 25 années de guerre civile en Angola, et combien de morts ? Le bilan, qui se chiffre par centaines de milliers de victimes, est impossible à établir. Depuis l'indépendance de l'ancienne colonie portugaise, Jonas Savimbi, le leader de l'Unita, parti appuyé sur l'ethnie majoritaire des Ovimbundus, conduit une guérilla impitoyable contre le MPLA, parti au pouvoir et longtemps aidé par les Soviétiques et les Cubains. Bien que considérée comme à bout de souffle, l'Unita a montré aujourd'hui, et de façon effroyable, qu'elle n'avait pas perdu sa capacité de mouvement. Les commandos de Savimbi ont fait sauter un train à 150 km de Luanda, la capitale, tiré des roquettes sur les wagons et achevé à l'arme légère de nombreux survivants. Une centaine de voyageurs auraient été tués, mais des dizaines de blessés seraient dans un état actuellement désespéré.

Recrudescence de la criminalité

L'auteur du braquage sanglant de la Caisse d'épargne de Cergy est en fuite.

France, samedi 11

Parlant de la délinquance lors de son allocution du 14 Juillet, le président de la République avait dit : « Nous sommes arrivés à un point qui est absolument insupportable, et il faut y mettre un coup d'arrêt. » Le moins que l'on puisse dire est que ce qui s'est passé aujourd'hui à la Caisse d'épargne de Cergy (Val-d'Oise) ne risque pas de le faire changer d'avis. Il est 9 heures quand un homme fait son entrée déguisé en femme dans l'agence. Armé de deux pistolets, l'individu, Habib Mezaoui, braque le personnel et la clientèle, et se fait ouvrir les coffres-forts, ainsi que les caissons des distributeurs. Cela ne lui suffit sans doute pas puisque, après voir tiré sur un employé, il tue froidement le directeur de l'agence et un conseiller financier. Avant de quitter l'établissement, à 13 h 45, il blessera un autre employé. Dans sa fuite, protégée par deux otages qu'il a menottés, il oublie étrangement son butin. La police, en embuscade, attend qu'il ait libéré ses victimes pour tirer. Blessé, Mezaoui réussit à disparaître, non sans avoir encore abattu un automobiliste. Ce drame illustre les chiffres alarmants livrés par le ministère de l'Intérieur : une hausse de la délinquance de 9,58 % au premier semestre, par rapport au premier semestre 2000. (→ 12)

La maladie de Creutzfeldt-Jakob vaincue ?

Londres, dimanche 12

La une du *Mail on Sunday* paru ce matin prend tout le monde médical par surprise. On savait que Stanley Prusiner, prix Nobel de médecine en 1997 pour ses travaux sur le prion, s'était engagé, à San Francisco, dans des recherches sur la guérison de la maladie de Creutzfeldt-Jakob. Mais on ignorait qu'il fût aussi avancé. Le journal britannique annonce en effet que le professeur Prusiner a soigné du 12 au 18 juillet une Anglaise de 20 ans atteinte de la maladie, Rachel Forber, et qu'en quelques jours il a obtenu des résultats spectaculaires. Revenue dans sa famille, Rachel a recouvré une partie de ses facultés cérébrales et motrices. Cependant, Stanley Prusiner n'a pas encore fait de communication sur la molécule « miracle » qu'il a expérimentée.

Peu de médailles françaises à Edmonton

Edmonton, dimanche 12

Deux médailles de bronze obtenues par Driss Maazouzi (1 500 m) et par Frédérique Banqué, Sylviane Félix, Muriel Hurtis et Odiah Sidibé (relais 4 x 100 m) permettent tout juste aux Français de se classer à la quinzième place des championnats du monde d'athlétisme d'Edmonton (Canada). Et encore les relayeuses françaises ont-elles créé la bonne surprise car on ne les attendait pas à ce niveau. Ces championnats, dominés par les Etats-Unis, suivis de la Russie et de l'Allemagne, ont connu aujourd'hui une fausse note : la victoire d'Olga Iegorova sur 5 000 m, sous les huées du public. En juillet, la Russe avait été contrôlée positive à l'EPO. Seul un vice de procédure lui avait fait échapper à la suspension. Mais pour tous, sa présence fut de trop. (→ 18)

Le 11, Laurent Jalabert remporte en Espagne la Clasica San Sebastian, comptant pour la Coupe du monde de cyclisme. Après son beau Tour de France, « Jaja » confirme à bientôt 33 ans son retour au premier plan.

L'Ukrainienne Zhanna Pintusevitch bat Marion Jones en finale du 100 m.

Août

Lu	Ma	Me	Je	Ve	Sa	Di
		1	2	3	4	5
6	7	8	9	10	11	12
13	14	15	16	17	18	19
20	21	22	23	24	25	26
27	28	29	30	31		

Melbourne, lundi 13
Un carton à pizza, portant la signature de trois des Beatles, est adjugé 26 700 euros.

Etats-Unis, lundi 13
L'avion à propulsion solaire de la Nasa, *Helios*, atteint l'altitude record de 29 410 mètres, celle des satellites.

Irlande, mardi 14
Voile : Francis Joyon remporte la Fastnet à bord du trimaran *Eure-et-Loir*.

Belfast, mardi 14
L'IRA retire son offre de désarmement, celle-ci ayant été jugée insuffisante par le camp unioniste.

Aude, mercredi 15
Cyclisme : pour son retour à la compétition, Richard Virenque se classe 4e du critérium de Quillan.

Nantes, mercredi 15
Football : victoire de la France face au Danemark (1-0).

Harare, mercredi 15
Robert Mugabe, président du Zimbabwe, fait appel à l'armée pour déloger les fermiers blancs des terres où il veut installer des familles noires.

Indonésie, jeudi 16
Libération des deux cinéastes belges, Philippe Simon et Johan Van den Eynde, détenus depuis le 7 juin par des séparatistes papous.

Florence, jeudi 16
40 cyclistes et 12 médecins ayant participé au dernier Giro sont mis en examen pour avoir violé la loi antidopage.

Bagé (Brésil), vendredi 17
De violents orages contraignent Steve Fossett à abandonner son tour du monde en ballon.

Monaco, vendredi 17
Le Français Pierre Frolla porte à 80 m le record du monde de plongée en apnée sans palmes.

Sarreguemines, vendredi 17
Stéphane Krauth est mis en examen pour viol suivi, précédé ou accompagné de meurtre sur Karine Schaaf. (→ 10.9)

Alger, samedi 18
Ali Saïdi Sief est destitué de sa médaille d'argent au 5 000 m des championnats du monde d'Edmonton. Il a été contrôlé positif à la nandrolone.

 4 777,37   25,29 $

€   0,9162 $

François Santoni est assassiné

Corse, vendredi 17

Il est 1 heure du matin passée, et la noce s'achève à Monacia-d'Aullène, un village de Corse-du-Sud. Un ami des nouveaux mariés se dirige vers sa BMW lorsqu'une rafale de fusil d'assaut le couche pour le compte. La victime n'est autre que François Santoni, l'un des chefs historiques du nationalisme corse. Il est tombé presque un an jour pour jour après son ami Jean-Michel Rossi. Santoni se savait condamné à mort et ne s'en cachait pas. Toute la question sera maintenant de savoir par qui. Car, bien sûr, ses assassins ont disparu dans le maquis. Celui que l'on avait surnommé « l'iguane » ne manquait certes pas d'ennemis. Ce n'était pas non plus un enfant de chœur. Entré au FLNC en 1978, il a participé à nombre de campagnes terroristes de l'organisation, ce qui lui a valu de passer six ans de sa vie en prison. Leader du mouvement A Cuncolta nazionalista en 1996, Santoni devait finalement rompre avec ses anciens amis. Rupture scellée en juin 2000 avec la parution, sous sa signature et celle de Jean-Michel Rossi, d'un livre, *Pour solde de tout compte*, où était dénoncée la collusion entre le milieu nationaliste et le milieu tout court... Accusations réitérées cette année dans *Contre-enquête sur trois assassinats : Erignac, Rossi, Fratacci*. Santoni avait-il déposé les armes ? Opposé au processus de Matignon, il était soupçonné d'être l'âme des clandestins d'Armata Corsa.

Il avait refusé la protection de la police que lui avait proposée le gouvernement.

Sa BMW, immatriculée à Milan, a été criblée de plusieurs dizaines de balles.

Air France reprend Air Afrique

Brazzaville, mercredi 15

Liquidation et renaissance pour Air Afrique. Liquidation parce que la compagnie panafricaine était à bout de souffle, avec une dette colossale qui lui avait coûté la saisie de quatre Airbus en 1998. Renaissance parce que les chefs d'Etat africains réunis dans la capitale congolaise viennent de décider de confier à Air France, qui en sera l'actionnaire majoritaire (35 %), la fondation d'une nouvelle compagnie Air Afrique, avec reprise des actifs de l'ancienne. Mais on ne cache pas, au siège d'Air France à Paris, que ce sauvetage entraînera une sévère restructuration.

Le 14, fin des Chorégies d'Orange. Toujours fidèle aux fastes de l'opéra italien, le théâtre romain a vu cette année triompher Giuseppe Verdi avec *Don Carlos*, *Rigoletto* et *Aïda*. Plus son célèbre *Requiem*.

« Moisson essentielle » en Macédoine

L'estimation du nombre d'armes à récupérer oscille entre 2 500 et 60 000.

Skopje, vendredi 17
Les premiers arrivés à l'aéroport de Skopje sont les Tchèques. Une unité de 120 hommes que devraient suivre dès demain les éléments précurseurs du contingent britannique, puis les Français. « Moisson essentielle » se met en place. Suite au cessez-le-feu du 5 juillet entre le gouvernement macédonien et les rebelles albanais de l'UCK, cette opération montée par l'Otan et limitée à trente jours a pour but de récolter les armes de la guérilla. Cessez-le-feu très fragile : un policier macédonien a été abattu ce vendredi à Tetovo. (→ 26.9)

Une femme dirige Amnesty International

Dakar, vendredi 17
Sexe : féminin. Continent d'origine : Asie. Religion : musulmane. Ce sont les trois principaux signalements de la Bangladaise Irene Zubaida Khan qui, à 44 ans, succède au Sénégalais Pierre Sané au secrétariat général d'Amnesty International. Ainsi en a décidé le 25e conseil international de l'ONG, qui s'est réuni aujourd'hui dans la capitale du Sénégal. Cette spécialiste du droit international se donnera notamment pour objectif d'étendre l'action de l'organisation aux domaines économique, culturel et social. Une façon, pour Amnesty International, d'être présente dans le débat sur la mondialisation.

Le 15, le Zeppelin NT 07 « Bodensee » effectue son premier vol commercial au-dessus du lac de Constance. Une excursion d'une heure pour douze passagers. Le prix du billet n'est pas à la portée de tous : 306 euros !

Schumi roi des circuits

Budapest, dimanche 19
La dernière victoire est toujours la plus belle... Mais celle-ci prend un relief particulier. En remportant le Grand Prix de Hongrie sur Ferrari, Michael Schumacher égale en effet le record de 51 victoires détenu par Alain Prost, et il obtient son 4e titre de champion du monde des pilotes alors que deux Grand Prix restent à courir. Mais son avance sur David Coulthard est telle (43 points) que celui-ci n'a plus pour objectif que de conserver sa 2e place, convoitée par Rubens Barrichello. Ferrari a aussi la certitude d'être couronné, pour la deuxième année de suite, champion du monde des constructeurs. Agé de 32 ans, « Schumi » peut désormais se prendre à rêver d'égaler – voire de dépasser – le record de cinq titres mondiaux détenu par Juan Manuel Fangio. Il est sous contrat avec la *Scuderia* jusqu'en 2004. (→ 2.9)

Les Chamoniards ne veulent pas du tunnel

Chamonix, dimanche 19
Illégal selon le tribunal administratif de Grenoble, le référendum sur le retour des camions dans la vallée de Chamonix a bel et bien eu lieu. Et c'est une écrasante victoire pour les trois communes qui l'ont organisé, Chamonix, Les Houches et Servoz. Avec un bon taux de participation (53,28 %), les électeurs ont opposé un non massif (97,23 %) au transit des poids lourds qui devrait résulter de la réouverture, en novembre en principe, du tunnel du Mont-Blanc, fermé depuis la catastrophe du 24 mars 1999. Bien que dépourvu de valeur juridique, ce vote ne pourra être ignoré de Jean-Claude Gayssot, le ministre des Transports. (→ 24.10)

39 personnes avaient trouvé la mort.

Août

Lu	Ma	Me	Je	Ve	Sa	Di
		1	2	3	4	5
6	7	8	9	10	11	12
13	14	15	16	17	18	19
20	21	22	23	24	25	26
27	28	29	30	31		

France, lundi 20
Un foyer sur cinq dispose d'un accès à Internet ; un sur deux n'envisage pas de s'équiper.

Etats-Unis, lundi 20
Le DNA Copyright Institute propose aux personnalités de déposer leur ADN afin de se prémunir contre le clonage.

Tallin (Estonie), mardi 21
L'Agence mondiale antidopage (AMA) choisit d'installer son siège à Montréal.

Hourtin (Gironde), mardi 21
Michel Sapin, ministre de la Fonction publique, assure que l'ensemble des services publics seront accessibles sur Internet en 2005.

Ajaccio, mardi 21
Selon la préfecture, 70 moutons meurent chaque jour en Corse de la fièvre catarrhale (maladie de la langue bleue), réapparue sur l'île cet été.

Paris, mercredi 22
Jean-Paul Belmondo quitte l'hôpital Saint-Joseph.

Allemagne, mercredi 22
Les pertes de la Lufthansa s'élèvent à 43 millions d'euros pour le 1er trimestre 2001.

Cap Canaveral, mercredi 22
Retour sur terre de *Discovery* avec à son bord un Russe et deux Américains ayant passé six mois dans l'ISS.

Tokyo, jeudi 23
L'indice Nikkei de la Bourse est au plus bas depuis octobre 1984, à 11 126 points.

Marseille, vendredi 24
José Anigo, entraîneur de l'OM, est à son tour licencié.

Düsseldorf, vendredi 24
Une équipe de cardiologues révèle être parvenue à régénérer un cœur humain avec des cellules souches.

Afghanistan, samedi 25
Les talibans interdisent l'usage d'Internet dans tout le pays.

DECES

Saint-Vincent-de-Mercuze (Isère), lundi 20
Aimé Pacquet, ancien ministre et ancien médiateur de la République (*10.5.1913).

Bournemouth, lundi 20
Sir Fred Hoyle, astronome britannique (*24.6.1915).

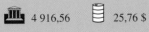

🏛 4 916,56   🛢 25,76 $

€ 0,9133 $

De nouveaux couloirs pour faciliter les transports en commun

Paris, mardi 21
Yves Contassot en a fait la cuisante expérience : les couloirs réservés aux autobus, aux taxis et aux vélos sont bien une garantie de sécurité pour les cyclistes. Mais à condition d'être respectés ! Ce matin, l'adjoint Vert au maire de Paris roulait à vélo sur le nouveau couloir tout juste ouvert rue de Rivoli lorsqu'il a été renversé par une moto qui n'aurait jamais dû y être. Plus de peur que de mal pour l'élu, heureusement. Ce sont 41 km de couloirs élargis qui seront ainsi créés à Paris d'ici à la fin de l'année. Des « banquettes » larges de 70 cm les rendent infranchissables. Mais le motard ne le savait sans doute pas !

Des « banquettes » en béton délimitent désormais les nouveaux couloirs élargis.

Départs volontaires chez AOM-Air Liberté

Paris, mardi 21
Accord signé entre les syndicats et les administrateurs judiciaires sur le plan social présenté par Holco, le repreneur d'AOM-Air Liberté. Pour relancer la compagnie, Holco avait prévu 1 853 suppressions d'emplois. On y voit maintenant plus clair : il y aurait d'abord environ 900 départs volontaires (beaucoup d'hôtesses et de stewards étant notamment repris par Air France), puis quelque 800 licenciements. L'accord porte aussi sur les indemnités de licenciement. Elles seront calculées sur la base du contrat d'entreprise d'Air Liberté, meilleur que celui d'AOM. (→ 20.9)

Les euros sous très haute protection

Valence, mercredi 22
Une indiscrétion a filtré : un convoi d'euros est bien arrivé aujourd'hui en gare de Valence. Mais les fuites sont rares, sécurité oblige... Depuis Pessac, près de Bordeaux, où elles sont usinées, ce sont 32 000 tonnes de pièces d'euros qui sont convoyées vers cinq centres de stockage, avant d'être réacheminées vers 81 centres départementaux. Plusieurs milliers de militaires et de policiers assurent la protection des trains blindés. La France est, derrière l'Allemagne, le deuxième pays producteur d'euros : 2,2 millions de billets et 7,6 milliards de pièces y sont fabriqués. (→ 1.9)

Le TPI de La Haye est-il illégal ?

La Haye, jeudi 23
La défense de Slobodan Milosevic est simple. Selon Me Nico Stejner, son avocat, la création du Tribunal pénal international est illégale car elle ne résulte pas d'un traité, mais d'une simple décision du Conseil de sécurité violant la souveraineté des Etats de l'ancienne Yougoslavie. De ce fait, l'arrestation de Milosevic et son incarcération dans la prison du TPI, à La Haye, sont pareillement illégales. Ce qui, au regard de la loi néerlandaise, devrait entraîner une libération immédiate de son client, le TPI ne pouvant plus bénéficier du statut d'exterritorialité. (→ 29)

Le 22 sort en France *la Planète des singes* de Tim Burton. Une nouvelle mouture, en forme de fable philosophique, du roman éponyme de Pierre Boulle qui, en 1967, avait inspiré un premier film avec Charlton Heston.

Le 23, Björk a été faite chevalier dans l'ordre national du Mérite. La chanteuse islandaise a donné deux concerts à Paris, au Grand Rex, samedi et lundi derniers.

Houellebecq suscite encore la polémique

France, vendredi 24

C'est aujourd'hui que sort dans les librairies le dernier roman de Michel Houellebecq, *Plateforme*. Une sortie très attendue puisque son éditeur, Flammarion, a fait monter le tirage à 130 000 exemplaires. Il faut dire que le livre n'était pas encore entre les mains du public que de violentes réactions se manifestaient déjà. Le roman, dont l'intrigue tourne autour d'une peinture il est vrai ambiguë du tourisme sexuel, a suscité la colère de Philippe Gloaguen, le fondateur et directeur du *Guide du routard*. On peut le comprendre : Houellebecq traite ses rédacteurs de « connards humanitaires protestants » ! A quoi Gloaguen veut répondre en portant plainte contre le romancier. Pour « apologie de la pédophilie ».

Philippe Léotard était un écorché vif

Il a eu un César avec « la Balance ».

Paris, samedi 25

A la scène comme à l'écran, il avait une manière inimitable, pudique et directe à la fois, d'exprimer comme une immense souffrance intérieure, comme un appel à la tendresse. Il ne jouait pas la comédie. Il était tout simplement là, déchirant de vérité. Né le 28 août 1940 à Nice, Philippe Léotard (exactement Ange Philippe Léotard Tomasi) est mort des suites d'une insuffisance respiratoire. Ce pur romantique n'était guère adapté au monde moderne. D'où sa fuite dans les paradis artificiels, d'où son amour de l'art (ses chansons étaient souvent admirables), d'où aussi sa fidélité à des idéaux anachroniques : les liens qui l'unissaient à son frère François Léotard ne l'empêchaient pas de se proclamer royaliste.

Firestone paye les défauts de ses pneus

Texas, vendredi 24

Paralysée à la suite d'un accident de voiture dont la responsabilité a été attribuée aux pneus Firestone de sa Ford Explorer, une Texane a obtenu un dédommagement de 7,5 millions de dollars de la marque japonaise. En août 2000, celle-ci avait rappelé 6,5 millions de pneus en raison de la multiplication des accidents. En février dernier, le bilan s'élevait à 174 morts et plus de 700 blessés. Les plaintes s'amoncelant, Firestone a provisionné 300 millions de dollars.

Mariage du prince héritier Haakon avec la roturière Mette-Marit

Oslo, samedi 25

Les Norvégiens avaient montré une certaine défiance : l'union du prince Haakon-Magnus, héritier du trône, et de Mette-Marit Tjessem-Hoiby ne leur paraissait pas convenable. Cette étudiante de 28 ans avait contre elle d'être d'origine modeste, d'être une mère célibataire (elle a un fils âgé de quatre ans) et d'avoir un peu trop touché à la drogue. Mais, trois jours avant la cérémonie nuptiale, elle a fait une confession publique qui a retourné l'opinion : au sortir de la cathédrale d'Oslo, la jeune mariée a été acclamée par ses futurs sujets.

Ken Tyrell était un franc-tireur de la F1

East Horsley, samedi 25

Les cheveux jetés en bataille sur une bonne tête de gars de la campagne, Ken Tyrell était l'une des figures les plus sympathiques de la F1. Décédé à l'âge de 77 ans (*3.4.1924) dans son Surrey natal, cet ancien pilote de la RAF s'était imposé en 1968 à la tête de Matra-Ford, puis en créant en 1970 sa propre écurie. Il avait eu le flair de découvrir un pilote génial, Jackie Stewart, qui décrochera sous sa houlette trois titres mondiaux. Il fut aussi un novateur audacieux : en 1976, il lancera la Tyrell P34 à six roues qui remportera le Grand Prix de Suède. Il s'était retiré en 1997.

Le 24 a lieu, à l'abbaye de Villers-la-Ville, la dernière représentation de *la Reine Margot*. Le spectacle a attiré au total 26 000 personnes.

Le 25, aux Bahamas, la chanteuse américaine de R&B Aaliyah se tue dans un accident d'avion. Aaliyah était née le 16 janvier 1979.

Fin de la réunion mondiale tsigane

Marville, 26 août

Les habitants de Marville, un petit village du nord de la Meuse, ont retrouvé le calme : le rassemblement de quelque 35 000 Tsiganes sur une ancienne base de l'Otan s'est achevé après deux jours de prière. Les gens du voyage étaient venus exalter leur foi pentecôtiste, témoignant ainsi de l'emprise de plus en plus grande du protestantisme sur la communauté, alors qu'à l'inverse le catholicisme est en nette régression. Si quelques « brebis galeuses » ont commis des dégradations, les manouches, gitans et autres roms ont su donner d'eux une image respectable.

Lu	Ma	Me	Je	Ve	Sa	Di
		1	2	3	4	5
6	7	8	9	10	11	12
13	14	15	16	17	18	19
20	21	22	23	24	25	26
27	28	29	30	31		

Canberra, lundi 27
Le gouvernement australien refuse d'accueillir 438 réfugiés afghans recueillis dans les eaux indonésiennes par le *Tampa*, un cargo norvégien.

Tokyo, lundi 27
Toshiba envisage de licencier 10 % de son personnel à travers le monde (20 000 personnes).

Genève, lundi 27
L'actrice Angelina Jolie est nommée ambassadrice du Haut-Commissariat de l'ONU pour les réfugiés (HCR).

Monde, mardi 28
La planète compte 459 millions d'internautes, dont 40 % aux Etats-Unis. Chaque mois, le nombre d'internautes croît de 10 millions de personnes.

Londres, mardi 28
Le japonais Sony et le suédois Ericsson fusionnent leurs activités de fabrication de téléphones portables.

Japon, mardi 28
A 5 % de la population active, soit 3,3 millions de personnes, le chômage atteint son plus haut niveau depuis 1953.

Bruxelles, mardi 28
La Commission européenne donne son aval à l'achat de Montedison par Italenergia, détenue par Fiat et par EDF.

Tanegeshima, mercredi 29
Lancement réussi de la fusée japonaise H 2A, concurrente d'Ariane 5.

Marseille, jeudi 30
Tomislav Ivic est rappelé comme entraîneur de l'OM.

Arabie Saoudite, vendredi 31
Le roi Fahd limoge le chef des services secrets, le prince Turki al-Fayçal, soupçonné d'être lié à Oussama Ben Laden. Nawaf ben Abdel Aziz le remplace.

DECES

Pondorat (Gironde), lundi 27
Alain Le Hetet, ex-champion du monde de karaté (19.12.1964).

Bordeaux, mercredi 29
Francisco Rabal Valera, acteur espagnol (*8.3.1925).

Le Cap, jeudi 30
Govan Mbeki, vétéran de la lutte antiapartheid et père du chef de l'Etat sud-africain, Thabo Mbeki (*9.7.1910).

 4 689,34   26,50 $

€ 0,9095 $

Le chef du FPLP tué par un missile israélien

Ramallah, lundi 27
Pendant tout le week-end, attaques palestiniennes et représailles menées par Tsahal se sont déchaînées. Mais, ce matin, l'escalade est montée d'un cran. Abou Ali Moustapha, le chef du Front populaire de libération de la Palestine (FPLP), a été abattu par un missile tiré dans son bureau de Ramallah, en Cisjordanie, depuis un hélicoptère. C'est le plus important des « assassinats sélectifs » ordonnés par Ariel Sharon depuis le début de l'Intifada. Est-ce un avertissement à Yasser Arafat ? Le FPLP, qui avait été dans les années 70 le fer de lance du terrorisme anti-israélien, s'était en effet rapproché du président de l'Autorité palestinienne, peu après les accords d'Oslo de 1993.

Son vrai nom : Moustapha al-Zibri.

Toujours la guerre sur le sol tchétchène

Tchétchénie, mardi 28
Un convoi militaire russe traverse le village d'Oktiabrskoïé, situé à une vingtaine de kilomètres au sud-ouest de la capitale Grozny. C'est la fin de l'après-midi. Une mission de routine pour les militaires, mais pas pour les rebelles : une voiture piégée explose, tuant douze personnes dont quatre soldats russes. Les autres sont des civils tchétchènes, passés par profits et pertes. Dans la guérilla aussi il y a des dommages collatéraux. Quant à Vladimir Poutine, qui promettait d'éradiquer le terrorisme, il est loin d'en avoir fini. Selon les généraux russes, la rébellion resterait forte de 3 000 à 5 000 combattants.

Monseigneur Milingo fait ses adieux à son épouse mooniste

Rome, mercredi 29
L'ancien archevêque de Lusaka, en Zambie, est rentré dans le rang. Il faut dire que ce prélat fort atypique en était déjà souvent sorti, aussi bien pour faire le sorcier-guérisseur dans son Afrique natale que pour tenter une carrière dans la chanson. Mais, cette fois, Mgr Emmanuel Milingo est allé trop loin dans la provocation au goût de Jean-Paul II : le 27 mai dernier, il avait épousé à New York la Coréenne Maria Sung selon le rite de la secte Moon ! Le pape a mis en demeure l'heureux époux de rompre sous peine d'excommunication. Ce qu'il a accepté. Il a fait ses adieux à Maria dans un hôtel romain. Détail : la répudiée affirme être enceinte.

Leur mariage scandalise l'Eglise. Il est un grand moment pour la secte Moon !

Le 27, à Yport (Seine-Maritime), 1 000 m³ de rochers s'effondrent. Depuis le début du mois, ce phénomène d'érosion s'est produit plusieurs fois sur les falaises de toute la côte normande, notamment à Octeville le samedi 4.

Nouvelle traduction de la Bible

France, mercredi 29
En 1994, la Bible des Communautés chrétiennes avait fait scandale : des exégètes pointilleux l'avaient jugée antisémite. Celle qui sort en librairie aujourd'hui à l'enseigne des éditions Bayard surprendra aussi, mais pour d'autres raisons : elle a été traduite par des spécialistes associés à des écrivains dont aucun ne connaissait l'hébreu, mais qui ont accompli un grand effort littéraire pour donner une âme à la traduction littérale qui leur était fournie. Le résultat : une Bible au parfum d'avant-garde.

A Drouglouglou la Solitaire du Figaro

Hendaye, mercredi 29

« Drouglouglou » tournait autour. Il avait fait huitième dès sa première participation, en 1992, et deuxième en 1999. « Drouglouglou », c'est le surnom baroque que ses amis ont donné à Eric Drouglazet, un solide Breton de bientôt 34 ans, qui plus est ceinture noire de judo. Il a enfin triomphé dans la Solitaire, non sans avoir gagné deux des trois étapes : la première et celle qui l'a amené de Dingle à Hendaye. Le skipper aura donc, sur *David-Olivier*, dominé de bout en bout. Il s'est « seulement » classé deuxième dans la deuxième étape, surclassé par Sébastien Josse, excellent sur *Créaline*.

De nouveaux trésors paléolithiques découverts dans le Quercy

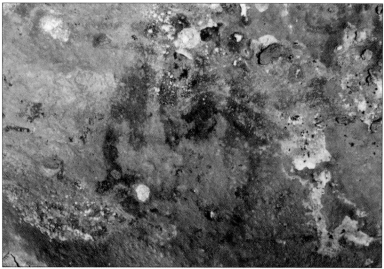

Une empreinte de main négative noire, probablement réalisée au badigeon.

Frayssinet-le-Gélat, mercredi 29

Découvertes par hasard le 24 mars par trois spéléologues, les grottes de Freyssinet-le-Gélat (Lot) constituent l'un des plus importants sanctuaires paléolithiques du Quercy après ceux de Cussac et de Pech-Merle. Leur existence a été révélée aujourd'hui par Michel Lorblanchet, du CNRS, et Jacques Jaubert, conservateur du Service régional de l'archéologie de Midi-Pyrénées. Elles sont formées de deux cavités décorées, baptisées Combe-Nègre 1 et 2. On y a trouvé des vestiges de peintures, ainsi que des signes de ponctuation typiques de l'art paléolithique de la région. Enfin, des ossements de hyènes des cavernes indiquent un gisement plus ancien, d'au moins 30 000 ans.

Le TPI remet en liberté l'ex-présidente des Serbes de Bosnie

La Haye, mercredi 29

A quelques heures seulement d'une nouvelle comparution de Slobodan Milosevic devant le Tribunal pénal international, celui-ci a eu un geste de clémence envers Biljana Plavsic. Aujourd'hui âgée de 71 ans, Biljana Plavsic avait pris la succession de Radovan Karadzic à la présidence de l'entité serbe de Bosnie, en 1996, ce qui lui a valu d'être poursuivie pour « génocide, crimes de guerre et crimes contre l'humanité ». Elle fut incarcérée après sa reddition au TPI en janvier et, depuis, elle aurait été disposée à collaborer avec la justice internationale. En liberté provisoire, elle pourra résider en Serbie jusqu'à son procès, prévu en 2002. (→ 9.10)

Cette biologiste avait été l'adjointe de Radovan Karadzic avant de lui succéder.

Fin du « Juste Prix » après 13 ans sur TF1

France, vendredi 31

A l'origine fut « The Price is right », lancé en 1972 sur CBS. Quinze ans plus tard, le jeu arrivait en France. Nous étions le 13 décembre 1987, et Max Meynier (oui, celui des routiers « sympa ») lançait l'émission devant un public dominical curieux de voir qui allait gagner une maison Phénix d'une valeur de 600 000 F. Le succès mena bientôt le jeu à une diffusion quotidienne. Patrick Roy en prit les commandes, puis Philippe Risoli lui succéda en 1992. TF1 y a mis fin. « Attention à la marche ! » prend la case. L'avenir dira si c'était là... le juste choix.

Le 31, les Chantiers de Saint-Nazaire, dont le carnet de commandes est plein jusqu'en 2004, livrent le *Summit* à l'armateur américain RCCL. Ce paquebot géant, long de 294 m, peut embarquer 3 450 personnes.

Le 31, les préservatifs à l'effigie de Madonna sont toujours en vente dans les sex-shops américains. Cette photo datant du début de sa carrière était exploitable à vie par celui qui l'avait prise. Madonna n'a pu les faire retirer.

Le terrorisme à travers les âges

Dans l'histoire de l'humanité, on pourra se référer désormais à la date du « OnzeNeuf », néologisme construit à partir de la date du 11 septembre 2001. Il y aura un avant 11 septembre 2001 et un après. Quinze minutes ont permis la mobilisation cathodique, numérique, informative, en vue de révéler à l'opinion mondiale le véritable sens de l'explosion des Bouddhas new-yorkais. Tout est inscrit dans cet affrontement par volonté interposée de symboles triomphants de l'époque moderne : la vitesse et l'avion, le défi à la nature et la méga-construction. Les tours jumelles sont une version moderne de la tour de Babel, symbole de l'orgueil démesuré et trompeur de l'homme.

Une attaque civile avec des moyens civils contre des civils visant à propager un effroi durable chez l'ennemi. La pérennité de l'effroi est assurée par l'irruption dans le quotidien de la société occidentale du concept de mort, dont la valeur mystique est une alternative au culte de la vie et de jouissance de l'homme moderne.

Ce OnzeNeuf a ses racines dans une trentaine d'années de montée en puissance du terrorisme pour aboutir à ce jour maudit qui n'est qu'une étape dans un processus engagé. Une atteinte inconcevable à la toute-puissance américaine mais aussi à cet ensemble de pays modernes liés entre eux par la pratique de la démocratie et la mondialisation de l'économie comme règle de l'échange des biens. Les Etats-Unis, puissance ultralibérale par doctrine et dominatrice par l'hégémonie, ont pâti du défaut de leurs qualités : l'absolue certitude de détenir pour eux-mêmes et les autres la vérité, en ne tenant aucun compte des avis et aspirations des autres pays. Cette sensation éprouvée par le maître du monde implique un devoir impérieux d'hégémonie avec ses corollaires : la suffisance, l'intolérance, la domination, l'ingérence (légale).

Du temps des Grecs, ce temps où les différends fondamentaux se réglaient par le combat intégral, il eût été déloyal de terroriser le peuple désarmé pour arriver à ses fins. Platon et Aristote stigmatisaient un mal qui atteint le peuple comme la pire forme de gouvernement : la tyrannie. Hérodote a choisi de raconter les guerres médiques (Ve et VIe siècles av. J.-C.), qui verbalisent un partage entre le monde grec dit « libre » et le monde dit « barbare », parce que soumis à un maître (despotès). Le maître barbare est un tyran qui se livre à l'« hubris », à savoir toutes les transgressions. Les Romains vont subir quelques tyrans célèbres, qui vont aider leurs penseurs à définir une posture populaire. Cicéron dans

le « De officiis » annonce que la mort violente est destinée à tous les tyrans. Brutus fit plaisir aux dieux en versant le sang du tyran et fut glorifié par la foule, malgré le fameux « Tu quoque filii »...

Le monde chrétien, successeur de Rome, suggérait de résister aux tyrans qui violaient la loi divine et naturelle. Saint Thomas d'Aquin distinguait le tyran usurpateur (Tyrannus es defectu tituli), qui méritait la mort, du tyran limité dont le châtiment relevait de la loi. Au XVIIe siècle, John de Salisbury réhabilita la première sentence de saint Thomas en réclamant la fin par l'épée de l'oppresseur dont la souveraineté reposait seulement sur la force. L'un des premiers théoriciens du terrorisme russe, Nicolai Morozov, se référait à Saint-

1970 : Septembre noir.

Just et Robespierre pour justifier le meurtre d'un tyran. Au XVIIIe siècle, Babeuf se lança dans le terrorisme opératif au nom de ce qu'il croyait : « Tous les moyens sont légitimes contre les tyrans. » Buonarroti fit écho à Babeuf en écrivant son histoire qui devint la bible de plusieurs générations de révolutionnaires européens : « Aucun moyen pour parvenir à une fin sacrée n'est criminel... » disait-il.

Avec le XXe siècle, le terrorisme s'installe en apportant un atout supplémentaire à l'efficience terroriste : la propagation instantanée et universelle de la nouvelle. Ce XXe siècle fut un grand chantier où toutes sortes d'essais et de dissections eurent pour objet l'Homme. Un terreau idéal pour le terrorisme. Jules Bonnot, l'inventeur en 1911 du braquage de banque, est à la fois criminel et anarchiste ou anarchiste et criminel. On trouvait déjà dans la revue anarchiste « l'Etendard révolution-

naire » en 1881, une formule riche et prometteuse : « ... La bonne tactique insurrectionnelle ; capture des otages, reprise de possession du capital, surprise de l'ennemi à domicile et l'emploi de moyens scientifiques. » Une suite logique qui conduira l'Europe à l'attentat de Sarajevo du 28 juin 1914. Une période s'achève avec la guerre de 14, record dans le déchaînement de la violence d'Etat, qui supplante en moyens et résultats les velléités des groupes terroristes. En 1917, le nouvel ordre marxiste-léniniste est imposé à la Russie.

On peut assimiler le temps de l'entre-deux-guerres à la seconde période active du terrorisme. Les effets du massacre général apaisés, les grands pays se replient sur eux-mêmes : c'est le cas des Etats-Unis et de l'URSS. Les pays se reconstituent, l'Allemagne plus vite que les autres. C'est l'avènement du fascisme, du nazisme et d'une longue théorie du crime et de l'attentat contre l'humanité. La déflagration de 1940 réglera les appétits de tous ces grands loups, réduira les ambitions et saignera à nouveau l'humanité.

Le début de la troisième période du terrorisme est concomitant dans la seconde moitié du XXe siècle avec un événement majeur, historique, qui compte parmi les étapes les plus importantes de l'humanité : Hiroshima. Le 6 août 1945, Hiroshima subit la première frappe atomique du monde. Peu importe que ce soient les Etats-Unis qui aient les premiers utilisé cette arme. Si les Américains ne l'avaient pas fait, une autre puissance l'aurait tenté. C'est l'entrée de l'humanité dans l'ère de la destruction massive parce que scientifique.

Paradoxalement, cet événement sera garant d'un partage du monde, des idéologies et du maintien jusqu'au XXIe siècle d'une certaine paix due à l'équilibre de la terreur : la paix bipolaire. Si les grands pays s'observent avec le mimétisme des chiens d'arrêt, ils ne dédaignent pas d'affaiblir le camp adverse par des soutiens indirects dans le processus de décolonisation ou les mouvements subversifs à vocation déstabilisatrice. Lier Hiroshima au terrorisme moderne, c'est reconnaître le choc moral irréparable d'un tel anéantissement humanitaire dans certains esprits.

A partir des années 50, deux doctrines majeures soutiendront la pensée terroriste, l'aideront à se structurer et à s'organiser pour favoriser le passage à l'acte. La première doctrine est d'essence purement matérialiste, la seconde sera d'inspiration religieuse. La transition entre ces deux inspirations se fera par le fait d'hommes marxo-islamistes, liés par un objectif structurant, l'impérieuse nécessité de nuire à la société occidentale avec comme thèmes l'anticapitalisme, l'antisionisme, l'antiaméricanisme et enfin l'antichristianisme confondu avec l'antioccidentalisme.

Pour comprendre ce cheminement inexorable il faut remonter à 1945, à la conférence de Yalta, ce charmant port de Crimée, sur la mer Noire, où les trois maîtres du monde ont, de façon caricaturale et théâtrale, tracé une ligne de partage séparant les peuples soumis à l'une ou à l'autre hégémonie. L'Occident considérera que son combat était lié au développement de la richesse, moyen par lequel il serait alors irrésistiblement attractif et universel. L'empire communiste considéra que l'hégémonie mondiale était un objectif incontournable pour la survie de l'idéologie qu'il servait.

Une des formes non officielles de cette stratégie est la « Tricontinentale », qui désigne la réunion du 3 janvier 1966 à La Havane. Elle rassemble des partisans du communisme d'Afrique, d'Asie et d'Amérique latine. Le thème fut la « solidarité des peuples opprimés par l'impérialisme occidental ». Plus de 500 délégués représentant 83 pays se mettront d'accord sur la nécessité d'une lutte globale contre l'Occident en privilégiant un mode d'action, le terrorisme. La Tricontinentale accouchera d'une première cellule dite « terroriste » chargée à l'échelle planétaire de coordonner l'action du terrorisme international. Depuis le babouvisme, on mesure les progrès...

La doctrine de Trotski, implacable et redoutable, n'ayant que peu souffert des épreuves de la responsabilité du pouvoir, donc protégée de l'échec, conservera jusqu'à nos jours sa fascination utopique auprès de nombreuses générations de jeunes. C'est la seule pensée dans cette seconde moitié du XXe siècle qui sera en mesure de mobiliser l'action révolutionnaire et l'activisme intellectuel. Cette théorie moralisera même l'engagement d'une partie agissante de l'intelligentsia des démocraties occidentales. Il faudra attendre le mois de septembre 2001 pour qu'un chercheur du CNRS, Mme Canto-Sperber, ose qualifier d'« injustifiable terreur » la doctrine dite « des otages » prônée par les trotskistes. Elle fait allusion à une décision importante de Trotski prise en 1919 et appelée le décret « des otages » qui justifiait la prise d'otages et le passage par les armes des familles de ceux qui étaient opposés à la révolution. Ce n'est pas plus immoral de tuer des otages, dit Trotski, que de tuer des ennemis à la guerre, même s'il y a parmi les otages des enfants innocents. Le jugement de valeur de Mme Canto-Sperber vaut définition pour le terrorisme.

La chute du mur de Berlin associée à l'effondrement de l'empire soviétique a donné un espoir de paix. A un monde stabilisé par une hégémonie bipolaire « yaltienne » succédait un nouvel ordre abandonné à une seule et même puissance dominatrice, l'Amérique en particulier, l'Occident en général. Il y avait donc une place naturelle, conforme à l'histoire de l'humanité, réservée à la contestation de cette hégémonie unilatérale.

D'autres forces ont fait l'analyse qu'une opportunité historique s'offrait à leurs ambitions et qu'il fallait tirer les enseignements d'un effondrement aussi facile et surprenant de ce que l'on considérait comme un bloc invulnérable tant par la doctrine que par la puissance jamais atteinte : l'empire soviétique.

Ces forces sont venues d'un monde du mal-être, de soubresauts, de défaites, de régressions. Il faut entendre par là la perception moderne du monde islamique, dont l'histoire est étroitement liée à l'évolution de l'huma-

Ilitch Ramirez Sanchez, dit Carlos.

nité, aux racines de la civilisation contemporaine et au progrès. Ce monde de l'islam est malade devant ce qu'il considère comme un effacement de son droit légitime à participer à l'élaboration des règles qui gouvernent le monde moderne. Il y eut le nationalisme arabe dont le héraut a été Nasser, qui inventa le concept de République arabe unie (1958). Puis vint le problème palestinien, qui mêla deux causes : la légitime revendication d'un peuple à retrouver sa terre et le principe religieux de combattre l'incroyant installé sur une terre arabe. Le passage à l'acte est accompli en 1969 avec le détournement du vol Rome - Tel-Aviv.

Les décennies 70 et 80 sont le temps du passage de témoin entre le terrorisme instrumentalisé pour les besoins de la cause marxiste et le terrorisme, arme de guerre, motivé par le drame palestinien, puis à nouveau instrumentalisé pour soutenir une lutte de contestation des deux dominances, et enfin de la seule restante, l'Occident. Cette transition est assurée par des hommes qui répondent parfaitement à l'appellation de marxo-islamistes. Le plus célèbre d'entre eux est Carlos. Issu d'une famille aisée et cultivée, il adhère dans sa jeunesse au parti communiste. Formé à l'action violente, il donne quelques exemples sanglants et percutants. En 1966 (Tricontinentale), il est « prêté » par l'internationale marxiste pour défendre la cause palestinienne. La suite est exemplaire ; il se convertira à l'islam, passant ainsi du Capital au Coran.

Qui sait si déjà Caïn ne méritait pas le titre de premier terroriste, suite au meurtre de son frère ? Le terrorisme est aussi vieux que la Terre car il a fondamentalement servi les causes perdues. Il s'inspire du mythe de David et Goliath qui donne la victoire au plus faible par l'artifice d'une arme dérisoire. Les résistants français ont utilisé les moyens de l'ombre et des effets de terreur contre l'occupant allemand. Ils ont été traités de terroristes par les autorités allemandes et françaises de l'époque.

Le terrorisme est partie intégrante de l'histoire des hommes. Il cherche à créer les conditions du chaos d'où doit émerger un horizon salutaire. Cette logique englobe tous les combats justifiés de libération des peuples, comme luttes contre les dictatures et les injustices. A ce titre, le message terroriste surfe sur le « politiquement correct ». Il faut se souvenir qu'en 1937 vingt-cinq pays ont signé une convention contre le terrorisme, à l'exception des Etats-Unis, qui s'étaient abstenus.

Pendant l'occupation de l'Afghanistan par les communistes, les Etats-Unis avaient créé de toutes pièces un personnage que les Soviétiques et les autorités afghanes n'ont pas manqué de considérer comme un terroriste, Oussama Ben Laden. Attila, vainqueur des empereurs d'Orient et d'Occident, pilleur de l'Italie et maître de Rome (452 apr. J.-C.), fut éduqué et formé à Rome. Yamamoto, amiral japonais commandant les opérations navales à Pearl Harbor, avait été formé dans les universités américaines...

Une partie de la terre conteste l'aliénation et l'hégémonie imposées par l'autre. Dans sa logique et selon la théorie du mimétisme de la violence de René Girard, ce qui est arrivé aux Etats-Unis n'est qu'une étape dans le processus gémellaire de la violence terroriste par rapport à la puissance de l'hégémonie contestée. C'est un terrorisme planétaire dont les moyens à mettre en œuvre sont engagés dans une projection à but apocalyptique.

Général Jean-Louis Esquivié, de l'Institut d'études et de recherches pour la sécurité des entreprises

Septembre

Lu	Ma	Me	Je	Ve	Sa	Di
					1	2
3	4	5	6	7	8	9
10	11	12	13	14	15	16
17	18	19	20	21	22	23
24	25	26	27	28	29	30

France, samedi 1er
Début des livraisons des pièces euros dans les banques.

Santiago, samedi 1er
Football : le Chili bat la France (1-0) en match amical.

Spa, dimanche 2
Michael Schumacher remporte le GP de Belgique de F1.

Paris, lundi 3
Dominique Raimbourg, fils de l'acteur Bourvil, devient député (PS) de Loire-Atlantique. Il remplace Jacques Floch, promu secrétaire d'Etat aux Anciens combattants.

France, lundi 3
David Pujadas présente son 1er journal de 20 h sur France 2.

Béziers, lundi 3
Un complice présumé de Safir Bghioua – dont l'enquête révèle qu'il a séjourné au Kosovo –, un garçon de 19 ans, est arrêté.

France, lundi 3
La Cogema, Framatome et le CEA créent Areva (ex-Topco), nouveau pôle nucléaire français et n° 1 mondial du secteur.

Grande-Bretagne, lundi 3
Le seuil des 2 000 cas de fièvre aphteuse est franchi.

Belfort, mardi 4
Jean-Pierre Chevènement se porte candidat à l'Elysée.

Caen, mardi 4
Mgr Pierre Pican est condamné à 3 mois de prison avec sursis.

France, mardi 4
4e cas humain de la maladie de la vache folle. (→ 20.11)

Kaprun (Autriche), jeudi 6
Conclusion de l'enquête sur le drame du funiculaire : l'incendie a été provoqué par un radiateur électrique défectueux.

La Défense, vendredi 7
Moulinex-Brandt dépose le bilan (17 000 salariés). (→ 22.10)

Etats-Unis, vendredi 7
Le chômage est à son plus haut niveau depuis 1997 : 4,9 % de la population active.

La Havane, samedi 8
La France remporte la Coupe du monde de pelote basque face à Cuba (35-24).

Flushing Meadows, dimanche 9
Tennis : l'Australien Lleyton Hewitt remporte son 1er tournoi du Grand Chelem.

 4 413,51   27,51 $

€ 0,9043 $

Redécouvrir Jérôme Bosch à Rotterdam

Rotterdam, samedi 1er
Même s'il manque quelques œuvres majeures tels *le Jardin des délices* ou *la Tentation de saint Antoine*, cette exposition Jérôme Bosch constitue un événement. Quelque cinquante tableaux et dessins ont été en effet réunis par le musée Boijmans Van Reunigen de Rotterdam, offrant au visiteur la possibilité d'approfondir sa connaissance du maître flamand (1450-1516) et de mieux apprécier un univers fantastique et ésotérique qui influença les surréalistes. Cette exposition (jusqu'au 11 novembre) confronte enfin l'œuvre de Bosch à celle de divers artistes actuels. Une expérience déjà controversée !

Petit Prince et roi du ski nautique

Paris, lundi 3
Ce soir, sur France 2, le champion de ski nautique Patrice Martin fait une annonce qui consterne le monde du sport : il renonce définitivement à la compétition. Pourtant, à 37 ans, celui qu'on avait baptisé «le Petit Prince» semblait toujours en pleine possession de ses moyens : en juillet dernier, le Français avait décroché ses 33e et 34e titres européens. Son palmarès est impressionnant. Après un premier titre européen en 1978, à 14 ans, il sera douze fois champion du monde et quatorze fois en tête du classement mondial. Et il a réussi le premier saut périlleux.

« J'ai tout mis au garage », a-t-il dit.

La médecine pleure le professeur Barnard

Le 3 décembre 1967 au Cap (Afrique du Sud), il tentait la 1re greffe du cœur.

Chypre, dimanche 2
Son nom restera à jamais associé à l'une des plus grandes conquêtes de la médecine. Décédé à 78 ans des suites d'un malaise survenu dans un hôtel de Paphos, Christian Barnard (*8.11.1922) avait réalisé en 1967 la première greffe du cœur. Certes ce fut un échec, mais cette première fit l'effet d'un détonateur. Ensuite, le chirurgien sud-africain améliora ses procédures, permettant à la science de mettre au point un médicament antirejet, la ciclosporine. Favorable à l'euthanasie, hostile à l'apartheid et célèbre pour les frasques de sa vie amoureuse, cet original avait adopté la nationalité grecque en 1993.

Le GIPN a eu raison du tueur de Béziers

Béziers, dimanche 2
Safir Bghioua, 25 ans, hait les flics. Samedi, vers 23 heures, il tire une roquette sur une voiture de police venue dans un quartier sensible de Béziers. Pas de blessés par miracle. Mais il poursuit sa guérilla privée. Trois heures plus tard, il lance une autre roquette sur un véhicule garé devant un commissariat et le rate, comme il rate ensuite un expert venu sur les lieux. Safir veut tuer : à 7 h 45, il abat à la mitraillette le chef de cabinet du maire arrêté devant une station-service. Puis il invite par téléphone la police à l'affronter en combat singulier : il est tué à 11 h 30 par le GIPN de Marseille. (→ 3)

Le 8, sortie européenne de la nouvelle Mini, devenue marque indépendante au sein du groupe BMW. Construite à Oxford, cette vraie quatre places garde la ligne de son illustre devancière dessinée par Sir Alec Issigonis.

Les habitudes de paiement changent

Europe, mardi 4

Sous le nom de MinutePay, Brian Margolis et Alain Pinto lancent, en liaison avec BNP-Paribas détenteur de 20 % du capital, un système de paiement électronique sur le modèle de PayPal, utilisé aux Etats-Unis par 10 millions d'internautes. Un e-mail et un compte MinutePay suffisent pour effectuer un achat en ligne en toute sécurité. Les Belges, en avance sur le reste de l'Europe, sont eux de plus en plus nombreux à remplacer le porte-monnaie par le Proton, une carte électronique rechargeable qui permet de régler les petits achats, et déjà acceptée par 70 000 marchands de journaux, boulangers, etc.

Les opposants à la statue du Mandarom obtiennent satisfaction

La statue géante du gourou avait été érigée en 1990 sans permis de construire.

Castellane, jeudi 6

Certains y voyaient une insulte aux beautés du paysage. D'autres, plus rares, lui trouvaient un charme naïf, comme le peintre d'avant-garde Ben Vautier. Mais, finalement, force est restée à la loi. En vertu d'un arrêt de la Cour de cassation du 22 août 1999, qui confirmait le jugement du tribunal correctionnel de Digne du 30 août 1998, la statue de Gilbert Bourdin est tombée de ses 33 m de haut dans un nuage de poussière. Sa destruction a plongé dans l'affliction le dernier carré des fidèles du défunt « Messie cosmoplanétaire », réunis dans la « cité sainte » des Alpes-de-Haute-Provence. Le dynamitage a coûté 1 million de francs, à la charge de la secte du Mandarom.

Chirurgie à distance par fibres optiques

Strasbourg, vendredi 7

L'opération a eu lieu à l'hôpital de Strasbourg, mais le chirurgien, lui, se trouvait à New York, au Mount Sinai Hospital, d'où il commandait à un robot par le réseau de fibres optiques de France Telecom. Au fur et à mesure que le robot effectuait à Strasbourg l'ablation de la vésicule biliaire de sa patiente de 68 ans, le Pr Jacques Marescaux en recevait les images sur son ordinateur, avec un décalage de 155 millisecondes, autant dire en temps réel. Baptisée opération Lindbergh, l'intervention a duré 45 minutes. A peine plus que dans des conditions classiques.

La Mostra honore l'œuvre de Rohmer

Venise, samedi 8

Le festival de Venise s'est achevé ce soir avec la remise du Lion d'or à la réalisatrice indienne Mira Nair pour son film *Monsoon Wedding*. Mais le vrai triomphateur de la Mostra est Eric Rohmer. En effet, à 81 ans, le cinéaste français a été récompensé par un Lion d'or pour l'ensemble de son œuvre, une distinction d'autant mieux venue que son dernier film, *l'Anglaise et le duc*, est sorti à Paris mercredi dernier. C'est un effrayant tableau de la Révolution française à l'époque de la Terreur, servi par une utilisation extrêmement subtile des nouvelles techniques numériques.

Attentat contre le commandant Massoud

Afghanistan, dimanche 9

Certaines sources le disent blessé à la jambe ; d'autres affirment qu'il se trouve dans le coma ; et la rumeur le donne pour mort. Seule certitude : le commandant Massoud a été victime d'un attentat perpétré par deux faux journalistes munis, semble-t-il, d'une caméra piégée, alors qu'il se trouvait non loin de la frontière tadjike. Si les talibans nient toute implication dans cet attentat, les amis d'Ahmed Shah Massoud, chef de l'Alliance du Nord, principale force d'opposition au régime de Kaboul, accusent tout à la fois les talibans, l'ISI (services secrets pakistanais) et Oussama Ben Laden, leurs ennemis jurés. Cela ne fait qu'alourdir le climat qui règne, depuis samedi, au procès des huit Occidentaux, poursuivis par la cour suprême de Kaboul. Ils sont accusés de prosélytisme chrétien. Les deux Américaines, les quatre Allemands et les deux Australiens, membres de l'ONG Shelter Now International, peinent à organiser leur défense : le juge Saqib les somme de remplir un questionnaire rédigé en dari, dont ils ne maîtrisent pas un traître mot. Or ils encourent la peine de mort ! Seule ouverture : la proposition du ministre des Affaires étrangères de les échanger contre le cheikh Omar Abdel Rahmane, Egyptien purgeant une peine de prison à vie aux USA pour l'attentat commis, en 1993, au World Trade Center. (→16)

Compromis mondial sur le racisme

Durban, samedi 8

La Conférence mondiale de l'ONU sur le racisme s'est terminée plutôt mieux qu'elle n'avait débuté. Réunis en Afrique du Sud à Durban depuis le 31 août, les représentants de 160 pays se sont mis d'accord sur une déclaration finale qui proclame les droits des Palestiniens à jouir d'un Etat, mais sans condamner Israël, et proscrit l'esclavage, mais sans parler d'indemniser les pays africains qui en ont été victimes. Les débats sur le Proche-Orient avaient entraîné le retrait des Etats-Unis et d'Israël.

Le 8, à Flushing Meadows, lutte fratricide en finale : Venus (à g.), l'aînée des sœurs Williams, vient à bout de Serena (6-2, 6-4).

Blessé à mort par l'explosion de la charge que dissimulait un des journalistes.

Heure par heure

Boston, 7 h 58 (heure de New York)
Un Boeing 767 d'United Airlines (vol UA 175) décolle pour Los Angeles (56 passagers et 9 membres d'équipage).

Boston, 7 h 59
Un Boeing 767 d'American Airlines (vol AA 11) décolle pour Los Angeles (81 passagers et 11 membres d'équipage).

New York, 8 h 01
Un Boeing 757 d'United Airlines (vol UA 93) décolle pour San Francisco (38 passagers et 7 membres d'équipage).

Washington, 8 h 10
Un Boeing 757 d'American Airlines (vol AA 77) décolle pour Los Angeles (58 passagers et 6 membres d'équipage).

New York, 8 h 45
Le vol AA 11 s'encastre dans la tour nord du World Trade Center (WTC).

New York, 8 h 46
A l'aide de caméras fixes actionnées à distance, CNN engage la retransmission des événements.

New York, 9 h 03
Le vol UA 175 s'encastre dans la tour sud du WTC.

Sarasota (Floride), 9 h 31
George Bush déclare à la télévision que les Etats-Unis font l'objet d'une «apparente attaque terroriste».

Washington, 9 h 43
Le vol AA 77 s'écrase sur l'aile ouest du Pentagone.

Washington, 9 h 48
Ordre est donné d'évacuer la Maison Blanche.

Etats-Unis, 9 h 49
Tous les vols commerciaux sont suspendus.

New York, 10 h 05
Effondrement de la tour sud du WTC.

Washington, 10 h 10
Effondrement d'une partie du Pentagone.

Pennsylvanie, 10 h 10
Le vol UA 93 s'écrase dans la campagne, près de Somerset.

New York, 10 h 28
Effondrement de la tour nord du WTC.

Washington, 13 h 27
L'état d'urgence est déclaré.

Barksdale (Louisiane), 13 h 30
George Bush arrive sur une base militaire à bord d'*Air Force One*. A la télévision, il promet que les auteurs seront «pourchassés et punis».

New York, 13 h 44
Deux porte-avions sont déployés au large de New York ainsi que cinq bâtiments de l'US Navy sur la côte Est.

Offut (Nebraska), 15 h 07
Bush rejoint le Commandement stratégique aérien.

Washington, 19 h 00
George Bush est de retour dans la capitale fédérale.

Washington, 20 h 33
George Bush s'adresse à la nation depuis la Maison Blanche.

Septembre

Lu	Ma	Me	Je	Ve	Sa	Di
					1	2
3	4	5	6	7	8	9
10	11	12	13	14	15	16
17	18	19	20	21	22	23
24	25	26	27	28	29	30

Paris, lundi 10
Ouverture d'une enquête judiciaire sur des menaces terroristes contre les intérêts américains en France.

Orléans, lundi 10
Lucette Gourlain, veuve d'un fumeur décédé du cancer, perd en appel le procès qu'elle avait intenté à la Seita.

Sarreguemines, lundi 10
Péroline, l'amie de Stéphane Krauth, est mise en examen pour « modification des lieux d'un crime en vue de faire obstacle à la manifestation de la vérité ». Elle aurait eu l'idée de brûler le corps. (→ 15.11)

Paris, lundi 10
Bernard Kouchner, ministre de la Santé, se dit favorable à la dépénalisation de l'usage de stupéfiants et réclame un débat parlementaire sur le sujet.

New York, lundi 10
Le Conseil de sécurité de l'ONU lève les sanctions encore en vigueur contre la république fédérale de Yougoslavie.

Paris, mercredi 12
Le tribunal de grande instance juge irrecevable la demande des héritiers de Victor Hugo visant à interdire *Cosette ou le Temps des illusions*.

Gaza, mercredi 12
Fait sans précédent, le ministre de la Défense israélien empêche Yasser Arafat de se rendre en Syrie en interdisant le décollage de son hélicoptère.

Nigeria, mercredi 12
Des combats entre chrétiens et musulmans qui veulent imposer la charia ont fait plus de 500 morts en une semaine.

Japon, samedi 15
Les centenaires ont doublé en cinq ans : ils sont 15 475, dont 12 934 femmes.

Yokohama (Japon), samedi 15
Cinq fois champion olympique, le sprinter Michael Johnson fait ses adieux à la compétition.

Magny-Cours, dimanche 16
Victoire de la Suzuki officielle GSXR 1000 de Lavieille, Brian et Morrison au 65e Bol d'or, endeuillé par la mort lors des essais du Suisse Herbert Graf.

Monza, dimanche 16
Juan Pablo Montoya remporte le Grand Prix d'Italie de F1.

 3 909,49   29,47 $

€ 0,9211 $

Un électrochoc à l'échelle planétaire

Etats-Unis, mercredi 12
L'expression la plus utilisée depuis hier est celle d'un « Pearl Harbor » terroriste sur le sol américain. Elle n'est pas exagérée. L'attaque menée le 7 décembre 1941 contre la base navale américaine par les Japonais avait nécessité l'envoi de 360 avions et causé 2 403 morts. Avec 3 avions de ligne et dotés de simples cutters sous la menace desquels ils ont forcé les pilotes à les laisser s'emparer des commandes, les kamikazes qui ont lancé deux des Boeing sur les tours jumelles du World Trade Center de New York et un troisième sur une aile du Pentagone, à Washington, ont causé un nombre de victimes qui demeure difficile à évaluer (on parle de plusieurs dizaines de milliers de morts) mais qui sera certainement considérable. Un quatrième avion, lui aussi détourné, s'est écrasé sans avoir pu atteindre sa cible, qui aurait été la Maison Blanche, la résidence de Camp David ou encore *Air Force One*, l'avion du Président des Etats-Unis. Condamnée par tous les pays, à l'exception de l'Irak, l'opération a été qualifiée hier par George Bush d'« acte de guerre » après lequel il entend engager son pays « dans un combat monumental du Bien contre le Mal ». Coupés du monde après la fermeture de leur espace aérien, les Américains oscillent entre plusieurs sentiments : la peur, car leur sol n'est plus inviolable ; l'incompréhension ; la détresse ; et l'espoir que les 11 000 secouristes trouvent des survivants.

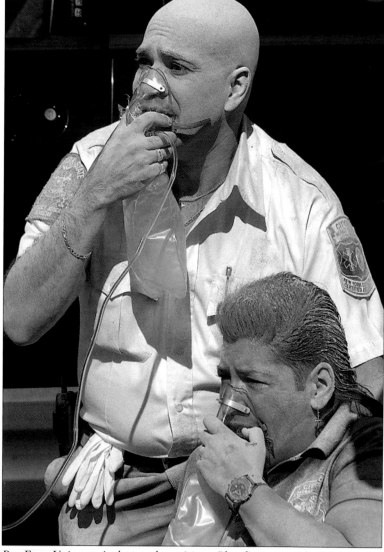

Des Etats-Unis coupés du monde extérieur. Plus d'avions, ni de téléphone...

Oussama Ben Laden est désigné comme le suspect numéro un

Washington, jeudi 13
Le secrétaire d'Etat Colin Powell possède un nom, qu'il a divulgué à la presse : Oussama Ben Laden. Cet homme serait – le conditionnel est encore de rigueur – l'instigateur de l'attaque terroriste sur Washington et New York. La piste résulte tant des investigations menées par le FBI aux USA (des individus qualifiés de « témoins » ont été appréhendés à Boston) que d'opérations menées en Allemagne ou aux Philippines. Il est également établi que certains des pirates de l'air, qui étaient au moins dix-huit, avaient suivi des cours de pilotage dans des écoles de Floride. Tous seraient d'origine arabe. 7 000 hommes du FBI sont à l'œuvre.

Kalachnikov AK 47 modèle commando (crosse métallique) pour Ben Laden.

L'Amérique unie autour de son Président

Le Président s'est rendu à New York pour soutenir l'effort des sauveteurs.

Washington, vendredi 14

George Bush dispose maintenant de tous les moyens pour « conduire le monde à la victoire ». Le Sénat l'a autorisé, à l'unanimité, à « recourir à la force » contre ceux qui, « selon lui », ont « planifié, permis, commis ou aidé les attentats », et a débloqué en ce sens la somme considérable de 40 milliards de dollars. Le Président a déjà rappelé 50 000 réservistes, et il a constitué une alliance plus vaste que celle réunie par son père lors de la guerre du Golfe, même si certains pays, dont le Pakistan, tardent à s'y rallier. Il peut aussi compter sur le soutien de l'Otan et sur les quinze pays de l'Union européenne pour ce qui sera, assure Colin Powell, « un conflit à long terme ».

Le pétrole doit passer par le désert afghan

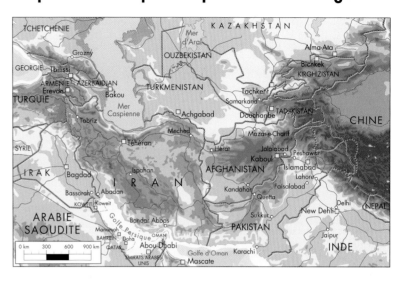

Islamabad, samedi 15

« Dites-nous si vous faites partie de nos amis ou de nos ennemis, dites-nous si vous voulez vivre au XXIᵉ siècle ou à l'âge de pierre. » C'est en ces termes que le secrétaire d'Etat adjoint à la Défense aurait parlé, il a deux jours, au patron des services secrets pakistanais (ISI), le général Mahmood Ahmed. Quelques heures plus tard, le président du Pakistan, le général Pervez Musharraf, optait pour le soutien aux Etats-Unis, mais assorti de réserves : oui au combat contre le terrorisme, non à la lutte contre les talibans, formés, financés, armés par Islamabad, avec d'ailleurs l'aval de Washington. Le Pakistan voyait dans l'installation à Kaboul d'un pouvoir fort, a priori stable, et qui était son allié, la chance d'enfin pouvoir disposer d'une profondeur stratégique face à l'Inde. Les Etats-Unis pensaient eux au pétrole et au gaz, dont est richement doté le sous-sol du Turkménistan (l'Ouzbékistan et le Kazakhstan n'en sont pas non plus dépourvus) et que la compagnie américaine Unocal entend exploiter. Seuls problèmes, mais de taille : les tracés des gazoducs et oléoducs. Les voies iranienne et russe présentant des risques politiques majeurs, c'est le tracé afghano-pakistanais, vers la mer d'Oman, qui fut choisi. Il fallait pour cela que le sol afghan, quelle que soit la nature du régime qui le contrôlait, fût « sécurisé ». En allié des Etats-Unis, le Pakistan y a veillé. Et il ne peut plus se dérober.

La mort du commandant Massoud ressoude l'Alliance du Nord

Afghanistan, dimanche 16

Au lendemain du conseil de guerre tenu dans la résidence présidentielle de Camp David, nul n'ignore plus que, selon les termes employés par George Bush, « quiconque déclare la guerre aux Etats-Unis choisit son propre anéantissement ». Mais dans la vallée du Panshir, avant la veillée d'armes se tenait la veillée funèbre : le commandant Massoud est bel et bien mort. Ses obsèques ont eu lieu aujourd'hui. « Mon père voulait être un martyr, a dit son fils de 13 ans, il a atteint cet objectif, mais pas au bon moment. »

Le monde découvre qu'il est mort quelques minutes après l'attentat.

11 septembre...

12. New York. L'ONU rappelle son personnel en poste en Afghanistan. **Bruxelles.** Les pays membres de l'Otan envisagent que l'article 5 du traité de l'Alliance atlantique soit appliqué. Il prévoit une assistance mutuelle en cas d'agression d'un des leurs. **Paris.** Lionel Jospin : « Nous combattrons le terrorisme, mais pas le monde islamique. » **France.** Tous les drapeaux des monuments publics sont mis en berne jusqu'à vendredi. **Ramallah.** Yasser Arafat donne son sang pour les blessés new-yorkais. **13. Afghanistan.** L'Alliance du Nord nomme chef militaire par intérim le général Moukhammad Fahim. **Asie.** La Chine et le Japon rejoignent la coalition antiterroriste. **Pittsburgh.** Découverte de la boîte noire du vol UA 93. **New York.** 4 763 personnes sont portées disparues. 94 corps ont été retrouvés. **Etats-Unis.** Le vice-président, Dick Cheney, est installé par sécurité à Camp David. **14. Rome.** Décollage du 1er vol pour les Etats-Unis au départ de l'Europe depuis le 11. **Europe.** Trois minutes de silence sont observées à 12 h dans les 15 pays de l'UE. **Washington.** Le bilan du crash sur le Pentagone est de 190 morts. **Etats-Unis.** Les noms des 19 pirates de l'air sont divulgués. **15. Roissy.** 1er vol d'Air France vers New York depuis le 11. Des agents de sécurité sont à bord. **New York.** 124 cadavres ont été retrouvés. On compte 4 900 disparus. **16. Afghanistan.** Sur Al Jezira, Ben Laden nie être mêlé aux attentats. **Tadjikistan.** Deux Marocains vivant en Belgique, Karim Souzani, 34 ans, et Kassim Bocouli, 28 ans : tels sont les assassins de Massoud. **New York.** Le bilan est revu à la hausse : 190 corps retrouvés, 5 097 disparus.

Septembre

Lu	Ma	Me	Je	Ve	Sa	Di
					1	2
3	4	5	6	7	8	9
10	11	12	13	14	15	16
17	18	19	20	21	22	23
24	25	26	27	28	29	30

Paris, lundi 17
Conformément au droit canon, le cardinal Lustiger, archevêque de Paris, remet sa démission au pape le jour de ses 75 ans. Elle est aussitôt refusée.

France, lundi 17
Mise en vente du Zyban, une pilule pour arrêter de fumer.

Grozny (Tchétchénie), lundi 17
Un hélicoptère de l'état-major russe est abattu par les rebelles : deux généraux et huit colonels sont tués.

Bordeaux, mardi 18
La cour d'appel applique l'arrêt Perruche : elle indemnise Alicia, 10 ans, née handicapée.

France, jeudi 20
Débuts de « Popstars » sur M6.

Paris, jeudi 20
Se basant sur des écrits ignorés de Platon, le géologue Jacques Collina-Girard situe l'Atlantide à l'ouest de Gibraltar.

France, jeudi 20
Manifestations des salariés des hôpitaux publics pour obtenir des embauches dans le cadre du passage aux 35 heures.

Deauville, jeudi 20
AOM-Air Liberté est rebaptisée Air Lib.

Lausanne, jeudi 20
Jacques Rogge, président du CIO, refuse d'exclure des JO les athlètes issus de pays accusés de soutenir le terrorisme.

Pékin, vendredi 21
Thalès (ex-Thomson CSF) signe un contrat de 100 millions d'euros avec la Chine pour la modernisation du contrôle du trafic aérien.

Corée du Sud, vendredi 21
General Motors se propose de prendre le contrôle de Daewoo pour 400 millions de dollars.

Espace, samedi 22
Alors que la Nasa en doutait, la sonde *Deep Space One*, lancée en 1998, sort indemne de son voyage vers la comète Borrelly, en orbite à 230 millions de km de la Terre.

France, samedi 22
Fin de « Koh-Lanta » sur TF1. Gilles est déclaré vainqueur.

Toulouse, dimanche 23
Le bilan du drame de l'usine AZF est porté à 29 morts et 1 170 blessés. (→ 24)

 3 652,87   26,20 $

€ 0,9160 $

Jacques Chirac et Tony Blair viennent soutenir George Bush

New York, mercredi 19
« Quand on voit cela, on a envie de pleurer. » « Cela », ce sont les ruines du World Trade Center, que le chef de l'Etat français vient de survoler en hélicoptère avec le maire de la ville, Rudolph Giuliani. Visiblement ému, Jacques Chirac s'est dit « very, very moved » (« bouleversé »). Puis il est allé déposer une gerbe au cœur de Manhattan, au milieu des bougies et de milliers de photos de disparus. Hier, à la Maison Blanche, Jacques Chirac a fait part au Président Bush de son soutien « indéfectible » après ces « crimes contre l'humanité ». « Il est à mille pour cent avec nous pour éradiquer le terrorisme », a estimé, rassuré, George Bush.

Washington, jeudi 20
Après la venue de Jacques Chirac et celle de son homologue indonésien, Megawati Sukarnoputri, Tony Blair a lui aussi tenu à se rendre aux Etats-Unis, où il a eu l'honneur d'être reçu et ovationné par le Congrès. « Les Etats-Unis, lui a lancé George Bush, n'ont pas de meilleure amie que la Grande-Bretagne. » Et de plus fidèle allié, prêt à partir en croisade contre « les forces du mal », ce qui serait déjà le cas. Selon le *Sunday Times*, des hommes du Special Air Service se trouveraient déjà dans le nord de l'Afghanistan, avec l'Alliance du Nord ; et c'est à Londres que l'action des différents services antiterroristes européens est coordonnée.

Il est le premier chef d'Etat étranger reçu par George Bush depuis le drame.

Le 20, à Saint Thomas de New York : Cherie et Tony Blair se recueillent, avec Bill Clinton, lors d'un office à la mémoire des victimes britanniques.

Les Etats-Unis enclenchent l'opération « Justice sans limites »

Washington, jeudi 20
L'heure de la mobilisation générale a sonné. Et pour ceux qui n'auraient pas compris le sens de l'opération « Justice sans limites », lancée hier par le Pentagone, le Président Bush a prononcé devant le Congrès une véritable déclaration de guerre aux terroristes et à leurs soutiens. « Ce qui est en jeu, a-t-il lancé, n'est pas seulement la liberté de l'Amérique. C'est le combat du monde entier, le combat de la civilisation. [...] Nous demandons à chaque pays de nous rejoindre. » Et, dans cette croisade, il n'y a pas de place pour les timorés. Ni pour les neutres. « Chaque pays, dans chaque région, a martelé Bush, doit [...] prendre une décision. Ou bien vous êtes avec nous, ou bien vous êtes avec les terroristes ! » Avis au Pakistan, à l'Iran, etc.

Plusieurs bâtiments de l'US Navy sont déjà en route vers le Golfe.

Une usine chimique explose en plein Toulouse

Toulouse, vendredi 21

Accident ou attentat terroriste ? La question est sur toutes les lèvres, y compris celles de Michel Bréard, le procureur de la République. Il était 10 h 15 quand Toulouse fut secouée par une gigantesque explosion. Le drame s'est produit à l'usine Azote de France (AZF), dans un quartier sud de la ville. Le bilan est terrible, et il n'est que provisoire : ce soir, on dénombrait déjà quinze morts, une vingtaine de disparus et plusieurs centaines de blessés, dont cinquante dans un état grave. L'usine est un champ de ruines et tout le quartier est dévasté. La déflagration a causé des dégâts dans un rayon de trente kilomètres. Et un nuage rose, chargé d'émanations chimiques qui se sont révélées finalement peu toxiques, a donné une allure inquiétante au ciel toulousain. Appartenant au groupe TotalFinaElf et spécialisée dans la production d'engrais, l'usine AZF avait été classée Seveso et, de ce fait, soumise à des règles de sécurité très draconiennes. Il semble que ce soit l'échauffement d'une cuve de nitrate qui ait provoqué l'explosion. Pour le SRPJ, l'enquête commence.

Toute la région a ressenti le choc de la déflagration. Le cratère témoigne de la violence de l'explosion de l'usine AZF.

Le plan rouge est déclenché par la préfecture

Toulouse, vendredi 21

Après la panique, un calme étrange a régné sur la ville. Les Toulousains étaient sous le choc. Le plan rouge avait été déclenché immédiatement après la catastrophe, et un périmètre de sécurité établi tout autour de son épicentre, pour permettre à quelque 3 000 secouristes de travailler. Des masques à gaz avaient été également distribués. Ce soir, les transports en commun sont toujours interrompus, et l'aéroport fermé. Et les habitants sont invités à ne pas boire d'eau du robinet : la préfecture craint que la Garonne ait été polluée.

Les écologistes avaient dénoncé les risques

Toulouse, vendredi 21

Il est encore trop tôt pour mesurer l'ampleur des ravages. Des grandes surfaces détruites, des appartements soufflés, des maisons effondrées : ce soir, environ 2 500 Toulousains sont à la rue. Les vitrines des magasins ont volé en éclats dans le centre-ville, pourtant éloigné de 5 km de l'usine. Jacques Chirac et Lionel Jospin sont venus dans l'après-midi faire preuve de solidarité. Mais les écologistes de Toulouse ne cachent pas leur colère : il y a déjà longtemps qu'ils dénoncent la menace que cette usine représente. (→ 23)

La population est sous le choc, les blessures par bris de verre omniprésentes.

Certaines maisons sont totalement détruites, d'autres se fissurent de partout.

Plongeon total pour certaines valeurs

Paris, vendredi 21
Latent depuis la réouverture de la Bourse de New York après six jours sans cotation, le 17, le krach a bien failli avoir lieu. La panique a saisi les opérateurs quand le CAC 40 s'est trouvé, en cours de séance, en recul de 7,36 %. Puis il s'est repris pour finir à - 2,28 %. A New York, le même phénomène a eu lieu : le Dow Jones n'a perdu au final que 1,6 %. Depuis le 11, le Dow Jones est passé de 9 600 à 8 235 points, et le CAC 40 de 4 500 à 3 652 points. Les valeurs de l'aéronautique et de l'assurance sont les plus touchées. En huit jours, Axa et Air France ont par exemple reculé de 16 %.

Les Français boiront désormais de l'Orangina made in Britain

Schweppes s'empare d'Orangina, que Coca-Cola s'était vu interdire d'acquérir.

France, vendredi 21
Faudra-t-il dire « Aorandjina » ? Le groupe Pernod Ricard annonce en effet la cession d'Orangina, Pampryl et Yoo-Hoo au britannique Cadbury Schweppes, pour un montant de 700 millions d'euros. Une opération qui participe du recentrage sur les vins et spiritueux décidé par le P-dg du groupe, Patrick Ricard. Après avoir connu une progression de 29,7 % de son résultat net au cours du premier semestre, Pernod Ricard s'apprête par ailleurs à retirer le bénéfice de son acquisition, avec le britannique Diageo, du secteur alcools du géant canadien Seagram, qui a fusionné avec Vivendi. Cette acquisition reste suspendue à l'accord des autorités canadiennes et américaines.

Isaac Stern a été jusqu'au bout un apôtre du violon classique

New York, samedi 22
C'est une défaillance cardiaque qui a emporté celui dont le cœur, plus que la technique pure, était le secret de son art. Né le 21 juillet 1920 en Ukraine, Isaac Stern n'avait qu'un an lorsque ses parents émigrèrent aux Etats-Unis. Il ne reviendra dans son pays d'origine qu'en 1956, pour une tournée triomphale en URSS. Entre-temps, il était devenu l'un des plus grands violonistes du monde : dès 1936, Isaac Stern avait imposé la puissance de son archet, dans un répertoire éclectique qui ne cessera de s'étendre. Il créera aussi nombre d'œuvres contemporaines, comme *l'Arbre des songes* d'Henri Dutilleux.

Très attaché à la cause de l'Etat d'Israël, il s'y est produit dès sa création.

Les femmes forcent les portes du Sénat

France, dimanche 23
Contrairement à ce que l'on croit, le Sénat n'est plus une rente à vie. Lucien Neuwirth en a fait la cruelle expérience : âgé de 74 ans, ce baron du gaullisme a été renvoyé dans ses foyers par les grands électeurs de la Loire. Le renouvellement d'un tiers de la Haute Assemblée n'en a certes pas modifié l'équilibre, favorable à la droite. Mais la gauche progresse, et l'on note un renforcement très net des effectifs féminins : elles seront désormais 35 sénatrices au palais du Luxembourg, dont 10 communistes, contre 20 avant les élections.

Le 23, le Belge Stefan Everts, fils de l'ex-champion Harry Everts, décroche en moto-cross un 5e titre mondial (le premier en 500 cm³).

Les ex-communistes balaient Solidarnosc

Pologne, dimanche 23
Il ne faut pas s'y tromper : le parti qui remporte ce soir les législatives en Pologne est plus proche de Tony Blair que de Staline, même s'il est dirigé par d'anciens communistes. Les élus du SLD ont souvent séduit par leur jeunesse et leur ouverture à la modernité, leurs aînés rassurant par leur expérience des affaires. Et on compte parmi eux beaucoup de femmes. Mais, avec 219 sièges sur 460, ils ratent la majorité absolue. Quant à Solidarnosc, il n'appartient désormais plus qu'à l'histoire : il n'a plus aucun député.

Le 23, au Mans, l'équipe de France féminine de basket est championne d'Europe en battant la Russie 73-68. Les Françaises, menées par Yannick Souvré, qui évolue à Bourges, l'ont emporté après un long suspense.

La tête de Ben Laden est mise à prix

L'étau se resserre autour des talibans

Washington, dimanche 23

Les Etats-Unis n'accordent pas une once de crédit aux derniers propos du porte-parole des talibans. « Ben Laden a disparu, a-t-il déclaré, nous le recherchons. » Ils ne croient pas davantage que le mollah Omar, chef suprême des talibans, l'ait sommé de partir. Le 17, George Bush a été on ne peut plus clair : « Les Américains, a-t-il dit, veulent Ben Laden mort ou vif. » Et si Kaboul ne le livre pas, ils iront le chercher. Car il est, cela ne fait plus de doute, le maître d'œuvre du terrorisme islamique, ce dont Colin Powell se fait fort de fournir les preuves dans un proche avenir. D'origine saoudienne, Ben Laden, âgé de 44 ans, a mis son immense fortune à profit pour bâtir Al Qaida, une armée de combattants prêts à mourir pour libérer les lieux saints. Jusqu'en 1998 au moins, il bénéficia du soutien de la CIA : une alliance objective, face à l'URSS d'abord, puis en faveur de la réalisation d'un axe américano-islamique.

Vingt-cinq millions de dollars pour qui permettra de le retrouver, mort ou vif.

Asie centrale, dimanche 23

Il faut s'appeler Jean-Paul II pour oser, en pleine crise internationale, aller au Kazakhstan, l'Etat le plus vaste d'Asie centrale, et y dénoncer « le terrorisme et le fanatisme » qui « profanent le nom de Dieu ». Mais son appel à la paix, nul n'en doute, restera vain. Le régime de Kaboul déploie ses batteries antiaériennes, le porte-avions britannique *Ocean* a passé le canal de Suez, l'*Enterprise* et le *Carl-Vinson* américains sont en mer d'Oman où le *Kitty-Hawk* doit les rejoindre, et les talibans auraient déjà abattu un drone, information non démenti par le Pentagone. Sur le plan diplomatique, George Bush consolide avec habileté sa coalition antiterroriste. Il a annoncé samedi la levée des sanctions prises contre l'Inde et le Pakistan lorsque ceux-ci avaient repris, en 1998, leurs essais nucléaires. Un geste destiné à inciter les puissances rivales à ne rien faire qui nuise aux intérêts américains.

L'ONU se rapproche de l'ancien roi afghan

Douloureuses prières au Yankee Stadium

Rome, dimanche 23

En exil en Italie depuis qu'il a été destitué en 1973, Mohammad Zaher Shah, 86 ans, fait figure de possible recours et se dit « prêt à rentrer si cela peut aider [son] peuple ». Après avoir lancé, avant-hier, un appel sur les ondes de la BBC et de Voice of America, pour la convocation d'une « Loya Jirgha » (assemblée des chefs de tribus), il a reçu, en deux jours, des émissaires de l'Alliance du Nord et Francesc Vendrell, représentant personnel de Kofi Annan, avec qui on apprend qu'il est en pourparlers, dans le plus grand secret, depuis mai dernier...

Le roi Zaher a régné durant 40 ans.

New York, dimanche 23

Reconstruira-t-on, un jour, les Twin Towers, à l'identique de celles qui se sont effondrées, ou plus imposantes encore ? Rebâtira-t-on à la place des ruines encore fumantes, où les héros de tout un peuple, les pompiers de New York City, s'affairent toujours nuit et jour, ou érigera-t-on plutôt un mausolée ? La question, qui peut paraître prématurée, est déjà posée, signe que l'instinct vital du peuple américain reprend le dessus. Réunis au Yankee Stadium, les proches des victimes ont communié aujourd'hui en « une prière pour l'Amérique ». Le deuil est clos, place à la vie.

Rudolph Giuliani, le maire, est ému.

11 septembre...

17. Kandahar. Après une entrevue infructueuse avec des émissaires du Pakistan, le mollah Omar appelle les musulmans à se préparer à la guerre sainte contre les Etats-Unis. **Paris.** Apple annule son salon Apple Expo. **Monde.** Des anomalies sont relevées sur les places boursières. A la veille du 11, des transactions inhabituelles auraient eu lieu sur les valeurs de l'aéronautique. **Washington.** George Bush se rend au centre islamique. **Etats-Unis.** US Airways annonce la suppression de 11 000 emplois.
18. Riyad. Le roi Fadh apporte le soutien de l'Arabie Saoudite à Bush. **Irak.** Le vice-président, Tarek Aziz, présente ses condoléances aux Etats-Unis. **New York.** 5 422 personnes sont portées disparues. **Paris.** Dans *France-Soir*, le terroriste Carlos se réjouit des attentats du 11.

19. Berlin. Les députés acceptent l'engagement de soldats. **Etats-Unis.** United Airlines, American Airlines et Boeing vont supprimer au total 60 000 emplois.
20. Etats-Unis. Selon le *Los Angeles Times*, la CIA aurait été avertie en août de l'imminence d'une attaque. **Washington.** Tom Ridge est nommé à la tête du nouvel Office de sécurité intérieur.
21. Kaboul. Les talibans refusent de livrer Ben Laden sans preuve de sa culpabilité. **France.** Sept terroristes islamistes présumés sont arrêtés en région parisienne. **New York.** 509 corps ont été retrouvés. **Etats-Unis.** Le Congrès vote 18 milliards d'aide aux compagnies aériennes.
22. Dubai. Les Emirats arabes unis rompent les relations diplomatiques avec Kaboul. **Etats-Unis.** 450 000 nouveaux chômeurs ont été recensés en une semaine.

Septembre

Lu	Ma	Me	Je	Ve	Sa	Di
					1	2
3	4	5	6	7	8	9
10	11	12	13	14	15	16
17	18	19	20	21	22	23
24	25	26	27	28	29	30

France, lundi 24
« Le Jeu des 1 000 francs », sur France Inter, est rebaptisé « le Jeu des 1 000 euros ».

Toulouse, lundi 24
Le procureur estime qu'il y a « 99 % de chances » pour que l'explosion de l'usine AZF « soit un accident ».

Monde, mercredi 26
Journée noire des compagnies aériennes : elles annoncent la suppression de 25 000 emplois (5 000 à Air Canada). (→ 2.10)

Corte, mercredi 26
Corsica Nazione, de Jean-Guy Talamoni, suspend son soutien au processus de Matignon.

Israël, vendredi 28
En un an, la 2e Intifada a fait 825 morts (à 80 % palestiniens) et 20 000 blessés.

Rome, vendredi 28
Silvio Berlusconi est « désolé » que ses propos aient pu heurter « la sensibilité de [ses] amis arabes et musulmans ».

Loft Story, samedi 29
Ultime émission : « L'été des lofteurs ». Loana et Christophe reçoivent chacun un chèque de 1,5 million de francs.

Valledupare, dimanche 30
Consuelo Araujo, ex-ministre de la Culture colombien, est assassinée par la guérilla une semaine après son enlèvement.

France, dimanche 30
Le parc de téléphonie mobile dépasse pour la 1re fois celui des lignes fixes, avec 34,6 millions de téléphones portables.

Trinité et Tobago, dimanche 30
La France bat le Nigeria (3-0) en finale de la Coupe du monde de football des moins de 17 ans.

Indianapolis, dimanche 30
La victoire de Mika Hakkinen au Grand Prix des Etats-Unis de F1 assure à McLaren d'être 2e au championnat du monde des constructeurs.

DECES

Margaux, samedi 29
Bernard Ginestet, œnologue, écrivain et maire de Margaux de 1973 à 1995 (*19.1.1936).

Boston (Etats-Unis), samedi 29
Nguyên Van Thiêu, président du Viêt-Nam du Sud entre 1965 et 1975 (*5.4.1923).

 4 079,02   23,10 $

€ 0,9118 $

L'Amérique redoute une attaque bactériologique ou chimique

Washington, lundi 24
Le docteur Gro Harlem Brundtland prend au sérieux « la possibilité que des gens soient contaminés par des agents biologiques ou chimiques », et cela « de façon délibérée ». Or elle n'est pas un médecin ordinaire, mais directrice de l'OMS, l'Organisation mondiale de la santé. Son inquiétant avertissement a déjà été devancé par le FBI, qui a ordonné, pour la 2e fois depuis le 11 septembre, aux avions d'épandage de rester au sol. Le FBI a de bonnes raisons de croire que le projet de disperser soit le virus de la variole, soit l'agent de la maladie du charbon, au-dessus de villes, était étudié. Mohamed Atta, pirate du vol AA 175, s'y intéressait... (→13.10)

Les Américains s'attendent à ce que la riposte ne soit pas classique.

Hommage national aux harkis

Paris, mardi 25
Réunis dans le cour des Invalides, les représentants des harkis écoutent le discours de Jacques Chirac. Pour le président de la République, il est temps de reconnaître que la France « n'a pas su sauver ses enfants » en 1962, faisant allusion aux quelque 150 000 supplétifs musulmans que massacra le FLN après le départ des Français et que le président algérien Abdelaziz Bouteflika, en juin 2000, avait traités de « collabos » lors de sa venue en France. Neuf harkis, ou fils ou veuves de harkis, ont porté plainte contre X, le 30 août, pour « crime contre l'humanité » : tant la France que le FLN sont visés.

Tapie - Dubiton : 1-0

Marseille, mercredi 26
Le match au couteau entre Bernard Tapie et Pierre Dubiton au sommet de l'OM s'est soldé par la défaite du second. Et pourtant le président du club, Robert Louis-Dreyfus, avait dit que, si le directeur sportif et le directeur financier ne parvenaient pas à s'entendre, les deux devraient partir. Mais un troisième homme est survenu : l'ancien magistrat Etienne Ceccaldi, nommé président délégué. Celui-ci ne voyant pas la nécessité de doubler ses fonctions par celles d'un directeur financier, il a « viré » Dubiton et gardé Tapie, décidément surprenant de résistance.

Condamnation des amants diaboliques

Bruxelles, mercredi 26
L'Allemand Peter-Uwe Schmitt et sa compagne belge Aurore Martin ont été condamnés à 20 et 15 ans de réclusion criminelle. Les jurés de la cour d'assises, qui les avaient jugés coupables du meurtre de Marc Van Beers, le mari d'Aurore, n'ont pas suivi l'accusation, qui avait réclamé la perpétuité pour « un crime hors normes ». La vérité judiciaire est en effet celle-ci : Aurore n'a épousé son mari que dans le dessein de le tuer pour toucher l'assurance-vie qu'elle lui avait fait souscrire, alors qu'elle était déjà la maîtresse de Peter-Uwe. Une monstrueuse machination que tous deux persistent à nier.

Le dérapage verbal de Silvio Berlusconi

Berlin, mercredi 26
Après s'être entretenu avec Gerhard Schröder, le chancelier allemand, le Premier ministre italien fait face à la presse. Silvio Berlusconi est franc : « On ne peut pas mettre sur le même plan toutes les civilisations, déclare-t-il. Il faut être conscient de notre suprématie. » Face à qui ? Au monde musulman en général, aux islamistes en particulier. C'est le tollé au sein des Quinze de l'UE qui, à Bruxelles le 21, n'avaient pas protesté quand il avait dit : « Notre civilisation est supérieure aux autres dont certaines se trouvent encore au Moyen Age », devant tous les chefs d'Etat de l'UE. Mais c'était à huis clos... (→ 28)

Le 26, Jean-Paul II est en Arménie à l'occasion du 1 700e anniversaire de la christianisation du pays. A Tzitzernakaberd, au Mémorial du génocide, Charles Aznavour (né Aznavourian) chante l'*Ave Maria* devant le pape.

Maigre bilan pour « Moisson essentielle »

La rencontre Pérès-Arafat a enfin eu lieu

Une nouvelle opération est nécessaire. Son nom de code : « Renard roux ».

Il a fallu tout le poids des Etats-Unis pour que Sharon autorise la rencontre.

Macédoine, mercredi 26
La récolte a été maigre. L'opération « Moisson essentielle » a permis de récupérer précisément 3 875 armes auprès des rebelles albanophones de l'UCK, qui en possédaient au moins dix fois plus. Sans s'apesantir sur ce bilan de « Moisson essentielle », le Conseil de sécurité de l'ONU a opté à l'unanimité pour le déploiement de 700 hommes de l'Otan. « Renard roux », qui débute aujourd'hui, fait essentiellement appel à des soldats allemands. Ils ont reçu pour mission d'assurer une présence de sécurité afin de veiller au respect de l'accord de paix conclu le 13 août, à Ohrid, entre l'UCK et le pouvoir. (→ 3.10)

Gaza, mercredi 26
Si Yasser Arafat et Shimon Pérès se sont serré la main, leur sourire ne parvenait guère à masquer que leur entretien n'a pas permis d'avancées significatives. Du moins se sont-ils rencontrés, ce à quoi Ariel Sharon s'opposait depuis des semaines, à tel point que son ministre des Affaires étrangères était à deux doigts de la démission. George Bush a persuadé Sharon de laisser la réunion se tenir, les Etats-Unis ayant besoin, dans le contexte actuel, de l'appui des pays arabes. Mais Arafat refuse toujours de livrer les 108 terroristes présumés que lui réclame Israël. Et Tsahal est, ce soir, entrée dans Rafah.

L'Amérique donne du temps aux talibans et à l'Alliance du Nord

La France présente sur la piste

Washington, dimanche 30
Entouré de trois de ses conseillers, dont le directeur de la CIA, George Tenet, George Bush étudie une carte de l'Afghanistan. La photo, diffusée par la Maison Blanche, rappelle aux impatients, désireux d'en découdre, que la réflexion précède l'action. Or le peu de cohésion de l'Alliance du Nord, sa non-représentativité de la diversité ethnique de l'Afghanistan (les Pachtouns n'en font pas partie), les souvenirs qu'elle a laissés de son passage au pouvoir de 1992 à 1996 (50 000 morts) avant d'être chassée par les talibans, nécessitent que tous les éléments soient pris en compte avant que les 41 navires américains et britanniques arrivés dans le golfe Persique et en mer d'Oman entrent en action. Tant aux Etats-Unis qu'à l'ONU, des voix dites « autorisées » envisagent un « après-talibans » qui inclurait des « talibans modérés »... Une manière, peut-être, d'essayer de semer la division en leur sein, avant d'enclencher la phase militaire de « Liberté immuable » qui a succédé, mardi, à « Justice sans limites », un intitulé qui choquait les musulmans : seul Allah rend la justice. Les civils afghans, eux, fuient déjà.

Anvers, dimanche 30
On y était un peu habitué, mais les Français ont vraiment frappé très fort aux championnats du monde de cyclisme sur piste. Ce soir, ils ont quatre médailles d'or à leur tableau de chasse : le kilomètre avec Arnaud Tournant, la vitesse olympique avec Florian Rousseau, Laurent Gané et Tournant, la vitesse individuelle qui s'est achevée par un podium parfait (or Tournant, argent Gané, bronze Rousseau), enfin l'américaine avec Robert Sassone et Jérôme Neuville.

11 septembre...

24. Afghanistan. Le mollah Omar demande aux Etats-Unis de retirer leurs forces déployées dans le Golfe. **Russie.** Vladimir Poutine n'accepte d'ouvrir son espace aérien que pour les seules opérations humanitaires. **Paris.** Le président égyptien Hosni Moubarak apporte son soutien à la coalition antiterroriste mais refuse d'y participer. **Kaboul.** Retrait des diplomates pakistanais. **Etats-Unis.** George Bush gèle les avoirs de 27 organisations liées au terrorisme.
25. Riyad. Le roi Fadh donne 48 h aux diplomates afghans pour partir. **Kirghizistan.** Le président Akayef est prêt à ouvrir son espace aérien aux Etats-Unis.
26. Espagne. Six salafistes algériens, qui seraient liés à Ben Laden, sont arrêtés. **Londres.** Le coût estimé par les Lloyd's des indemnisations est de 1,2 milliard de livres. **Iran.** Le pays refuse de participer à une coalition antiterroriste avec les Etats-Unis.
27. Washington. La Maison Blanche refuse que le révérend Jesse Jackson parte comme médiateur à Kaboul. **Washington.** Publication des photos des 19 pirates de l'air. **Etats-Unis.** 500 millions de dollars sont alloués au renforcement de la sécurité dans les cockpits. **Washington.** George Bush délègue à des généraux le droit d'abattre des avions civils.
28. Jalalabad. Yvonne Ridley, une journaliste britannique, est arrêtée pour espionnage. **New York.** Levée par le Conseil de sécurité de l'ONU des sanctions contre le Soudan.
30. Kaboul. Reprise du procès des huit humanitaires. **New York.** Il n'y a plus aucun espoir de retrouver des survivants dans les ruines du WTC. 309 corps ont été dégagés (dont 248 identifiés). Il reste 5 766 disparus.

L'année noire de l'aviation

« Par ces motifs, déclarons la faillite de la SA Sabena. » Mercredi 7 novembre 2001. La présidente du tribunal de commerce de Bruxelles prononce la faillite de la compagnie nationale belge, fondée en 1923. La mort de cette société est historique à plus d'un titre. La Belgique est non seulement le seul pays européen à avoir vu s'éteindre sa compagnie nationale, mais la Société anonyme belge pour la navigation aérienne était également le plus ancien transporteur aérien de l'Europe des quinze, après le néerlandais KLM. Dans les heures qui ont suivi l'annonce de cette catastrophe, qui a coûté pas moins de 6 000 emplois, le gouvernement belge a désigné la compagnie Swissair comme la principale responsable de la débâcle. Il est vrai que le refus du groupe suisse d'injecter 130 millions d'euros de capital dans sa filiale belge a signé l'arrêt de mort de la compagnie. Swissair s'était engagée à apporter ces fonds par un accord signé en juillet 2001 avec le gouvernement belge. Le jour du versement prévu de cette somme, le 2 octobre 2001, Swissair a toutefois annoncé sa mise en redressement judiciaire, et signifié son refus de recapitaliser la Sabena.

La Sabena malade depuis 50 ans

Malgré la promptitude du gouvernement belge à désigner Swissair comme le responsable, il est patent que la Sabena aurait connu pareil destin sans la défaillance de son actionnaire helvétique. En cinquante ans, le transporteur belge n'a dégagé de bénéfices qu'à deux reprises, en 1958 et en 1997. Dans ce dernier cas, l'ancien directeur financier de la compagnie, Marc Petit, a même déclaré que le bénéfice découlait d'artifices comptables. Tout indique donc que la Sabena aurait sans doute succombé sans la défaillance de Swissair. Seul le calendrier aurait pu être différent.

Aujourd'hui, un consortium d'entreprises belges tente de recréer un nouveau transporteur, qui devrait relier Bruxelles à 34 villes européennes, deux villes américaines, dont New York, et à trois capitales africaines (Kinshasa, Kigali et Entebbe). Le jour de sa faillite, la Sabena desservait encore 76 destinations en Europe, 6 aux États-Unis, 17 en Afrique et 2 en Asie.

De son côté Swissair poursuit ses activités dans le cadre de son redressement judiciaire, mais de manière réduite. 7 500 personnes ont été licenciées, et les avions à la croix suisse ne desservent plus que 60 destinations, contre 206 avant la faillite. Seule l'ancienne filiale spécialisée dans les vols régionaux, Crossair, poursuit ses vols de manière normale. Le gouvernement helvétique souhaite toutefois que Crossair reprenne, dans les prochaines semaines, les avions et les destinations desservies actuellement par Swissair.

AOM et Air Liberté en soins intensifs

La descente aux enfers de Swissair, due à une politique de rachat de transporteurs de moyen-ne importance et souvent en grandes difficultés financières, n'a pas fait qu'une victime. Outre la Sabena, les compagnies aériennes AOM et Air Liberté, autres filiales de Swissair, ont déposé le bilan, le 15 juin 2001. C'est également un refus du holding helvétique de respecter ses engagements de recapitalisation qui a provoqué la faillite et la perte de 1 405 emplois. Aujourd'hui, le second pôle aérien français, racheté par le groupe d'investisseurs Holco, dirigé par l'ancien pilote d'Air France Jean-Charles Corbet et rebaptisé « Air Lib », poursuit ses activités mais n'est pas tiré d'affaire. Air Littoral, de son côté, a été rachetée le 1er juillet 2001 par son ancien directeur, Marc Dufour, et poursuit actuellement ses activités.

Le prix du kérosène a fragilisé les compagnies

Il est indubitable que la chute de Swissair, de Sabena et les difficultés d'AOM-Air Liberté ne s'expliquent pas seulement par une gestion légère. Ces compagnies étaient également les maillons faibles du secteur aérien mondial, frappé de plein fouet, durant l'année 2001, par des éléments incontrôlables, qui ont provoqué de pénibles restructurations. Premier élément, le prix du kérosène. Celui-ci n'a cessé de flamber dans le courant de l'année 2000. Entre 1998 et 2000, ce prix a augmenté de 50 %. Durant le premier semestre de l'an 2001, il a diminué d'1% mais demeure très élevé.

Les avions Swissair cloués au sol ! Les pétroliers ne font plus confiance à la compagnie suisse.

La colère éclate à l'annonce du dépôt de bilan

Le cours du dollar et la perspective d'une récession aux Etats-Unis ont également poussé bon nombre d'entreprises à réduire le volume des voyages d'affaires de leurs cadres. Ces facteurs ont rendu très probables des restructurations massives dans le secteur. Telle était la situation au soir du 10 septembre.

Le lendemain, un appareil de la compagnie United Airlines et un autre d'American Airlines s'écrasent sur les tours jumelles du World Trade Center, à New York. Suivent deux autres catastrophes, le crash d'un avion d'American Airlines sur le Pentagone et celui d'un appareil d'United Airlines à Pittsburgh. Ces attentats vont porter un coup très dur aux compagnies déjà touchées par une conjoncture pour le moins défavorable.

Dans les jours qui suivent, le taux de remplissage des avions tombe en flèche. Entre le 11 septembre et le 4 novembre, le trafic européen à destination des Etats-Unis a chuté de 35 %. Vers l'Asie, la régression s'établissait à 17 %. En Europe, le trafic s'est réduit de 10 %. Les compagnies ont annoncé une vague historique de licenciements. Continental Airlines a licencié 12 000 personnes ; American Airlines et United Airlines ont décidé chacune de se séparer de 20 000 salariés. En Europe, British Airways a annoncé son intention de réduire son effectif de 7 000 personnes. De son côté, la compagnie allemande Lufthansa a décidé de mettre 12 000 membres de son personnel en chômage technique pour 6 mois.

Trois grandes compagnies dans quinze ans

Les attentats du 11 septembre ont certes aggravé la situation financière des compagnies, mais une vague de restructurations était toutefois attendue avant le 11 septembre. Certains transporteurs sont d'ailleurs accusés par leurs salariés d'avoir profité du traumatisme lié à la catastrophe pour annoncer des licenciements de toute manière programmés. En Europe, la Commission européenne ne cache d'ailleurs pas que la restructuration du secteur aérien européen ne fait que commencer.

Le Commissaire européen aux Transports, Loyola de Palacio, a déclaré, fin 2001, que le ciel européen ne devrait plus compter que trois grandes compagnies dans les quinze ans à venir. Les spécialistes pensent généralement qu'il devrait s'agir d'Air France, de Lufthansa et de British Airways. Les autres ? Elles risquent de devenir de petits transporteurs régionaux ou de rejoindre la Sabena et Swissair au cimetière des compagnies aériennes jadis glorieuses.

Bernard Demonty
Journaliste au quotidien *le Soir*
(Bruxelles)

Pionnière en Afrique dès 1923, la Sabena faisait partie du patrimoine des Belges. Il y a dix ans, ses avions se parquaient à New York-Kennedy à côté de ceux de Pan Am, une autre compagnie prestigieuse qu'elle rejoint dans la tombe.

Octobre

Lu	Ma	Me	Je	Ve	Sa	Di
1	2	3	4	5	6	7
8	9	10	11	12	13	14
15	16	17	18	19	20	21
22	23	24	25	26	27	28
29	30	31				

Paris, lundi 1er
Christian Poncelet est réélu à la présidence du Sénat.

Bordeaux, lundi 1er
Le préfet de Gironde suspend l'activité de l'usine Soferti, classée Seveso 2.

France, lundi 1er
Entrée en vigueur du dépistage systématique des stupéfiants sur les conducteurs impliqués dans un accident mortel.

Cachemire (Inde), lundi 1er
Un attentat à la voiture piégée, revendiqué par des islamistes, fait 40 morts et 60 blessés.

Etats-Unis, lundi 1er
L'ancien président Bill Clinton est radié de l'ordre des avocats pour son faux témoignage dans l'affaire Paula Jones.

Paris, mardi 2
Non-lieu dans l'affaire Elf en faveur de Dominique Strauss-Kahn. (→ 7.11)

France, mardi 2
La confiance des ménages a perdu 15 points en septembre par rapport à juillet.

Bruxelles, mercredi 3
La Sabena se déclare en cessation de paiement. (→ 5)

Ankara, mercredi 3
Les députés turcs abolissent la peine de mort, sauf pour crimes terroristes.

Kosovo, mercredi 3
Le général français Marcel Valentin prend ses fonctions de commandant de la Kfor.

Bruxelles, jeudi 4
Mise en faillite de la compagnie aérienne City Bird.

Paris, jeudi 4
Jacques Chirac refuse la grâce de Maurice Papon.

Elazig, jeudi 4
Décès d'un 40e gréviste turc de la faim : Mustafa Coskun.

Bruxelles, vendredi 5
La Sabena est placée sous administration judiciaire. (→ 7.11)

Longchamp, dimanche 7
Frankie Dettori remporte pour la 2e fois le Prix de l'Arc de Triomphe, sur *Sakhee*.

Italie, dimanche 7
Par référendum (le 1er depuis 1946), les Italiens approuvent une plus large décentralisation.

 4 164,76   22,87 $

€ 0,9177 $

Météo France trace des cartes de vigilance

France, lundi 1er
Depuis les tempêtes de 1999, où les talents de ses prévisionnistes furent sévèrement critiqués, Météo France cherchait le moyen de ne plus être pris à dépourvu quand une nouvelle bise serait venue. Voilà qui est fait, avec le lancement de la carte dite de vigilance qui présente les avantages d'être simple et claire, d'afficher des couleurs différentes selon le niveau de dangerosité des intempéries qui sont annoncées, et d'être actualisée deux fois par jour, à 6 h et à 16 h. Mise à la disposition des chaînes de télévision, elle est accompagnée de conseils pratiques, plus parlants que les hectopascals et les isobares. Du type : « Restez chez vous ! »

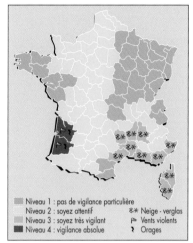
La nouvelle carte de vigilance indique les risques avec des couleurs.

Messier s'oppose au prix de l'UMTS

Paris, lundi 1er
L'épreuve de force est engagée entre Jean-Marie Messier et le ministère des Finances. Le patron de Vivendi avait jusqu'à ce soir pour payer les 619 millions d'euros correspondant à la première échéance du contrat de licence UMTS (Universal Mobile Telecommunication System) conclu par sa filiale SFR. Estimant que les nouvelles conditions du marché ne justifiaient plus les accords passés, il a versé la somme sur un compte bloqué de la Caisse des dépôts, pour obliger Bercy à la renégociation. En revanche, Orange (France Telecom) a honoré ses engagements.

Les avions de Swissair cloués au sol

Genève, mardi 2
Spectacle insolite sur l'aéroport de Genève, mais aussi à Zurich et dans tous les aéroports internationaux : les avions de Swissair sont cloués au sol, les pétroliers n'acceptant de les ravitailler en kérosène que contre un paiement cash, ce que la compagnie helvétique est dans l'incapacité de faire. Cette situation symbolise l'état de déconfiture dans lequel est tombé Swissair, décrépitude précipitée par la récession générale du marché du transport aérien depuis les attentats du 11 septembre. Avec une dette de l'ordre de 10 milliards d'euros, due notamment à son entrée hasardeuse dans le capital de compagnies telles la Sabena ou l'ex-AOM-Air Liberté, Swissair ne pouvait plus échapper à la faillite. Ses actifs seront repris par sa filiale Crossair, soutenue par les banques UBS et Crédit suisse : elles ont racheté les parts de Swissair. La restructuration sera radicale. (→ 3)

Le plan envisagé par Crossair entraînerait plus de 8 000 licenciements.

11 septembre...

1er. Afghanistan. La fuite des civils est entravée. Les frontières du nord et de l'ouest sont fermées. **Rome.** L'ex-roi Zaher et l'Alliance du Nord instituent un Conseil suprême pour l'unité nationale.
2. Bruxelles. L'Otan donne son aval à l'application de l'article 5 du traité de l'Alliance atlantique. **Paris.** Mise en examen d'un Franco-Algérien. Il aurait eu le projet de faire exploser l'ambassade des Etats-Unis à Paris.
3. Paris. Mise en place de Biotox, plan de prévention et de lutte contre les armes biologiques.
4. Bruxelles. L'Otan met ses avions de surveillance Awacs à disposition des Etats-Unis et autorise le survol de tous ses pays membres. **Londres.** Tony Blair dit avoir les preuves que Ben Laden est coupable. **Pakistan.** Le ministère des Affaires étrangères juge ces preuves « suffisantes » pour que Ben Laden soit inculpé.
5. Islamabad. Le représentant des talibans affirme que Kaboul est prêt à juger Oussama Ben Laden devant un tribunal islamique.
6. Afghanistan. De violents combats opposent les talibans et l'Alliance du Nord près de la frontière ouzbèke.
7. Tachkent. L'Ouzbékistan conclut un accord de coopération contre le terrorisme avec les Etats-Unis.

Un Tupolev s'abîme dans la mer Noire

Mer Noire, jeudi 4
Pourquoi le Tupolev Tu-154 de Sibir Airlines a explosé en vol, au-dessus de la mer Noire, alors qu'il assurait la liaison Tel-Aviv - Novossibirsk ? Le drame, qui a causé la mort des 66 passagers (dont 57 Israéliens) et des 11 membres de l'équipage russe, a eu lieu vers 13 h 45 (heure locale). Les Israéliens et les Russes semblent privilégier la piste terroriste, mais on évoque aussi la possibilité d'une erreur de tir de missile antiaérien, la flotte ukrainienne effectuant dans la zone des manœuvres. Cette version est écartée à Kiev par le ministre de la Défense ukrainien. (→ 14)

Les Américains passent à l'offensive

Afghanistan, dimanche 7
Il est bientôt minuit à Kaboul, un peu plus de 13 heures à Washington et 18 h 30 passées à Paris. Tandis que George W. Bush annonce à ses concitoyens qu'il a donné l'ordre à l'armée américaine de frapper les camps d'Al Qaida et les installations militaires des talibans, une pluie de missiles Tomahawk, lancés par des bombardiers, des navires de surface ou des sous-marins, s'abat déjà sur Kaboul, Kandahar, Jalalabad et le verrou de Mazar-e Charif, pour ne citer que les cibles principales. Sur le sol américain, la Garde nationale a été mobilisée. Dans les aéroports, la sécurité est au maximum.

Un France-Algérie gâché par le public

Saint-Denis, samedi 6
Lionel Jospin n'était pas très chaud pour assister, au Stade de France, à ce match de football France-Algérie, mais le ministre de la Jeunesse et des Sports, Marie-Georges Buffet, avait assuré que tout se passerait bien. Or la rencontre commença sous de bien mauvais auspices quand, à 20 h 40, *la Marseillaise* déchaîna les huées de milliers de Beurs qui brandissaient des drapeaux algériens. Puis, à la 76e minute, les jeunes déferlèrent sur la pelouse. Le premier France-Algérie de l'histoire du football fut arrêté. Mais les jets de bouteilles, eux, ont continué. (→ 7.11)

A un quart d'heure de la fin du temps réglementaire, la France menait 4-1.

Ben Laden défie le monde occidental

Doha (Qatar), dimanche 7
Sur fond de rochers, une arme posée en évidence à sa gauche, une montre au poignet dont on ne sait si elle est réglée ou non sur l'heure de Kaboul, Oussama Ben Laden intervient sur Al Jezira. Le message est enregistré, filmé avant les frappes américaines. Ben Laden justifie les attentats mais n'en endosse pas la responsabilité. Il promet en revanche que, tant que les « armées occidentales athées » ne quitteront pas les « terres saintes », et tant que la Palestine sera occupée, l'Amérique « ne vivra pas en paix » : « Je le jure devant Allah. »

Depuis le 1er, des sacs de céréales sont livrés au Pakistan par le World Food Programme de l'ONU pour être ensuite acheminés en Afghanistan. Cette aide alimentaire est financée par le gouvernement des Etats-Unis.

Le 7, Richard Virenque remporte Paris-Tours au terme d'une formidable échappée de 232 km. Un exploit sur terrain plat pour le grimpeur qui n'a repris la compétition que le 14 août, après dix mois de suspension.

Octobre

Lu	Ma	Me	Je	Ve	Sa	Di
1	2	3	4	5	6	7
8	9	10	11	12	13	14
15	16	17	18	19	20	21
22	23	24	25	26	27	28
29	30	31				

Géorgie, lundi 8
Un hélicoptère de l'ONU est abattu par des indépendantistes abkhazes.

Paris, mardi 9
La Cour de cassation ordonne que l'abbé Cottard soit rejugé.

La Haye, mardi 9
Slobodan Milosevic est inculpé de crimes contre l'humanité pour son action en Croatie.

La Paz (Bolivie), mercredi 10
Le Français Arnaud Tournant pulvérise son propre record du monde du km cycliste, départ arrêté, en 58 s 875/1000.

Cornouailles, mercredi 10
Steve Fossett, sur *PlayStation*, améliore de deux jours le record de la traversée de l'Atlantique Nord à la voile en équipage.

Tokyo, mercredi 10
Jean Alesi annonce qu'il quitte la F1 à l'issue de la saison.

Bruxelles, mercredi 10
La Commission européenne met son veto à la fusion entre Schneider et Legrand.

Venezuela, jeudi 11
Me Isabelle Coutant-Peyre, avocate du terroriste Carlos, annonce qu'elle épousera son client quand il aura divorcé de Magdalena Kopp.

France, vendredi 12
Journée nationale de grève des médecins hospitaliers dans le cadre du passage aux 35 heures.

Etats-Unis, vendredi 12
Dépôt de bilan de Polaroïd.

Phillip Island, dimanche 14
Grâce à sa victoire au Grand Prix d'Australie, Valentino Rossi (Ita.) est sacré champion du monde en 500 cm³.

Filderstadt, dimanche 14
Lindsay Davenport bat Justine Hénin en finale du Masters de tennis féminin.

Suzuka, dimanche 14
Michael Schumacher remporte le Grand Prix du Japon de F1.

Kiev, dimanche 14
L'Ukraine avoue avoir abattu par erreur le Tupolev au-dessus de la mer Noire, avec un missile S-200 tiré lors d'un exercice.

DECES

Cannes, samedi 13
Jean Daninos, constructeur des Facel Vega (*2.12.1906).

 4 336,88   23,12 $

€ 0,9056 $

Le brouillard a tué à Milan-Linate

Milan, lundi 8
La consternation et l'indignation se sont répandues en Italie à l'annonce de l'accident de ce matin à Linate, l'un des deux aéroports de Milan. Un McDonnell Douglas MD-80 de la SAS s'apprêtait à décoller quand la piste fut coupée net par un avion d'affaire Cessna. Choc, explosion et projection de l'avion de ligne sur un hangar voisin : 118 morts. Pour les autorités italiennes, il s'agit d'une erreur humaine due au brouillard. Mais le personnel de Linate accuse : le radar de surveillance du trafic au sol est en panne depuis 1999 et celui qui doit le remplacer n'est toujours pas opérationnel. L'administration aurait oublié de le certifier...

Parmi les 118 victimes figurent quatre employés qui étaient dans le hangar.

Yvonne Ridley relâchée par les talibans

Pakistan, lundi 8
On craignait le pire pour cette jolie blonde de 43 ans, correspondante de guerre plutôt intrépide. Le 28 septembre, Yvonne Ridley s'était infiltrée en Afghanistan à partir du Pakistan, dissimulée par une burqa. Ce stratagème ne trompa pas très longtemps les talibans qui arrêtèrent la journaliste britannique à quelque 15 km de la frontière. Soupçonnée d'être une espionne, puis seulement accusée d'avoir pénétré illégalement dans le pays, elle a été incarcérée à Kaboul où elle fut, d'ailleurs, bien traitée. Libérée sur l'ordre même du mollah Omar, elle a été reconduite à la frontière pakistanaise.

Elle travaille au « Sunday Express ».

Le chef de l'Etat protégé par la loi

Paris, mercredi 10
La Cour de cassation a tranché : le président de la République ne peut être poursuivi pendant la durée de son mandat. Cependant, son arrêt dit que « la prescription de l'action publique est suspendue » durant la période considérée. Par ailleurs, la Cour rappelle que la Haute Cour ne peut être saisie qu'en cas de haute trahison : une défaite juridique pour Me Arnaud Montebourg, le député socialiste qui avait fait campagne à l'Assemblée pour y déférer Jacques Chirac dans le cadre des affaires de la Ville de Paris.

Jack Lang veut de l'ordre à l'école

Paris, mardi 9
« Le respect, ça change l'école. » Tel est le slogan phare de la campagne que lance aujourd'hui Jack Lang. Le ministre de l'Education nationale en a assez de la violence à l'école. Et du laxisme qui en est la cause. Faut-il réapprendre le respect des règles, des professeurs, des camarades, des salles de classe. Oui, car « la pire violence que nous pourrions exercer sur la jeunesse, explique-t-il, serait de lui faire croire que les règles sont facultatives ». Un retour à l'esprit de la IIIe république, afin de restaurer la « belle notion d'autorité ». (→ 24)

Le 10, la hauteur du Mont-Blanc (fixée en 1863 à 4 807 m et relevée en 1986 à 4 808,40 m) est établie par un système GPS à 4 810,40 m.

Record d'audimat pour la chaîne Al Jezira

Doha (Qatar), jeudi 11

La chaîne qatarie Al Jezira fait-elle peur au Pentagone ? Toujours est-il que les grands réseaux de télévision américains, après avoir traîné des pieds, ont accepté la demande faite par la Maison Blanche de censurer au moins partiellement les messages d'Al Qaida qu'ils reprendraient de cette chaîne très appréciée dans tout le monde arabe. Washington craint que les déclarations de Ben Laden ne démoralisent les téléspectateurs américains et, beaucoup plus grave, qu'elles recèlent des signaux codés destinés aux terroristes cachés de par le monde. Considérée comme la CNN des pays arabes, Al Jezira (le mot signifie « l'île ») est une chaîne d'information continue par satellite dont la création remonte à 1996. Financée par le Qatar à hauteur de 130 millions de dollars, elle s'est vite imposée par une indépendance et un dynamisme auxquels les télévisions arabes n'étaient guère accoutumées.

La chaîne qatarie est seule à obtenir des messages vidéo de Ben Laden.

Informations rapides, images chocs et débats lui donnent une apparence d'objectivité. Ses reportages depuis l'Afghanistan, où elle est la seule à opérer, inquiètent par leur impact sur les masses musulmanes.

Les efforts de l'ONU couronnés par le Nobel

Oslo, vendredi 12

Le comité norvégien du prix Nobel a voulu récompenser et encourager l'action de l'ONU en décernant le prix Nobel de la paix à la fois à son secrétaire général, Kofi Annan, et à l'organisation elle-même. Un geste qui prend toute sa signification dans le contexte actuel. Les autres prix avaient été attribués à Stockholm les jours précédents. Le 8, le Nobel de médecine est revenu à l'Américain Leland Hartwell et aux Britanniques Paul Nurse et Tim Holt pour leurs travaux sur les mécanismes du cycle cellulaire ; le 9, le Nobel de physique a honoré Eric A. Cornell et Carl E. Wieman (Etats-Unis), et Wolfgang Keterle (Allemagne), spécialistes de l'état de la matière ; le 10, le Nobel de chimie a été remporté par deux Américains et un Japonais, William Knowles, Barry Sharpless et Ryoji Noyori, pour leurs recherches sur les molécules chirales ; le même jour, Joseph E. Stiglitz, Michael Spence

Le prix Nobel de la paix pour Kofi Annan, conjointement avec l'ONU.

et George A. Akerlof, Américains en rupture avec le dogme libéral, recevaient le Nobel d'économie ; et hier, le Nobel de littérature avait été attribué à V.S. Naipaul, romancier anglophone d'origine indienne.

La maladie du charbon sème la panique aux USA

Etats-Unis, dimanche 14

Les déclarations du ministre de la Santé, Tommy Thompson, sont-elles propres à rassurer l'opinion ? Selon lui, en effet, l'épidémie d'anthrax propagée par des lettres est bel et bien « un acte de terrorisme et de bioterrorisme ». On note toutefois que les autorités américaines restent très prudentes quant à son origine, même si la piste du réseau Al Qaida est privilégiée : aujourd'hui encore, la Croix-Rouge a révélé qu'il existait à Kaboul un laboratoire de vaccins contre l'anthrax. Appelé également fièvre charbonneuse ou maladie du charbon, l'anthrax est propagé par le *Bacillus anthracis*. Il peut prendre

Le principe de précaution est poussé à son extrême : la maladie a déjà tué.

des formes relativement bénignes en cas d'infection cutanée, mais bien plus dangereuses si cette infection est pulmonaire : un journaliste en est mort le 6 octobre. Il travaillait dans le groupe de presse AMI installé à Boca Raton (Floride) où sept de ses collègues ont été contaminés, tandis que quatre autres cas étaient décelés à New York. Sauf une provenant de Malaisie, les lettres contenant de la poudre infectée par la bactérie ont été expédiées depuis les Etats-Unis. La psychose du bioterrorisme fait les affaires de Bayer : l'antibiotique Ciprobay du groupe allemand, très efficace contre l'anthrax, s'arrache dans toutes les pharmacies. (→ 18)

11 septembre...

8. Afghanistan. 2e nuit de frappes : les aéroports de Kaboul, Jalalabad et Kandahar sont touchés. **Kaboul.** 4 employés de l'ONU sont victimes des bombardements. **Chine.** Pékin apporte son soutien à la coalition antiterroriste. **Paris.** Le ministre de la Défense, Alain Richard, confirme la présence en Afghanistan d'agents de renseignement. **Islamabad.** Des

milliers de Pakistanais manifestent violemment contre l'Amérique. **9. Afghanistan.** Journaliste à *Paris-Match*, Michel Peyrard est arrêté par les talibans. **Barfak.** L'Alliance du Nord annonce le ralliement de 1 200 talibans en armes. **Peshawar.** Deux chefs religieux pro-talibans sont assignés à résidence. **10. Ankara.** Accord des députés sur l'envoi éventuel de soldats turcs en Afghanistan. **Etats-Unis.** Une liste

de 22 terroristes soupçonnés d'avoir mené des actions antiaméricaines entre 1985 et 1998 est publiée. **Etats-Unis.** 5 Awacs de l'Otan participent à la sécurisation de l'espace aérien. **11. Afghanistan.** L'Alliance du Nord a pris la province de Ghor. **Jakarta.** 4e journée de manifestations contre les frappes. **Islamabad.** Le Pakistan reconnaît que des soldats américains sont présents sur son sol. **Etats-Unis.** Un mois après les attentats, le bilan

est de 417 morts et 4 815 disparus. **12. Washington.** Gel des avoirs de 39 organisations liées à Ben Laden. **13. Kandahar.** Les talibans refusent de livrer Ben Laden en échange de l'arrêt des frappes. **Washington.** Le Pentagone reconnaît qu'une bombe de 900 kg a explosé en plein Kaboul. **14. Afghanistan.** Le mollah Omar promet aux Etats-Unis « une leçon plus sévère que celle infligée dans les années 80 aux Soviétiques ».

Octobre

Lu	Ma	Me	Je	Ve	Sa	Di
1	2	3	4	5	6	7
8	9	10	11	12	13	14
15	16	17	18	19	20	21
22	23	24	25	26	27	28
29	30	31				

Séoul, lundi 15
Le Premier ministre japonais présente ses excuses au peuple coréen pour les souffrances que lui a infligées son pays durant la colonisation (1910-1945).

Abidjan, lundi 15
Retour au pays de l'ancien président ivoirien Henri-Konan Bédié, destitué en 1999.

Tel-Aviv, lundi 15
Le parti nationaliste Beitenou, défenseur des colons, quitte le gouvernement : il juge Sharon trop conciliant.

Paris, mardi 16
La Cour de cassation confirme qu'Internet est soumis au même régime que la presse, en matière notamment de diffamation.

Paris, mardi 16
Laurent Fabius, ministre de l'Economie, annonce la baisse du prix des licences UMTS ; leur durée passe de 15 à 20 ans.

Paris, mardi 16
L'Elysée rappelle à son devoir de réserve Olivier Schrameck, directeur de cabinet de Lionel Jospin, qui s'en prend au chef de l'Etat dans le livre *Matignon, rive gauche*.

Moscou, mercredi 17
Vladimir Poutine annonce la fermeture prochaine des bases militaires toujours actives au Viêt-nam et à Cuba.

Paris, vendredi 19
Naissance de Sahteene, fille de Laetitia Casta et de Stéphane Sednaoui, photographe.

Toulouse, dimanche 21
Un mois après l'explosion de l'usine AZF, 11 000 familles sont sans logement, et 7 000 salariés en chômage technique.

Tel-Aviv, dimanche 21
Les travaillistes menacent de quitter le gouvernement si l'armée poursuit ses incursions en territoire palestinien.

DECES

Paris, mardi 16
Jean Danet, metteur en scène et comédien (*14.1.1924).

Rouen, mercredi 17
Micheline Ostermayer, pianiste et championne olympique du lancer du poids (*23.12.1922).

Versailles, dimanche 21
Jean-François Chiappe, historien (*30.11.1931).

 4 264,39   21,08 $

€ 0,8980 $

Confusion autour du largage d'aide humanitaire pour les civils

Afghanistan, lundi 15
Les ONG, qui n'avaient pas attendu les bombardements pour réclamer à cor et à cri une aide humanitaire d'urgence pour l'Afghanistan, sont écœurées. Menacées de famine, les populations afghanes sont devenues soudain l'objet d'une sollicitude qui leur paraît suspecte. C'est ainsi que, dès le lendemain des premiers raids, Médecins sans frontières a dénoncé la « coalition militaro-humanitaire » mise en place par les Etats-Unis et la Grande-Bretagne, estimant que les largages de vivres, de tentes, de couvertures ou de médicaments, tels qu'ils ont été effectués par l'aviation américaine, étaient une « opération de propagande militaire ». De fait, les ONG font observer que l'aide parachutée par les Américains n'est pratiquement d'aucune utilité, car elle est effectuée en pleine nuit, au petit bonheur, sans le moindre souci de son utilisation réelle. Cette aide,

Des sacs aux inscriptions en anglais, espagnol et français jonchent le désert.

selon l'ONU, bénéficie surtout aux talibans eux-mêmes qui, seuls, ont les moyens de se l'approprier. Aussi Médecins sans frontières demande que les fonds débloqués par l'UE (300 millions d'euros) ainsi que ceux promis par le Président Bush (320 millions de dollars) soient gérés et répartis dans le cadre d'une « action humanitaire indépendante ».

Mata-Hari vers la réhabilitation ?

Paris, lundi 15
Le 15 octobre 1917, au polygone de tir de Vincennes, une ressortissante néerlandaise nommée Margaretha Geertruida Zelle MacLeod tombait devant un peloton d'exécution après avoir été condamnée à mort. Plus connue sous son nom de scène de Mata-Hari, cette danseuse avait été accusée d'espionnage au profit de l'Allemagne. Injustement ? Appuyée sur un ouvrage intitulé *Mata-Hari, autopsie d'une machination*, de Léon Schirmann, et sur la publication des pièces du procès dans *Mata-Hari, le dossier secret du Conseil de guerre*, une requête en révision est déposée au ministère de la Justice.

Jennifer Capriati revenue de l'enfer

Filderstadt (Allemagne), lundi 15
Jennifer Capriati vient de passer le plus beau week-end de sa vie. Bien qu'éliminée vendredi par Sandrine Testud en quart de finale du tournoi de Filderstadt, l'Américaine a pris la tête du classement mondial, suite à l'abandon sur blessure de Martina Hingis, en demi-finale, samedi. Une magnifique réhabilitation pour celle que l'on ne croyait plus revoir il y a deux ans encore. Après des débuts époustouflants dès l'âge de 13 ans, Jennifer Capriati avait sombré dans la drogue et la délinquance. Cette saison, ses victoires en Australie et à Roland-Garros lui ont fait assurer : « La bête est loin derrière. »

Polémiques autour d'une plaque

Paris, mercredi 17
Ce matin, le maire de Paris Bertrand Delanoë a dévoilé une plaque « à la mémoire des nombreux Algériens tués lors de la sanglante répression de la manifestation pacifique du 17 octobre 1961 ». En fait, les chiffres des victimes varient entre 30 et 300 selon les sources, et cet épisode de la guerre d'Algérie reste largement controversé. D'où les protestations très vives de la droite municipale et parlementaire contre un geste jugé inopportun et, surtout, sélectif : les policiers tués en France par le FLN sont oubliés. Au pont Saint-Michel, les élus et militants qui tentaient de protester ont été repoussés.

11 septembre...

15. Afghanistan. L'Alliance du Nord engage une offensive vers Mazar-e Charif. **Riyad.** L'Arabie Saoudite est réticente sur l'efficacité de frappes atteignant « des innocents ». **Etats-Unis.** Par peur de prendre l'avion, la visioconférence se développe.
16. Kaboul. Un entrepôt de la Croix-Rouge est détruit sur une erreur de tir. **Afghanistan.** Les AC-130, avions d'attaque au sol, entrent en action.
17. Washington. La Chambre des représentants suspend ses travaux pour une semaine : 33 personnes ont été exposées à un pli contaminé par de l'anthrax.
18. Nairobi (Kenya). 1er cas hors des Etats-Unis de courrier à l'anthrax. **New York.** 4 terroristes impliqués dans les attentats commis contre les ambassades US en Tanzanie et au Kenya sont condamnés à une peine de perpétuité incompressible.
19. Pakistan. Crash d'un hélicoptère américain. Deux militaires sont tués.
20. Kaboul. 1er raid d'hélicoptères américains au-dessus de la capitale. **Shangai.** Jiang Zemin et Vladimir Poutine appellent à un règlement politique de la crise afghane.
21. Washington. Le *Washington Post* révèle que George Bush a donné son feu vert à la CIA, il y a un mois, pour éliminer Ben Laden.

Un ministre tué en Israël

Jérusalem, mercredi 17

Le Front populaire de libération de la Palestine (FPLP) avait annoncé qu'Abou Ali Moustapha, son chef liquidé par les Israéliens le 27 août dernier, serait vengé. Vers 7 heures, Rehavam Zeevi, 75 ans, le ministre israélien du Tourisme, réputé pour ses positions sécuritaires radicales, a été assassiné par un ou plusieurs membres de cette organisation qui s'étaient infiltrés dans son hôtel. Le ou les tueurs du FPLP, qui vient de revendiquer l'attentat, ont disparu. Ariel Sharon en a aussitôt attribué la responsabilité à Yasser Arafat, le sommant d'identifier et de lui livrer sur-le-champ les meurtriers. (→ 24)

Zeevi jugeait Sharon trop conciliant.

La chasse aux plaisantins de l'anthrax

France, jeudi 18

Les lettres faussement contaminées à l'anthrax se multipliant, la justice a décidé de sévir : elles relèvent de « violences avec préméditation ». A Rennes et à Bayonne, deux hommes ont ainsi été condamnés à un mois de prison ferme. Le premier s'était vengé d'une entreprise de VPC en lui envoyant une lettre remplie de sucre glace ; le second, un conseiller municipal en vacances, avait voulu faire une farce à ses collègues en leur expédiant du lait en poudre. Pour des faits similaires, un aubergiste de Savoie a écopé de trois mois avec sursis et d'une amende. Aujourd'hui c'est le Palais-Bourbon qui a reçu son enveloppe de poudre... (→ 27)

Aux USA, les politiques sont visés.

Les Anglais ratent le Grand Chelem

Dublin, samedi 20

Ce fut un tournoi insolite et, pour le moins, décevant. D'abord parce que le calendrier des rencontres entre les six nations rugbystiques de l'ancien continent a été bouleversé en raison des mesures de précaution adoptées par la Grande-Bretagne et justifiées par l'épizootie de fièvre aphteuse. Ensuite parce que l'Angleterre, qui a touché terre aujourd'hui face aux Irlandais (20-14), a laissé échapper un Grand Chelem à sa portée. Elle remporte tout de même le tournoi, mais sans panache. Quant au XV de France, il finit avant-dernier, devant l'Italie...

Les bombardements ont ouvert la voie à une offensive terrestre

Des soldats américains de l'US Air Force apportent leur concours à l'Alliance.

Afghanistan, dimanche 21

L'explication finale approche. Les combattants de l'Alliance du Nord attendaient que les bombardements américains aient fait leur effet pour passer à l'offensive. C'est chose faite aujourd'hui : tandis que la ligne de front des talibans continuait d'être pilonnée, l'Alliance du Nord a lancé une violente attaque dans le secteur de Darae Souf, en attendant de faire tomber Mazar-e Charif et d'ouvrir la route de Kaboul. Dans le sud du pays, les Américains ont débarqué des rangers pour préparer un assaut sur Kandahar, fief du mollah Omar. Le secrétaire d'Etat Colin Powell a déclaré ce dimanche espérer en finir « avant le début de l'hiver ».

Le 20, une mini-tornade s'abat dans la matinée sur le Roussillon et sur le Languedoc. Dans l'après-midi, des pluies très violentes dévastent la Drôme et la Haute-Loire. Bilan : deux morts et d'importants dégâts.

Le 21, à Shanghaï, les présidents russe, américain et chinois s'affichent pour la première fois ensemble, en vestes de soie, lors de la clôture du sommet de l'APEC (Forum de coopération économique Asie-Pacifique).

Octobre

Lu	Ma	Me	Je	Ve	Sa	Di
1	2	3	4	5	6	7
8	9	10	11	12	13	14
15	16	17	18	19	20	21
22	23	24	25	26	27	28
29	30	31				

Berne, lundi 22
3,1 milliards d'euros de fonds publics et privés sont injectés dans Swissair.

Ulster, mardi 23
L'IRA annonce qu'elle engage son désarmement.

Paris, mercredi 24
Jack Lang souhaite « remettre le grec et le latin à la mode ».

Paris, mercredi 24
Le garde des Sceaux lance la construction de 35 prisons.

Beit Rima, mercredi 24
Israël arrête deux assassins présumés de Rehavam Zeevi.

Bonifacio, vendredi 26
Assassinat de Nicolas Gros, un proche de François Santoni.

Las Vegas, vendredi 26
Naissance de Jaden Gil, fils de Steffi Graf et Andre Agassi, qui se sont mariés lundi dernier.

Suisse, lundi 29
Le bilan définitif de l'accident du Gothard est de 11 morts.

Paris, mardi 30
Le Conseil d'Etat suspend l'intégration des écoles Diwann (en langue bretonne) dans le secteur public.

France, mercredi 31
Le mois d'octobre a été le plus chaud dans le pays depuis 1921. Biarritz a connu hier un record de chaleur avec 30,7° C.

France, mercredi 31
Alliance renforcée entre Nissan et Renault : le Français monte à 44,4 % dans le capital de Nissan qui prend 15 % de Renault.

France, mercredi 31
Les magasins Marks & Spencer sont repris par un pôle bâti par les Galeries Lafayette.

DECES

Paris, mardi 23
Daniel Wildenstein, marchand de tableaux et collectionneur hors pair (*11.9.1917).

Neuilly, mercredi 24
Guy Schoeller, éditeur. Il lança le livre de poche et la collection « Bouquins » (*11.7.1915).

Paris, samedi 27
Sophie Tatischeff, cinéaste, fille de Jacques Tati (*23.10.1946).

Moscou, dimanche 28
Grigori Tchoukraï, cinéaste soviétique (*1921).

 4 478,63   21,17 $

€ 0,8921 $

Moulinex est versé dans la cocotte SEB

Nanterre, lundi 22
Le tribunal de commerce a tranché : SEB reprendra Moulinex, du moins partiellement. Car le plan présenté par le P-dg de SEB, Thierry de La Tour d'Artaise, prévoit la fermeture des sites d'Alençon, de Falaise, de Cormelles-le-Royal et de Bayeux, et aussi de plusieurs sites étrangers. Le groupe électroménager avait déposé son bilan le 7 septembre, et l'on a évité de peu la liquidation pure et simple. Mais, pour les 3 700 salariés français voués au licenciement, le choc est terrible. La Normandie tout entière se sent amputée. (→ 12.11)

Le 23, le « Koursk » émerge sur un dock flottant à Rosliakovo, au nord de Mourmansk. Le sous-marin russe perdu le 14 août 2000 a été renfloué de la mer de Barents par une barge de la société néerlandaise Mammoet.

L'affaire du « Chinois » fait déborder la rancœur des policiers

A Créteil, protestation silencieuse des policiers contre le laxisme de la justice.

Paris, mercredi 24
Pour Lionel Jospin, la libération de Jean-Claude Bonnal, dit le Chinois, est due à une erreur d'appréciation des juges, et non à la loi Guigou sur la présomption d'innocence. Ce que contestent les 10 000 policiers qui ont manifesté hier à Créteil. Rappel des faits : multirécidiviste, Bonnal a été libéré en décembre 2000 après deux ans de détention provisoire. Résultat : le truand est impliqué dans le quadruple meurtre perpétré dans un bar d'Athis-Mons le 6 octobre, et l'analyse de son ADN a prouvé qu'il était le 16 sur les lieux de la fusillade du Plessis-Trévise, toujours dans la région parisienne, qui a coûté la vie à deux policiers.

Au moins dix morts dans l'accident du tunnel du Saint-Gothard

Suisse, mercredi 24
L'enquête sur l'incendie du tunnel du Mont-Blanc n'est pas terminée que la tragédie recommence dans le tunnel du Saint-Gothard. Ce matin, peu avant 10 heures, deux camions entrent en collision à 1,5 km de la sortie sud. La cargaison de pneus et de bâches de l'un des poids lourds prend feu aussitôt, provoquant un effondrement de la voûte du tunnel et bloquant plusieurs automobiles. Si le système de ventilation a bien fonctionné, chassant la fumée vers la sortie nord, les secours restent ce soir entravés par la chaleur. Le bilan provisoire est de 10 morts. Quant au débat sur la réouverture du tunnel du Mont-Blanc, il est relancé. (→ 29)

A minuit, les pompiers suisses n'avaient toujours pas atteint le lieu de l'accident.

Mathilde donne Elisabeth à la Belgique

Anderlecht, jeudi 25

« Elle est blonde, avec un visage tout rond, une vraie petite femme », a dit le prince Philippe après avoir assisté à la naissance de sa fille Elisabeth. Quant à la princesse Mathilde, elle se porte bien malgré la césarienne en semi-urgence qu'elle a dû subir. L'intervention a eu lieu à l'hôpital Erasme d'Anderlecht, à 21 h 58. Le bébé, qui pèse 2,93 kg, prend donc la deuxième place (après son père) dans l'ordre de succession au trône de Belgique, la loi salique ayant été abolie outre-Quiévrain en 1991. Ce sont cent coups de canons qui seront tirés demain pour célébrer l'heureux événement, tradition oblige !

Un bonheur ressenti par tout le pays.

Mort de l'impératrice aux yeux tristes

Paris, jeudi 25

« Je veux pleurer comme Soraya », chantait Marie-Paule Belle sur des paroles de Françoise Mallet-Joris. L'« impératrice triste », comme on l'avait surnommée, a été retrouvée morte chez elle, à l'âge de 69 ans (*22.6.1932). Issue d'une puissante tribu iranienne, Soraya Esfandiari avait épousé le chah d'Iran en 1951. Elle dut en divorcer en 1958, étant dans l'incapacité de donner au trône un héritier. Depuis, elle traînait sa mélancolie, qu'elle essaya de briser en 1964 en tentant une carrière au cinéma. Sans lendemain. En 1991, elle avait publié son autobiographie, *le Palais des solitudes*.

Elle n'avait jamais voulu se remarier.

Les talibans capturent et exécutent un des chefs de l'opposition

Kaboul, vendredi 26

C'est un coup dur pour les stratèges américains. L'homme qui pouvait retourner les Pachtouns contre les talibans a été capturé et exécuté à Kaboul. Abdul Haq, 43 ans, était un héros de la résistance afghane aux Soviétiques. D'origine pachtoune, il s'était expatrié après la victoire des moudjahidin, refusant de se mêler à la guerre civile qui en avait résulté. Son prestige était resté immense, et, pour l'après-talibans, il s'était rallié au plan de paix proposé par l'ancien roi. Le 21 octobre, il s'était infiltré en Afghanistan, mais il fut repéré et encerclé au sud de Kaboul. Malgré l'intervention des avions américains, il n'a pas pu s'échapper.

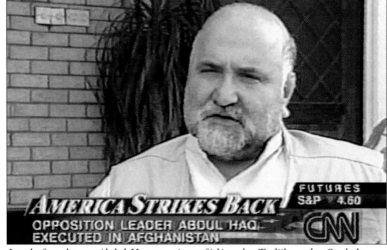
Le chef pachtoun Abdul Haq aurait pu fédérer les Tadjiks et les Ouzbeks.

L'anthrax ne serait pas lié à Ben Laden

Etats-Unis, samedi 27

Le *Washington Post* annonce que le FBI et la CIA orientent leur enquête sur les attaques à l'anthrax vers une piste intérieure. Dans le collimateur : des groupes d'extrême droite dont les fantasmes terroristes auraient été réveillés le 11 septembre. Jeudi, le *Washington Post* (ainsi que le *New York Times*) avait également révélé que la bactérie pourrait venir d'un laboratoire militaire, tel qu'il n'en existe qu'aux Etats-Unis, en Irak et dans l'ex-URSS. Mais l'analyse des courriers contaminés semble rendre hautement improbable une origine étrangère de la bactérie.

Direction bicéphale au parti communiste

Puteaux, dimanche 28

Le week-end a été éprouvant pour Robert Hue. Organisé à la Défense, le 31e congrès du PCF a en effet été marqué par une contestation de plus en plus vive de la ligne réformiste adoptée par le parti, beaucoup trop complaisant à l'égard du PS au goût de nombreux délégués. Robert Hue a néanmoins sauvé la mise en faisant adopter la création d'une présidence dont il devient le premier titulaire, abandonnant le secrétariat national à Marie-Georges Buffet. Le ministre de la Jeunesse et des Sports devra tenir le parti en bon ordre derrière Hue, candidat à l'Elysée.

Mamère récupère la place de Lipietz

Paris, lundi 29

Le psychodrame est achevé : Noël Mamère sera le candidat des Verts à la présidentielle. Les militants, qui lui avaient préféré Lipietz en juin, ont adoubé à 81,6 % celui qui avait juré, de façon « irrévocable », ne pas vouloir se présenter. Alain Lipietz a payé des propos, jugés scandaleux, en faveur d'une amnistie inévitable des prisonniers « politiques » corses. Moins dogmatique – c'est justement ce que les Verts lui reprochaient –, Noël Mamère a répondu à ceux qui raillent ses relations exécrables avec Dominique Voynet : « La politique n'est pas une affaire d'amour. »

L'armée israélienne évacue Bethléem

Bethléem, lundi 29

Dans la nuit du jeudi 18 au vendredi 19 octobre, l'armée israélienne avait occupé en force Bethléem, Beït Jala, Jénine, Toulkarem et Kalkiliya, en représailles à la suite de l'assassinat du ministre israélien du Tourisme, Rehavam Zeevi. Une cinquantaine de Palestiniens ont trouvé la mort au cours de cette opération qui, selon les Etats-Unis même, était de nature à faire reculer toute perspective de négociation entre Yasser Arafat et Ariel Sharon. Cédant à la pression américaine, Tsahal a commencé son retrait, limité aux zones autonomes de Bethléem et de Beït Jala.

Mille gardes à vue, cinq vrais suspects

Etats-Unis, lundi 29

Il ne vaut mieux pas être basané et musulman aux Etats-Unis, ni avoir joué au méchant loup en clamant sa joie par téléphone à l'annonce des attentats du 11 septembre. Il n'en faut parfois pas plus pour figurer parmi les mille suspects toujours en garde à vue, et le plus souvent sans possibilité de consulter un avocat ou de joindre sa famille. Mille suspects dont seulement cinq, de l'aveu du FBI, sont sérieusement soupçonnés de liens avec Al Qaida. Et leur sort ne risque pas de s'améliorer : depuis vendredi, une nouvelle loi porte la garde à vue à sept jours.

Régine Cavagnoud tombée en pleine gloire

Le grand objectif de la skieuse de La Clusaz était les JO de Salt Lake City.

Innsbruck, mercredi 31
Régine Cavagnoud n'a pas survécu à ses blessures. Il était 10 h 30 quand l'hôpital universitaire d'Innsbruck a publié le terrible communiqué. Les chances de survie de la championne du monde de super-G étaient faibles depuis son accident de lundi. Alors qu'elle s'entraînait en Autriche sur la piste du glacier du Pitztal, Régine a heurté de plein fouet l'entraîneur allemand Markus Anwander. Crâne brisé, foie éclaté, visage fracturé, la skieuse française a été transportée à Innsbruck dans le coma. Malgré une opération de 6 heures, elle ne devait pas en sortir. A 31 ans (*27.6.1970), Régine avait abordé la saison avec ambition : samedi, elle s'était classée 3e au super-G de Sölden.

Claudie Haigneré est de retour sur terre

La Française avait déjà fait un séjour dans l'espace en 1996, à bord de Mir.

Kazakhstan, mercredi 31
Claudie Haigneré est radieuse : dans les steppes du Kazakhstan où elle a atterri ce matin avec ses camarades russes Constantin Kozeev et Victor Afanassiev à bord du Soyouz TM32, son mari Jean-Pierre Haigneré était au rendez-vous. Les trois membres de cet équipage franco-russe avaient décollé de Baïkonour le 21 octobre avec le Soyouz TM33, puis s'étaient amarrés le 23 à la Station spatiale internationale (ISS). La cosmonaute française a pu remplir le programme d'expériences scientifiques qui lui avait été fixé par l'Agence spatiale européenne, et communiquer avec les siens ou les médias. Elle a même reçu un « texto » de Muriel Robin, le premier de l'histoire de l'espace !

Le 31, à 20 km au sud de Dax, le TGV Paris-Hendaye déraille. Il a heurté un objet laissé sur la voie. Un seul blessé léger est à déplorer.

Les vétérans de la guerre du Viêt-nam bombardent les talibans

Afghanistan, mercredi 31
L'entrée en action des B-52 à 25 km au nord de Kaboul pourrait être un tournant de la guerre. Vétérans des campagnes de bombardement de la guerre du Viêt-nam, les bombardiers B-52 ont un âge respectable puisque leur entrée en service dans l'US Air Force remonte à 1954 ! A l'origine destinés à la dissuasion nucléaire, ils ont été depuis longtemps convertis en lanceurs de missiles de croisière ou de bombes sophistiquées. Leurs frappes sur les positions talibanes semblent le prélude à une offensive de l'Alliance sur la capitale.

11 septembre...

23. France. Déploiement de missiles antiaériens pour protéger l'usine de La Hague et la base sous-marine de l'Ile-Longue. **Washington.** George Bush est contraint de dire qu'il n'a pas la maladie du charbon après que des bacilles ont été détectés dans le centre de tri de la Maison Blanche.
24. New York. L'ONU présente son plan pour l'après-talibans : le pays serait dirigé pendant un an par un « gouvernorat » qu'elle nommerait, secondé par des Afghans.
25. Peshawar. Fin de la conférence de 24 h des chefs de tribus afghans. Ils demandent aux USA d'arrêter les bombardements et à Ben Laden de quitter leur pays. **Washington.** Selon Donald Rumsfeld, secrétaire d'Etat à la Défense, il sera « très difficile » de capturer Ben Laden.
26. Islamabad. Le Pakistan livre un membre d'Al Qaida aux Etats-Unis.
Karachi. 50 000 personnes défilent contre les raids américains.
28. Alger. Le mollah Omar déclare dans le quotidien *El Youm* que « la vraie guerre » n'a pas commencé.
29. Afghanistan. Des munitions sont parachutées à l'Alliance du Nord. **France.** Bilan de Biotox depuis le 15 : 2 285 alertes à l'anthrax, aucun cas confirmé. **Etats-Unis.** Depuis le 4, la maladie du charbon a fait 4 morts et contaminé 14 personnes. 10 000 Américains ont été préventivement placés sous antibiotique.
30. New York. Pour 240 millions de dollars de lingots d'or et d'argent sont récupérés dans les décombres du WTC.
31. Afghanistan. Selon les talibans, les frappes américaines ont déjà fait 1 500 victimes civiles. **Etats-Unis.** Toutes les centrales nucléaires sont placées en état d'alerte maximum.

La Bourse revient à la réalité

Il y avait eu, en 1999 et en 2000, la flambée des valeurs dites de la nouvelle économie ; il y a eu, en 2001, un retour à la raison, concomitant d'un ralentissement économique dont les liens avec la correction boursière méritent d'être analysés. Puis il y a eu les événements du 11 septembre qui, tant par leur charge émotionnelle que par une approche raisonnée de leurs conséquences, ont ouvert la voie à un automne de tous les dangers.

L'illusion de nouveaux ratios pour une non moins illusoire « nouvelle économie »

Pour parler franchement, tous les professionnels n'avaient pas été abusés par des perspectives, présentées comme mirobolantes, de la « nouvelle économie ». Tout le monde n'avait pas ensemble « pété les plombs ». Mais la forme d'organisation, très en amont, des marchés a donné l'illusion d'un mouvement d'ensemble. Les banquiers d'affaires, qui ont participé aux introductions en Bourse, et les chefs d'entreprise portent une grande responsabilité dans la surévaluation des sociétés de la « nouvelle économie ».

Heureusement pour eux, le marché financier permet — ce que n'avait pas permis le marché immobilier — de repasser le mistigri aux particuliers. Beaucoup d'argent a été gagné en amont sur des valorisations extrêmement hasardeuses, mais le marché financier, encouragé en cela par des analystes trop complaisants, a permis d'assurer la transition et d'acter des valorisations qui étaient tout à fait exagérées. L'argument était qu'il y avait une « nouvelle économie », et qu'il fallait lui

appliquer des ratios de valorisation différents de ceux de l'ancienne économie. L'ancienne économie reposait sur la capitalisation des bénéfices ; on mesurait la santé et les perspectives d'avenir de la « nouvelle économie » par les taux de croissance du nombre de clients, du chiffre d'affaires, du développement donc, mais sans tenir compte du modèle de rentabilité. Ce message avait été très bien conçu et très bien diffusé, de telle sorte que le marché a absorbé tout ce qui lui était proposé en provenance de ce secteur. Ce n'était bien évidemment pas innocent, mais tout le monde, ou presque, s'y est laissé prendre, jusqu'à ce que chacun revienne à un principe simple et sage : une entreprise ne vaut que par sa capacité à dégager des bénéfices.

Cette spéculation sur les valeurs Internet, sur les valeurs de cette « nouvelle économie » qui n'a jamais existé et dont on ne parle plus, restera dans l'histoire comme une spéculation, du genre de celle menée sur les tulipes il y a quelques siècles, à cette différence près, et bien sûr essentielle, qu'elle fut parfaitement organisée, et que certains en ont tiré un grand bénéfice, à savoir tous ceux qui se trouvent en amont des marchés financiers : les chefs d'entreprise et les banquiers d'affaires, tout ceux qui ont participé à faire qu'une entreprise qui aurait valu cent en temps normal se présente en Bourse en valant mille.

De cent fois le chiffre d'affaires à dix fois les bénéfices

Qu'est-ce qui est à la source d'une spéculation ? Le sentiment qu'il n'y en aura pas assez

pour tout le monde. Or les banquiers, qui sont en principe des gens prudents, sont en réalité extrêmement moutonniers. Ils sont régulièrement pris d'une espèce de frénésie : il leur en faut aussi. C'est ce qu'on avait vu sur l'immobilier. A cette différence que, dans l'immobilier, ça c'était mal terminé pour eux, parce qu'on ne met pas aussi facilement en Bourse un immeuble qu'une entreprise de la « nouvelle économie ». Mais le schéma était le même. Si ce n'est que, cette fois, les banquiers avaient bien retenu la leçon : ils ont gagné beaucoup d'argent, puis ils ont refilé le bébé aux marchés financiers. Quand ledit bébé — l'entreprise de la « nouvelle économie » — n'est pas prématurément décédé, et a continué son bonhomme de chemin, il ne valait plus — plus précisément il ne se payait plus — cent fois le chiffre d'affaires, mais dix fois les bénéfices. Ce n'était évidemment plus du tout le même prix.

Le primat de l'émotionnel

Le marché n'est absolument pas raisonnable et rationnel. La dimension raisonnable et rationnelle du marché n'est mise en valeur que pour justifier a posteriori une valorisation. Et encore, on a vu qu'on était sorti des modèles de valorisation traditionnels pour inventer de nouveaux concepts. Mais la dimension émotionnelle, on l'a vu en septembre, est beaucoup beaucoup plus forte. Le marché ne vit pas de raison : il vit d'émotions, de passions, de peurs, de paniques, d'espoirs. Dans la mesure où tout le monde, aujourd'hui, détient à peu près les mêmes informations, qui sont largement banalisées, diffusées à tout le monde sous la même forme, chacun les prend à sa manière. C'est cela qui fait le marché, car si tout le monde traitait l'information de la même manière, il n'y aurait pas de marché puisque, par définition, le marché, quelle que soit sa configuration, qu'il augmente de 10 % ou qu'il baisse de 10 %, impose qu'il y ait exactement, à l'unité près, autant d'acheteurs que de vendeurs. Donc le marché est fondé sur la diversité des tempéraments et des émotions.

La Bourse sous la coupe des banques

Le marché vit aujourd'hui d'autant plus de passion qu'il est de plus en plus volatil dans la mesure où les grands acteurs ont de moins en moins de temps pour eux. Autrefois, les gérants, qui étaient d'ailleurs très nombreux, prenaient le temps de gérer sur le long terme ; aujourd'hui, les grandes gestions sont jugées, classées pratiquement tous les jours. Et, depuis que la banque a mis la main sur la Bourse, elle considère que le gérant est un élément de risque qu'il faut essayer de neutraliser ou de stériliser. Elle a imposé des

La Bourse de Wall Street sera fermée après le 11 septembre, ce qui ne s'était pas vu depuis 1929.

Les valeurs de la nouvelle économie ont commencé à se déprécier fortement en avril 2000.

normes, des grilles. La plupart des gérants ne font plus de gestion : ils reproduisent un indice. Ce n'est plus de la gestion, c'est de l'exécution. Et tout le monde agit dans le même sens au même moment, ce qui accroît encore la volatilité. Mais beaucoup de gérants aujourd'hui préfèrent avoir tort tous ensemble que raison tout seuls. Et les contre-pouvoirs que sont les spéculateurs ont peu à peu disparu. Ce sont quelques grands gérants qui font la tendance : et, quand ils se trompent, il se trompent tous ensemble. C'est assez confortable pour eux puisqu'ils ne risquent pas de sortir du peloton, ce qui est la grande angoisse des banquiers.

Le marché européen sur les pas du marché américain
Un autre élément qu'il est nécessaire de garder toujours présent à l'esprit est que le marché américain est le marché directeur, qu'il s'agisse du Dow Jones ou du Nasdaq. Le marché américain puise ses forces en lui-même, il vit sa propre vie, sans attendre des événements exogènes en provenance d'autres marchés. De plus, les investisseurs américains sont très présents sur les marchés européens, notamment à travers les fonds de pension. Résultat : les marchés européens ne sont plus que des marchés suiveurs.

Ne pas confondre la cause et l'effet
Un élément nouveau des années 2000 et 2001 est la prise de conscience de l'effet d'entraînement de la Bourse sur l'économie. C'est la Bourse qui a tiré l'économie, beaucoup plus que l'économie qui a tiré la Bourse. Les analystes essayent souvent d'expliquer l'évolution de la Bourse par des éléments économiques : le taux de croissance, le PIB, le ralentissement de l'économie, etc. Or on s'aperçoit aujourd'hui que le ralentissement est largement dû à la correction boursière. Il y

avait eu un formidable « effet richesse » en 1999 dû à l'envolée du Nasdaq. Aujourd'hui, il y a un « effet pauvreté ». Et c'est cet effet qui est au moins aussi responsable du ralentissement de l'économie que le ralentissement de l'économie est responsable de la dépression boursière. Quelle est la cause ? Quel est l'effet ? Parfois on mélange un peu les deux. Il y a au moins une interaction, et plus certainement un impact très important, surtout quand on voit les sommes en jeu, de la correction boursière sur l'évolution économique. Pourquoi ? Parce que l'« effet richesse », ou l'« effet pauvreté », détermine le comportement des consommateurs américains. Ceux-ci, qui sont très endettés, très influents, très présents en Bourse, ont le sentiment que leur portefeuille s'est déprécié, souffrent d'un effet bien connu en économie qui fait qu'ils deviennent plus frileux quand leur capital se déprécie, même s'ils ne sont pas directement touchés. Aux Etats-Unis, la détente des taux d'intérêt a un effet beaucoup plus important qu'ailleurs sur les consommateurs parce qu'ils sont endettés, alors qu'au Japon, où ils épargnent, la baisse des taux les pénalise : ils ont une rémunération moindre de leur épargne.

Le 11 septembre, un électrochoc salutaire ?
Il y a donc eu, en 2001, d'abord un retour à la raison, qui a entraîné le ralentissement économique, puis, à partir du 11 septembre, cet élément exogène, qui a été un élément négatif supplémentaire, mais qui a été en fait, en étant un peu cynique, un électrochoc salutaire car le ralentissement économique apparaissait déjà nettement dans les cours. On était partis pour une dépression : cet électrochoc a permis aux Américains de se mobiliser, dans un réflexe nationaliste — ou du moins patriotique — impressionnant. Les marchés se sont repris, alors qu'on peut se demander s'ils l'auraient fait s'il n'y avait pas eu cet événement.

Celui-ci a aussi servi, et c'est là beaucoup plus choquant, à justifier des plans sociaux qui auraient de toute façon eu lieu.

Le patriotisme américain a évité le krach
Ce phénomène inimaginable, qui a touché les Etats-Unis au cœur, et particulièrement son pouvoir financier, a entraîné une réaction de panique ou du moins d'extrême prudence. Dans un contexte déjà largement déprimé, chacun a pensé que cela allait inexorablement accélérer le ralentissement. Car qu'est-ce qui tenait encore l'économie, tant aux Etats-Unis qu'en Europe ? La consommation. Il paraissait logique que les consommateurs se replient chez eux, désertent les boutiques, etc. On s'aperçoit, après coup, qu'on a été un peu trop pessimistes. Mais telle a été la réaction le 11 septembre. Cela explique largement les 10 ou 15 % de baisse qui ont depuis été repris. Pour une fois, sur la base d'éléments raisonnables, le marché a réagi normalement. Et l'exceptionnelle mobilisation des Américains a permis d'éviter le krach ou de ne pas transformer en apocalypse boursière le krach rampant qui touchait toutes les places. Par exemple, le CAC 40 avait perdu 40 % en un an. Au plus bas cours, il avait perdu 50 %. En France, plus encore que le 11 septembre, le véritable creux a eu lieu au lendemain des événements de Toulouse. L'explosion de l'usine AZF a entraîné une perte de 7 %. C'est le seul moment où tout le monde s'est précipité pour vendre. Le CAC 40 est descendu aux alentours de 3 500 points, puis s'est repris.

Spéculer, c'est anticiper, prévoir
La Bourse est aujourd'hui en France au cœur d'un régime qui n'est pas capitaliste, mais qui est en train d'évoluer vers un régime plus libéral. De plus ou plus de gens sont concernés par la constitution de leur épargne. La Bourse devient en quelque sorte un baromètre de la confiance des ménages et de la santé de l'économie. On cherche à savoir comment les Français consomment ou envisagent de le faire, s'ils sont ou non optimistes, etc. : la Bourse cote leur degré de confiance. C'est une réalité, mais une réalité décalée. La Bourse ne vit pas dans le présent, elle anticipe. Elle vit dans l'avenir. Elle ne fait pas un diagnostic de la situation des entreprises aujourd'hui, contrairement à la comptabilité nationale. La Bourse n'a pas une vision d'expert-comptable mais de spéculateur au sens étymologique du terme, c'est-à-dire *speculare* : anticiper, prévoir. Ce qui explique qu'il y ait des décalages de cycles. Quand ça va très mal, on s'aperçoit que la Bourse commence à aller mieux. Il reste à rétablir dans les esprits que la Bourse est d'abord un lieu de financement de l'économie. Sa raison d'être, c'est que les entreprises puissent venir trouver sur le marché financier les moyens nécessaires à leur développement.

Gérard Augustin-Normand,
président de Richelieu Finance

Novembre

Lu	Ma	Me	Je	Ve	Sa	Di
			1	2	3	4
5	6	7	8	9	10	11
12	13	14	15	16	17	18
19	20	21	22	23	24	25
26	27	28	29	30		

Nîmes, jeudi 1er
Escrime : la France remporte la Coupe des Nations.

Strasbourg, lundi 5
Entre 997 voitures (selon le préfet) et 1 526 (selon la police) incendiées depuis janvier.

Lourdes, mardi 6
Mgr Jean-Pierre Richard, évêque de Montpellier, est élu président de la Conférence épiscopale française.

Londres, mardi 6
Le bénéfice semestriel de Marks & Spencer est en hausse de 20,1 %.

Bilbao, mercredi 7
Assassinat, attribué à l'ETA, du juge José Maria Lidon Corbi.

Paris, mercredi 7
Dominique Strauss-Kahn est relaxé dans l'affaire de la Mnef.

France, mercredi 7
La Fifa inflige une amende de 84 800 euros à la Fédération française de football pour les incidents de France-Algérie.

Paris, mercredi 7
TotalFinaElf est mis en examen pour « pollution maritime et complicité de mise en danger d'autrui » dans le naufrage de l'*Erika*. La société est placée sous contrôle judiciaire.

Toulon, jeudi 8
En visite à la base navale, Jacques Chirac se prononce en faveur de la construction d'un 2e porte-avions.

Bruxelles, samedi 10
Delta Air Transport (DAT), la filiale de vols régionaux de la Sabena, devient la nouvelle compagnie aérienne belge.

Marrakech, samedi 10
Le protocole de Kyoto est confirmé par les ministres de l'Environnement de 167 pays, en l'absence des Etats-Unis.

Cagnes-sur-Mer, dimanche 11
Bilan du couvre-feu pour mineurs : - 6 % de délinquance.

DECES

Var, lundi 5
Jeannette Thorez-Vermeersch, figure du PCF et veuve de Maurice Thorez (*26.11.1910).

Eugene (Oregon), samedi 10
Ken Kesey, romancier, auteur de *Vol au-dessus d'un nid de coucou* (*17.9.1935).

 4 514,28 20,93 $

€ 0,8937 $

Journaliste à *Paris-Match*, Michel Peyrard retrouve la liberté

Peshawar, samedi 3
Amaigri mais en apparence pas trop éprouvé par ses vingt-cinq jours de détention, Michel Peyrard a franchi la frontière pakistanaise à Torkham. Après un début de captivité « assez musclé », selon ses propres termes, le grand reporter, que les talibans avaient débusqué déguisé en femme et revêtu d'une burka, affirme avoir été traité de façon « correcte ». « Je vais bien », a-t-il assuré à sa famille et à ses proches, qui ont longtemps craint pour sa vie. Accusé d'être un espion – sa valise satellite était un élément à charge –, il encourait en effet la peine de mort. Les efforts diplomatiques du Pakistan et de la France ont permis sa libération.

Il est sans nouvelles des deux journalistes pakistanais arrêtés en sa compagnie.

L'ouragan Michelle a décoiffé Cuba

Cuba, lundi 5
Les Cubains ont sans doute échappé au pire. L'ouragan Michelle, classé en quatrième catégorie sur l'échelle Saffir-Simpson, a atteint Cuba cette nuit après avoir cruellement touché le Honduras et le Nicaragua. Avec des vents allant jusqu'à 215 km/h, il pouvait provoquer un désastre. Les autorités avaient toutefois pris leurs précautions en faisant évacuer plus de 500 000 habitants vers l'ouest et le centre de l'île. Après avoir causé la mort de cinq personnes ainsi que d'importants dégâts, l'ouragan n'a cessé de décroître en intensité. Puis il a bifurqué sur les Bahamas. (→ 29)

Rouge Brésil reçoit le prix Goncourt

Paris, lundi 5
François Nourissier n'a pas voulu en démordre : jusqu'au dernier tour, il a voté pour *Plateforme* de Michel Houellebecq. Il fut d'ailleurs le seul. Finalement, les Goncourt ont donné leur prix à *Rouge Brésil*, un roman historique de Jean-Christophe Rufin situé, comme son titre l'indique, au Brésil, à l'époque des découvreurs et des conquérants : la consécration pour cet écrivain de 49 ans, ancien de Médecins sans frontières, ancien collaborateur de Claude Malhuret et chargé de mission en Bosnie par François Léotard. Un humanitaire guéri des illusions idéologiques.

David Trimble réélu Premier ministre

Belfast, mardi 6
Quatre mois après s'être démis de ses fonctions de Premier ministre de l'exécutif d'Irlande du Nord, David Trimble retrouve son siège. Dans la douleur. En effet, si la crise que sa démission avait entraînée est close, les blessures créées par le retour du leader unioniste seront très longues à cicatriser : Trimble a été réélu par le parlement régional avec l'appoint des députés catholiques et de trois libéraux incorporés pour les besoins de la cause à son parti, affaibli par la défection de certains de ses élus, hostiles à tout compromis avec les républicains du Sinn Fein.

Le 2, les pompiers new-yorkais manifestent contre la décision de Rudolph Giuliani de réduire les recherches dans les décombres du WTC. Sur 343 pompiers ensevelis le 11 septembre, seuls 78 corps ont été retrouvés.

Le 6, le milliardaire républicain Michael Bloomberg est élu maire de New York grâce au soutien du maire sortant, Rudolph Giuliani.

La Sabena laisse de beaux souvenirs

New York salue le retour des Concorde

Même si les fonds promis par Swissair étaient arrivés, la Sabena, de plus en plus réduite, ne pouvait pas survivre.

New York, mercredi 7
« Bienvenue chez toi, Concorde, tu nous as manqué. » C'est ainsi que Rudolph Giuliani, le maire de New York, a accueilli le vol AF 002, qui avait quitté Paris à 9 h 47 TU pour rejoindre JFK après 3 h 33 de vol, dont 2 h 50 en vitesse supersonique. F-BTSD, équipé de dix pneus NZG fabriqués par Michelin, et doté de réservoirs renforcés, était confié au commandant Edgar Chillaud. Cyril Spinetta, président d'Air France, et Jean-Claude Gayssot, ministre des Transports, figuraient parmi les 71 passagers qui n'auraient manqué ce vol pour rien au monde. Ce fut aussi l'occasion pour Pierrette Cathala, une des hôtesses, de conforter son étonnant record de 5 420 heures en Concorde. L'avion avait reçu son certificat de navigabilité (CDN) le 18 octobre. Les modifications des réservoirs ont ramené le nombre de passagers de 100 à 92.

Bruxelles, mercredi 7
Si tous redoutaient cet instant, ils croyaient encore à un miracle qui aurait une nouvelle fois sauvé leur Sabena. La terrible sentence, celle qui marque la fin irrévocable d'une épopée, celle qui fait disparaître du ciel un nom prestigieux, est tombée. En onze petits mots, Anne Spiritus Dassesse, présidente du tribunal de commerce bruxellois, a tourné une page de l'histoire belge : « ... par ces motifs, le tribunal déclare la faillite de la Sabena ». Au-delà du symbole qui s'effondre, c'est aussi un drame pour 9 000 personnes, rassemblées à l'aéroport et dans les rues de la capitale. Vers midi, le commandant Guy Verhaegen et son équipage ont ramené le dernier vol en provenance de Cotonou. (→ 23)

11 septembre...

1er. Afghanistan. La destruction de la centrale de Kajakai prive les villes de Kandahar et de Lashkar Gah d'électricité. **Inde.** Le pays refuse toute participation talibane à un futur gouvernement. **Etats-Unis.** Le Pentagone refuse l'arrêt des combats pour le ramadan.
2. Afghanistan. 1 200 Pakistanais rejoignent les talibans.
3. Mazar-e Charif. L'Alliance du Nord annonce avoir réussi sa 1re offensive, à 70 km de la ville.
5. France. 2 806 fausses alertes à l'anthrax ont eu lieu depuis le 11 octobre. **New York.** Révélation qu'un centre secret de la CIA, en charge du terrorisme, fut détruit par l'effondrement du WTC.
6. Varsovie. Par visioconférence, George Bush informe les 17 pays d'Europe centrale que la Qaida recherche des armes nucléaires.
10. Rome. Un cortège de 100 000 personnes défile contre la guerre. **Washington.** George Bush libère un milliard de dollars d'aide au Pakistan.
11. Etats-Unis. Donald Rumsfeld reconnaît qu'il n'y a aucun moyen d'empêcher l'Alliance du Nord de prendre Kaboul.

Mazar-e Charif reprise par l'Alliance

Mazar-e Charif, vendredi 9
« Nous contrôlons toute la ville. Les talibans ne se sont pas battus, ils ont fui. » Ainsi l'Alliance du Nord a-t-elle fait savoir que Mazar-e Charif, la principale ville du nord du pays, forte de 200 000 habitants, avait été prise... en une demi-heure ! Elle est désormais régie par les hommes du chef ouzbek Abdul Rachid Dostom, guerrier de 47 ans, qui revient dans son fief précédé d'une réputation de cruauté éprouvée par la population jusqu'à son départ en exil en 1997. Quant à la politique qu'il pratiquera, nul ne se risque à la prédire : formé en URSS, Abdul Rachid Dostom ne se rallia au commandant Massoud qu'en février 1992 (deux mois avant la chute du régime prosoviétique de Kaboul) avant de pactiser avec les islamistes du Hezb-e-Islami. La prise de Mazar-e Charif est en tout cas le premier succès d'importance depuis l'entrée en action des B-52, dont les talibans ont sous-estimé la puissance destructrice. Conséquence concrète : l'approvisionnement en armes et en munitions de l'Alliance du Nord par voie terrestre va se trouver facilitée, Mazar-e Charif ne se trouvant qu'à 70 km, par une route praticable en toutes saisons, de la frontière avec l'Ouzbékistan. Lors de l'occupation soviétique, l'Armée rouge en avait d'ailleurs fait son principal centre logistique. Arrivés trop tardivement, les volontaires pakistanais et arabes tentent maintenant de rejoindre les troupes talibanes qui ont engagé un double repli : sur Kaboul, au sud, et sur Kunduz, à l'est. (→ 28)

Les affrontements dans les montagnes ont été incessants depuis deux mois.

Déluge d'eau et de boue dans Alger

Algérie, samedi 10

Quand le Premier ministre algérien, Ali Benflis, est venu constater dans les quartiers d'Alger ravagés par les pluies l'ampleur du drame, il a été accueilli par la population aux cris de « Pouvoir assassin ». Jamais, aux yeux du public, les précipitations il est vrai inhabituelles qui ont touché tout le nord du pays n'auraient dû entraîner des effets aussi meurtriers : ce soir, le bilan s'élevait déjà à au moins 340 morts (dont 264 pour la seule capitale), à autant de blessés et à des dizaines de disparus. Dans les quartiers populaires d'Alger, la pluie s'est transformée en torrents de boue en dévalant des hauteurs, emportant maisons et véhicules. On incrimine l'urbanisation anarchique et l'obstruction d'égouts pour cause de lutte antiterroriste. (→ 28)

Le quartier populaire algérois de Bab el-Oued a été particulièrement touché.

La Chine rejoint les rangs de l'OMC

Doha, samedi 10

Théâtre d'une bataille triangulaire entre l'Europe, les Etats-Unis et les pays pauvres, le quatrième sommet de l'OMC (Organisation mondiale du commerce), qui se tenait dans la capitale du Qatar, a bien failli finir sur un fiasco. Mais il a été sauvé par l'adhésion à l'OMC de la Chine et celle, de moindre conséquence, de Taiwan. En se pliant aux règles du commerce mondial, en abaissant ses barrières douanières, en accélérant la libéralisation de son économie, la Chine offrira en effet d'immenses possibilités aux investisseurs et aux exportateurs. En acceptant de jouer le jeu, Pékin prend cependant des risques : des secteurs entiers de son économie, dont l'agriculture, sont menacés d'effondrement.

Bush favorable à un Etat palestinien

New York, samedi 10

Pour la première fois, un Président américain s'est déclaré favorable à l'existence d'un Etat palestinien, et cela à la tribune des Nations unies : « Le gouvernement américain reste fidèle à son engagement en faveur d'une paix juste au Proche-Orient. Nous œuvrons pour qu'un jour deux Etats, Israël et Palestine, vivent en paix, ensemble, [dans des] frontières sûres et reconnues. » Yasser Arafat, qui était présent, n'a toutefois pas eu droit à une totale reconnaissance. Le croisant dans un couloir, George Bush a refusé de le saluer. (→ 3.12)

Un match amical pas comme les autres

Melbourne, dimanche 11

Un France-Australie décevant soldé par un match nul (1-1), une fatigue énorme pour les Bleus causée par la longueur du voyage et le décalage horaire, enfin, sous des torrents de pluie, un affrontement physique qui a viré à l'agression quand Dugarry a été « séché » par Kevin Muscat : un match « amical » inutile ? C'était l'opinion des patrons des clubs de la plupart des joueurs. Match coûteux également : les dirigeants du football français avaient affrété un Boeing 747 pour l'équipe et l'encadrement. Prix : 6 millions de francs.

Manifestation des « sans fenêtres »

Toulouse, dimanche 11

Ils sont un millier, sur un parking du quartier du Mirail, à manifester leur exaspération : bientôt deux mois après l'explosion de l'usine AZF, quelque 50 000 Toulousains vivent toujours dans le froid. Malgré les aides des collectivités locales et de l'Etat, malgré aussi les mouvements de solidarité, leurs logements ruinés n'ont pour fenêtres que des bâches en plastique ou du contre-plaqué. Et les assurances avançant moins vite que l'hiver, les « sans fenêtres » ont une exigence : que TotalFinaElf paie les travaux de réfection.

Trois journalistes victimes des talibans

Afghanistan, dimanche 11

Johanne Sutton, de Radio France Internationale (RFI), Pierre Billaud, de RTL, et un journaliste du *Stern*, un hebdomadaire allemand, ont été tués sur le théâtre d'opération. Ils se trouvaient sur le front de Shataraï, près de la frontière tadjike, quand le char de l'Alliance du Nord qui les véhiculait a été pris sous le feu des talibans. La région, qu'ils croyaient sécurisée, comptait encore un foyer de résistance. Juchés sur le blindé, ils ont été fauchés par les rafales et les tirs de roquettes. Une journaliste de France Culture est indemne.

Après l'anthrax, la crainte du nucléaire

Etats-Unis, dimanche 11

Selon le *Washington Post* publié ce matin, le président du Pakistan, le général Musharraf, a donné l'ordre de répartir l'arsenal nucléaire de son pays sur six sites tenus secrets. Cette décision intervient deux jours après que *Kainaat*, un journal pakistanais, a publié une interview d'Oussama Ben Laden. Celui-ci n'exclut pas de riposter « avec des armes chimiques ou nucléaires ». « Nous possédons ces armes », assure-t-il.

La Fed Cup confirme la grande forme du tennis féminin belge

Kim Clijsters, Laurence Courtois, Justine Henin et Els Callens sont radieuses.

Madrid, dimanche 11

Elles n'en ont fait qu'une bouchée. En finale de la Fed Cup, la Coupe de la Fédération de tennis féminin, les deux jeunes championnes belges Justine Henin et Kim Clijsters ont disposé des Russes Nadia Petrova (6-0, 6-3) et Elena Dementieva (6-0, 6-4). Elles avaient accédé en finale grâce à leur victoire sur l'Espagne. Il faut préciser que ce triomphe sans bavure a été facilité par l'absence de l'équipe américaine, qui a refusé de faire le déplacement à Madrid pour des raisons de sécurité.

Novembre

Lu	Ma	Me	Je	Ve	Sa	Di
			1	2	3	4
5	6	7	8	9	10	11
12	13	14	15	16	17	18
19	20	21	22	23	24	25
26	27	28	29	30		

Cormelles-le-Royal, lundi 12
Des salariés de Moulinex mettent le feu à un bâtiment : ils exigent une indemnité de licenciement de 80 000 F. (→ 21)

New York, lundi 12
Les Etats-Unis versent 475 millions de dollars à l'ONU.

Chine, mardi 13
La télévision nationale montre pour la 1re fois un malade du sida à visage découvert. Le sida est proclamé menace nationale.

Belgique, jeudi 15
La nouvelle Fête du roi est célébrée « à la citoyenne », soit au Parlement et non à l'Eglise.

Sarreguemines, jeudi 15
Le procureur exclut l'accident dans la mort de Karine.

France, jeudi 15
Près de 50 000 Pacs ont été signés en deux ans.

Macédoine, jeudi 15
Une nouvelle Constitution est promulguée, accordant plus de droits aux albanophones.

Paris, samedi 17
La cour d'appel condamne Magali Guillemot à 10 ans de prison pour maltraitances ayant entraîné la mort de son fils, Lubin, âgé de deux mois.

Oxford, samedi 17
Oxford University Press publie, sous le titre *Discoveries in the Judean Desert*, l'intégralité des manuscrits de la mer Morte.

Salvador de Bahia, dimanche 18
Arrivée de la Transat Jacques-Vabre. Victoire de Franck Cammas et Steve Ravussin sur *Groupama* en multicoques.

Bulgarie, dimanche 18
Gueorgui Parvanov, chef de l'ex-parti communiste, est élu président au 1er tour.

Moscou, dimanche 18
Premières négociations directes sur la Tchétchénie entre le Kremlin et un représentant des indépendantistes.

DECES

Bruxelles, lundi 12
Jacques Huisman, fondateur (1945) et directeur jusqu'en 1985 du Théâtre national de Belgique (*4.8.1910).

Paris, mardi 13
Frédéric Pottecher, journaliste judiciaire (*11.6.1905).

 4 587,30   17,46 $

€ 0,8853 $

Un Airbus s'est écrasé sur le Queens

New York, lundi 12
Le cauchemar recommence pour les New-Yorkais ! Deux mois presque jour pour jour après les attentats du World Trade Center, un avion s'est abattu à 9 h 17 (heure locale) sur le quartier résidentiel du Queens, juste quatre minutes après son décollage de l'aéroport John F. Kennedy. Les 260 passagers ont été tués, ainsi que les neuf membres d'équipage. Quant aux éventuelles victimes au sol, on ne compte pour l'instant que six à huit disparus. L'appareil, un Airbus A300-600 d'American Airlines qui devait se rendre à Saint-Domingue, aurait d'abord perdu son réacteur droit, puis sa dérive. Si beaucoup pensent à un attentat, les autorités parlent d'un accident. (→ 19)

L'une des deux boîtes noires de l'avion a été retrouvée dans les décombres.

Kaboul est enfin libre

Kaboul, mardi 13
Hier encore, alors que ses troupes stationnaient à dix kilomètres de la capitale et qu'aucune force talibane ne semblait plus faire obstacle à la progression de l'Alliance du Nord, celle-ci assurait qu'elle « n'avait pas l'intention d'entrer dans la ville » et respecterait ainsi le souhait exprimé par George Bush : pas de prise de Kaboul tant que les Pachtouns n'ont pas été associés à l'Alliance afin que les Ouzbeks et les Tadjiks ne soient pas seuls maîtres du pays. Ce matin à l'aube pourtant, les combattants de l'Alliance ont bel et bien pris la capitale sans rencontrer de véritable résistance. Dans le même temps, on apprenait que Jalalabad, à l'est, était elle aussi tombée, les talibans ayant manifestement opéré un repli massif vers leur fief de Kandahar. Estimant avoir été trahi, le Pakistan réclame une action immédiate de l'ONU.

Entrée triomphale de l'Alliance dans la capitale, désertée par les talibans.

Le 3e aéroport de Paris ira à Chaulnes

Paris, jeudi 15
Lionel Jospin a tranché. A l'horizon de 2020, il y aura bien un troisième aéroport dans la région parisienne. En fait, ce n'est pas en Ile-de-France qu'il sera construit, mais à 125 km de Paris dans le canton de Chaulnes, dans la Somme. Une victoire pour Jean-Claude Gayssot, ministre des Transports, qui soutenait le projet, malgré les réserves du ministre des Finances, Laurent Fabius, et surtout celles d'Yves Cochet, le ministre de l'Environnement. Dans la Somme, la révolte gronde : vingt-cinq maires des communes environnantes de Chaulnes ont démissionné.

Le prix du baril de pétrole s'effondre

Monde, jeudi 15
La décision prise hier par les pays de l'Opep de baisser leur production de pétrole de 1,5 million de barils par jour n'a pas suffi à rassurer les marchés. Le cours du baril, qui avait déjà perdu deux dollars hier à New York, est passé en séance en dessous de 17 dollars avant de remonter et de clore à 17,60 dollars (et à 17,93 dollars à Londres). A l'origine de cet effondrement : le refus de la Russie de réduire sa production tandis que la récession fait chuter la demande.

Magnifique doublé pour le XV de France face à l'hémisphère Sud

Marseille, samedi 17

Qu'ils sont grands ces petits ! L'âme de Roger Couderc a dû exploser de joie au spectacle offert par un XV de France audacieusement rajeuni par l'entraîneur Bernard Laporte, mais bien encadré par les vétérans Fabien Galthié, Raphaël Ibanez et Olivier Magne. Après s'être offert samedi dernier les Sud-Africains au Stade de France (20-10), les jeunes ont eu ce soir, à Marseille, la peau des Australiens (14-13). Pourtant la partie n'était pas gagnée d'avance et, jusqu'au coup de sifflet final, les Wallabies ont créé le danger. Mais les Français avaient la « pêche » et ont su déstabiliser l'impressionnante organisation australienne. Rigueur, précision, imagination : un beau XV a été donné à la France. (→ 24)

Frédéric Michalak (n° 10), Damien Traille, Tony Marsh : des noms à retenir.

Grosjean craque en finale du Masters

Sydney, dimanche 18

C'est parce que sa superbe victoire au Tournoi de Bercy, le 4 novembre dernier, a fait de Sébastien Grosjean l'un des huit meilleurs joueurs de la planète, qu'il a été invité à la Tennis Masters Cup, en Australie. Et il n'y est pas venu pour rien : vainqueur de Pat Rafter, Andre Agassi et Evgueni Kafelnikov, « Seb » s'est retrouvé en finale face au numéro un mondial Lleyton Hewitt, devant qui il avait dû s'incliner à son premier match. Le champion australien était-il trop fort pour Grosjean ? Toujours est-il qu'il a été battu (6-3, 6-3, 6-4) sans donner l'impression d'être dans la partie. Consolation : il se hisse au 6e rang du classement ATP. (→ 2.12)

Le 16, Miss Nigeria est élue Miss Monde en Afrique du Sud, devant une Antillaise et une Ecossaise. Agbani Darego est âgée de 18 ans et fait des études d'informatique.

L'Afghanistan se souvient d'une liberté perdue il y a longtemps

Kaboul, dimanche 18

A 18 heures, lorsque la télévision a repris ses programmes interrompus depuis cinq ans et deux mois, c'est un visage féminin qui est apparu sur le petit écran : celui de la speakerine Maryam Shakiba qui, à 16 ans, n'est pas une débutante. Avant la prise de pouvoir par les talibans, elle animait une émission pour les enfants. La Television of Afghanistan – tel est son nom officiel – ne diffusera dans un premier temps que des émissions religieuses et des programmes pour les enfants, ainsi que des journaux d'information. Sur les ondes de la radio nationale, la musique est elle aussi de retour. C'est également une femme, Rida Azimi, qui a l'honneur de présenter les informations. Les sourires affichés par les hommes qui sortent de chez le barbier indiquent à eux seuls qu'un air de liberté flotte à nouveau dans la capitale afghane.

Il serait pourtant illusoire de croire que la chute des talibans signifie que l'Afghanistan se met brutalement à l'heure occidentale. Comme toutes les autres femmes, Maryam Shakiba est voilée. Elle a juste abandonné la burka, ce que peu d'entre elles ont osé faire. La lapidation, a rappelé le nouveau pouvoir, reste la règle pour les femmes adultères.

Un geste symbolique : certains se coupent la barbe imposée par les talibans.

11 septembre...

12. Herat. La ville est prise par les forces du général Ismaïl Khan.
13. Kaboul. Départ des journalistes d'Al Jezira. **Afghanistan.** L'Alliance du Nord propose la création d'un gouvernement d'union nationale qui inclurait toutes les ethnies. **Pakistan.** Le pays réclame la démilitarisation immédiate de Kaboul aux mains des antitalibans. **Washington.** George

Bush signe un décret permettant de juger devant un tribunal militaire les étrangers suspectés de terrorisme.
14. Rome. Zaher Chah appelle les Afghans à ne pas commettre d'actes de vengeance et annonce son retour « comme serviteur » du pays. **New York.** ONU : le Conseil de sécurité adopte une résolution prévoyant le déploiement en Afghanistan d'une force multinationale.
15. Afghanistan. L'Alliance du Nord

refuse toute présence d'une force de l'ONU. **Londres.** Dans un entretien à la BBC, le mollah Omar promet de détruire l'Amérique. **Kaboul.** Les huit membres d'une ONG détenus sous l'accusation de prosélytisme chrétien sont libérés. **Peshawar.** Des milliers de Pachtouns afghans qui y avaient trouvé refuge partent pour Jalalabad libérée.
16. Washington. Selon le Pentagone, les talibans ont perdu le contrôle des

deux tiers de l'Afghanistan.
17. Kaboul. Burhannuddin Rabbani, président de l'Afghanistan de 1992 à 1996, est de retour. Il réclame de reprendre sa fonction.
Afghanistan. Confirmation par les talibans de la mort il y a trois jours de Mohammed Atef, tenu pour le chef militaire de la Qaida.
18. Etats-Unis. Selon Colin Powell, Ben Laden se trouve dans une zone de 80 km² à l'est de Kandahar.

Novembre

Bobigny, lundi 19
Trois supporters de l'Algérie sont condamnés à des amendes pour avoir envahi la pelouse.

Etats-Unis, lundi 19
American Airlines a contrôlé les dérives verticales de tous ses A 300 sans déceler d'anomalie.

Monde, mardi 20
111 cas de la maladie de Creutzfeldt-Jakob sont recensés dont 104 en Grande-Bretagne.

Paris, mercredi 21
Le plan social de Moulinex est adopté par tous les syndicats, à l'exception de la CFDT.

Gaza, jeudi 22
Cinq enfants palestiniens sont tués par l'explosion d'un obus israélien près de leur école.

Vatican, jeudi 22
Premier e-mail papal, par lequel le Saint-Père demande pardon aux aborigènes australiens pour les violences qu'ils ont subies.

Belgique, vendredi 23
L'Etat et la Sabena réclament deux milliards d'euros de dommages-intérêts à Swissair.

Rennes, vendredi 23
Francisco Arce Montes est mis en examen pour le meurtre de Caroline Dickinson.

Birmingham, vendredi 23
Tony Blair juge que le royaume a commis l'« erreur tragique » de ne pas participer dès le début à l'aventure européenne.

La Haye, vendredi 23
Slobodan Milosevic est inculpé pour génocide en Bosnie.

Saint-Etienne, samedi 24
Rugby : le XV de France bat les Fidji (77-10).

Alençon, samedi 24
Premier braquage de billets en euros au Crédit Mutuel. Butin : 100 000 euros.

Zurich, samedi 24
Crash d'un Jumbolino de Crossair près de l'aéroport de Zurich-Kloten. Bilan : 24 morts et 9 survivants.

DECES

Neuilly, lundi 19
André Lagarde, coauteur des manuels de littérature Lagarde et Michard (*13.10.1912).

Genève, vendredi 23
Norman Granz, producteur américain de jazz (*6.8.1918).

 4 573,82   19,27 $

€ 0,8774 $

Bagarres dans Kaboul... pour voir un film

Kaboul, lundi 19
Salim Mohammed, propriétaire du Bakhtar, le seul cinéma de Kaboul encore en état de marche sur les dix-sept salles que comptait la capitale afghane en 1996, se frotte les mains. Depuis quatre jours, les Kaboulis se pressent devant l'établissement pour tenter d'obtenir une place. Le climat d'excitation est tel que les forces de l'ordre ont dû se poster aux abords de la salle. Voilà plus de cinq ans que le cinéma était interdit. D'où la ruée pour voir *l'Ascension*, un film relatant la lutte contre l'occupation soviétique, programmé pour la seule raison que ce sont les seules bobines dont le cinéma dispose. Signe que tout n'a pas changé à Kaboul : tous les spectateurs sont des hommes.

Voir un film, c'est un peu revivre.

Rugova victorieux aux législatives

Pristina, lundi 19
Le parti indépendantiste d'Ibrahim Rugova, la Ligue démocratique du Kosovo, a recueilli 46,29 % des voix aux élections législatives qui ont eu lieu samedi dans la province serbe administrée par l'ONU. On est loin des 70 % revendiqués dimanche par le leader albanophone. Privé de la majorité absolue, il sera obligé de composer avec les partis extrémistes albanais pour être élu président par le parlement kosovar. Le scrutin n'a été marqué par aucun incident, la minorité serbe envoyant 21 députés sur 120. L'appel à l'indépendance, lancé hier par Rugova, a été aussitôt rejeté par l'Union européenne.

Les femmes de gendarmes défilent avec les policiers en colère

France, mercredi 21
Ils sont entre 20 000 et 30 000 dans la rue, à Paris et dans les grandes villes de France, pour crier leur rejet de la loi Guigou sur la présomption d'innocence et exiger des conditions de travail décentes, la revalorisation de leurs salaires et des négociations sur les 35 heures. « Ils », ce sont les policiers que la rallonge budgétaire promise par leur ministre de tutelle, Daniel Vaillant, et l'annonce faite par le gouvernement de revoir les modalités d'application de la loi qui « passe » mal n'ont pas calmés. Fait nouveau : des femmes de gendarmes se sont jointes en grand nombre au ras-le-bol de la police. (→ 29)

Grèves et manifestations sont interdites aux gendarmes. Pas à leurs épouses...

L'Argentine libère le président Menem

Buenos Aires, mardi 20
Carlos Menem a été libéré suite au rejet, par les neuf juges de la Cour suprême de justice d'Argentine, de l'accusation d'« association illicite » qui avait entraîné son arrestation le 7 juin dernier. Treize jours avant, il avait épousé en secondes noces une beauté chilienne de 36 ans, Cecilia Bolocco. Président de la République de 1989 à 1999, le leader péroniste était soupçonné d'avoir organisé des ventes d'armes à l'Equateur et à la Croatie, pays placés sous embargo international, entre 1991 et 1995. Il s'en est toujours défendu.

Le 20, 200 femmes manifestent à visage découvert dans les rues de Kaboul pour réclamer le droit au travail et à l'éducation. Quitter la burka ne se fera pas du jour au lendemain. Les traditions sont solidement encrées.

Six mois pour sauver l'écurie Prost

Guyancourt, jeudi 22
Si l'ambiance n'est pas à la fête, à l'usine de Guyancourt, Alain Prost veut rester optimiste. Le tribunal de commerce de Versailles a placé son écurie Prost Grand Prix, dont il est actionnaire majoritaire à 51,3 %, en redressement judiciaire, lui donnant six mois pour trouver une solution à la poursuite de son aventure en F1, entamée en 1997 avec le rachat de l'écurie Ligier. Il sait que ce ne sera pas facile, son passif s'élevant à quelque 200 millions de francs, et certains concurrents attendant une éventuelle liquidation pour s'offrir le site de Guyancourt. Mais Prost, que Ferrari continuera à motoriser, est bien décidé à se battre.

Alain Prost a déposé son bilan pour mieux pouvoir continuer en Formule 1.

Premier clonage à but thérapeutique

Etats-Unis, dimanche 25
Le clonage humain est une réalité. Advanced Cell Technology (ACT), un laboratoire américain privé sis à Worcester, dans le Massachusetts, annonce qu'il a réussi à cloner des embryons humains. L'expérience a consisté à prélever des cellules de peau, à en extraire les noyaux, puis à les injecter dans des ovules vidés de leur stock génétique, technique employée pour le clonage animal. Trois des embryons clonés par ACT se sont développés jusqu'au stade de six cellules. Le Dr Michael West, le patron d'ACT, a précisé qu'il n'était nullement question de développer le clonage reproductif mais seulement le clonage thérapeutique (libre aux Etats-Unis et interdit en France). La production de cellules souches par clonage permettrait de régénérer les organismes gravement atteints.

TF1 s'est offert le Mondial à prix d'or

Paris, dimanche 25
168 millions d'euros pour diffuser, en direct et en exclusivité française, les rencontres de la phase finale de la Coupe du monde de football de 2002, tel est le prix que paiera TF1 au groupe allemand Kirch, lequel a acquis les droits mondiaux (radio et télévision) auprès de la Fifa. Cette somme inclut aussi la retransmission des principaux matchs de la phase finale du Mondial de 2006. M6, qui était sur les rangs, n'a pu s'aligner. Quant aux chaînes de service public, elles avaient déclaré forfait. Un pari risqué pour TF1 ? L'audience n'est pas assurée : le direct depuis la Corée et le Japon sera ici matinal.

La poche de Kunduz s'est rendue

L'évolution de la situation militaire en Afghanistan

Kunduz, dimanche 25
En provenance de Mazar-e Charif, les forces d'Abdul Rachid Dostom se sont emparées de l'ultime poche de résistance des talibans dans le nord. Ceux-ci ne contrôleraient plus que la région de Kandahar, leur fief historique et ethnique. Kunduz est tombée après deux semaines de siège. 10 000 hommes, pour moitié des talibans afghans, pour le reste des volontaires pakistanais, ouzbeks ou arabes, résistaient aux soldats de l'Alliance commandés par le général Mohammed Daoud, lequel s'affiche déjà comme le rival de Dostom pour le contrôle de la région, à majorité pachtoune. L'incertitude règne sur le sort qui sera réservé aux vaincus. Les Afghans qui ont volontairement rendu les armes seraient laissés en liberté, tandis que les combattants étrangers seraient placés dans « un camp de filtration ».

11 septembre...

19. Jalalabad. Quatre journalistes périssent dans une embuscade : deux travaillaient pour Reuters, l'un pour le *Corriere della Serra*, le dernier pour *El Mundo*. **Genève.** Les Etats-Unis accusent l'Irak, l'Iran, la Corée du Nord, la Syrie, la Libye, le Liban de fabriquer des armes biologiques. **Washington.** George Bush se joint à une cinquantaine d'ambassadeurs de pays musulmans pour un repas de ramadan.
20. Afghanistan. Diffusion à la radio afghane d'un message de l'armée américaine promettant 25 millions de dollars pour la capture de Ben Laden. **Islamabad.** L'ambassadeur des talibans affirme que Ben Laden était à Kaboul le jour de la chute de la capitale. **Iran.** Réouverture de la frontière avec l'Afghanistan.
21. Etats-Unis. Secrétaire d'Etat à la Défense, Donald Rumsfeld déclare sur CBS qu'il préférerait voir Ben Laden plutôt mort que vif. **Oxford (Connecticut).** Cinquième décès dû à l'anthrax. **Etats-Unis.** L'appel aux Afghans pour capturer Ben Laden a reçu 22 000 réponses. **Etats-Unis.** Le bilan du 11 septembre est revu à la baisse : 4 181 morts ou disparus. **22. Kaboul.** L'ambassade de France, désertée depuis 1980, accueille un chargé d'affaires, Jean-Marin Shuh.
Islamabad. Fermeture de la dernière ambassade au monde des talibans. **24. Kaboul.** Retour de journalistes d'Al Jezira. **Afghanistan.** La culture du pavot serait à nouveau en plein essor. **Riyad.** Ambassadeur d'Italie, Torquato Cardilli annonce qu'il se convertit à l'islam. **25. Afghanistan.** Bilan des victimes civiles durant les bombardements de la capitale par les Américains : 800 selon les talibans, 30 selon les ONG.

Novembre

Lu	Ma	Me	Je	Ve	Sa	Di
			1	2	3	4
5	6	7	8	9	10	11
12	13	14	15	16	17	18
19	20	21	22	23	24	25
26	27	28	29	30		

Paris, lundi 26
Henri Salvador, 84 ans, épouse la productrice Catherine Costa.

Angleterre, lundi 26
Le comté du Devon, l'une des zones les plus atteintes par l'épidémie de vache folle, est sain de toute contamination.

Népal, lundi 26
Le roi Gyanendra décrète l'état d'urgence après une offensive de la guérilla maoïste qui a fait plus de 300 morts en 4 jours.

Etats-Unis, lundi 26
Selon le Bureau national de la recherche économique, le pays est en récession depuis mars.

Bagdad, mardi 27
L'Irak refuse tout retour des inspecteurs de l'ONU.

Nigeria, mardi 27
Le choléra a fait 600 morts depuis le début du mois.

New York, mardi 27
Carla del Ponte, procureur du TPI, accuse la Yougoslavie de protéger le criminel de guerre présumé Ratko Mladic.

Algérie, mercredi 28
Bilan définitif des intempéries : 757 morts, dont 706 à Alger, et 132 disparus.

Paris, mercredi 28
Le parquet requiert 100 000 F d'amende contre le général Aussaresses, poursuivi pour apologie de crimes de guerre.

Paris, jeudi 29
Le professeur Yves Pouliquen est élu à l'Académie française au fauteuil de Louis Leprince-Ringuet.

Naplouse, jeudi 29
L'Intifada fait son 1 000e mort : un Palestinien tué par Tsahal.

Paris, jeudi 29
Un accord entre le ministre de l'Intérieur, Daniel Vaillant, et les syndicats de policiers met fin au mouvement de grève.

France, jeudi 29
Football : la Fifa entérine le résultat de France-Algérie (4-1).

DECES

Ramona (Californie), jeudi 29
Budd Boetticher, réalisateur de westerns (*29.7.1916).

Louisville (Kentucky), vendr. 30
Robert Tools, greffé en juillet d'un cœur artificiel totalement autonome (59 ans).

 4 476,06   18,60 $

€ 0,8951 $

Les marines établissent des bases dans le sud de l'Afghanistan

Dolangi, lundi 26
Au sud-est de Kandahar, l'aéroport de Dolangi devient la tête de pont de l'opération terrestre lancée sous le nom de « Liberté foudroyante » et destinée à faire tomber le fief des talibans et à capturer Oussama Ben Laden, but ultime des Américains. « D'une façon ou d'une autre, nous allons lui mettre la main dessus », assure ce matin George Bush, qui a donné son feu vert à l'envoi de plus de 2 000 marines. L'aéroport a été pris à l'aube sans un seul coup de feu par des troupes aéroportées, qui auront également pour mission de couper toute possibilité de retraite aux talibans vers le sud, c'est-à-dire vers la mer d'Oman via le Pakistan. Des chars Abrams sont attendus.

Les marines partent à l'assaut des derniers bastions tenus par les talibans.

L'Irak est dans le collimateur de Bush

Washington, lundi 26
A la liste des pays qui devront, tôt ou tard, rendre des comptes car ils sont, selon les Etats-Unis, complices du terrorisme international, George Bush vient d'ajouter une catégorie supplémentaire : « Ceux qui mettent au point des armes de destruction massive [dans le but] de terroriser d'autres nations ». S'il n'est pas cité, c'est bien le régime irakien qui est visé. Le Président américain exige d'ailleurs que l'Irak ouvre à nouveau ses frontières, et ses sites sensibles, aux inspecteurs en désarmement de l'ONU, ce à quoi Bagdad se refuse depuis maintenant trois ans.

L'Europe traque les réseaux terroristes

Europe, mercredi 28
La centaine d'islamistes interpellés depuis le 11 septembre en Europe, pour la plupart en Allemagne et en Espagne, ne seraient que la partie émergée d'une mouvance qui, selon les services de renseignement, serait forte d'un millier d'hommes. Agents dormants d'origine nord-africaine, ils n'attendraient qu'un ordre pour mettre en pratique les techniques terroristes qu'ils ont apprises dans les camps afghans de la Qaida. Cinq de leurs chefs, nés au Proche-Orient, auraient été identifiés.

Guerre sans merci des tarifs aériens

Charleroi, mardi 27
Sauf à payer les passagers pour les inciter à monter dans les avions, il sera impossible d'être plus attractif : Ryanair, une compagnie irlandaise, offre à compter de ce jour 200 000 billets gratuits (50 000 au départ de Charleroi) en direction de Londres, Glasgow ou Dublin. Précision : il ne s'agit que d'allers simples, le retour est à la charge du client, ainsi que les taxes d'aéroport. Cible de cette attaque, la DAT réagit en proposant pour les fêtes de fin d'année des vols aller-retour vers 26 destinations au prix unique de 150 euros (400 euros en classe affaires).

Ouverture de la conférence de Bonn

Bonn, mardi 27
Dans le château de Petersberg, les débats ont lieu à huis clos. Vingt-huit délégués afghans sont réunis sous la direction de l'ONU. Aucun délai n'a été fixé pour parvenir à un accord. La mesure est sage, car grandes sont les divergences entre les camps en présence : les émissaires du roi Zaher Chah, ceux du Front uni (l'Alliance du Nord) conduits par le chef tadjik Younès Kanouni, ceux de Peshawar (des exilés pachtouns soutenus par le Pakistan) et ceux d'une délégation tadjike de Chypre qui bénéficie de l'appui de Téhéran. Trois femmes sont présentes. (→ 5.12)

Le 27, la Nasa annonce la découverte, grâce au télescope Hubble, d'une planète dotée d'une atmosphère hors du système solaire. En orbite autour de l'étoile HD209458, elle est située à 150 années de lumière de la Terre.

La mutinerie de la forteresse de Qalae-Jangi matée dans le sang

Mazar-e Charif, mercredi 28
Le général Dostom n'est pas outre mesure ému. Il avait, explique-t-il, proposé un accord aux combattants étrangers engagés dans les rangs des talibans : qu'ils se rendent et leur vie serait épargnée. Mais ils ont refusé. « Alors nous avons dû les tuer. » 450 Pakistanais, Arabes, Tchétchènes et Ouzbeks ont ainsi été liquidés. Cette version laisse perplexes bon nombre d'organisations humanitaires. Car la tuerie a eu lieu dans une forteresse où avaient été regroupés les vaincus de Kunduz. Ils s'étaient bel et bien rendus ; c'est donc une mutinerie qui aurait eu lieu. Comment a-t-elle été possible ? Le mystère est épaissi par le fait que les Etats-Unis y ont perdu un homme : un agent de la CIA.

Bilan des affrontements : 450 combattants étrangers auraient trouvé la mort.

L'armée française tourne la page

France, jeudi 29
C'est définitivement la quille pour l'ami Bidasse. Les derniers appelés ont rendu leur paquetage et quitté leurs quartiers. Place à l'armée de métier, préconisée par le général de Gaulle dès 1934, voulue par Jacques Chirac en 1996 et définie par la loi du 28 octobre 1997. Une tradition disparaît donc, celle de la nation en armes et du brassage républicain, et dont l'origine remonte à 1798, avec la loi Jourdan sur la conscription. Plus de conscrits, alors ? Pas tout à fait : le service national n'a pas été pour autant aboli, le recensement reste obligatoire, et l'appel sous les drapeaux est seulement suspendu.

George Harrison va rejoindre John Lennon

Los Angeles, jeudi 29
C'était le plus gentil, le plus secret et sans doute le moins heureux des Beatles. Emporté par un cancer du cerveau à l'âge de 58 ans, George Harrison (*25.2.1943) avait fait par hasard, à Liverpool, la rencontre de Paul McCartney. Il avait treize ans et Paul quatorze... C'est ainsi que commença une aventure musicale qui devait un peu changer la face du monde : celle des Beatles. Derrière McCartney, John Lennon et Ringo Starr, George Harrison fit beaucoup trop longtemps figure de comparse. Et il faudra attendre la séparation du groupe pour découvrir en lui un authentique créateur : ce sera chose faite dès 1970, avec son triple album *All Things Must Pass*, qui traduit sa passion pour la musique orientale. Il volera alors de ses propres ailes, et l'assassinat de Lennon, en 1980, le dissuadera à jamais de reformer le mythique groupe de Liverpool.

Il venait d'être opéré du cerveau.

Les USA relâchent la pression sur Cuba

La Havane, jeudi 29
Une bouffée d'oxygène pour Cuba, tel est l'effet produit par l'annonce des autorités américaines : pour la première fois depuis que le blocus économique de l'île a été décrété par John F. Kennedy le 25 avril 1961, les Etats-Unis ont autorisé la vente à Cuba de plus de 100 000 tonnes de céréales pour un montant de 30 millions de dollars. Cette entorse à l'embargo a procédé de motivations humanitaires, suite aux destructions causées par l'ouragan Michelle au début du mois. Faut-il voir un signe de dégel dans ce geste ? Rappelons que le blocus de Cuba n'avait cessé de se renforcer, notamment en 1992 avec la loi Torricelli qui interdisait aux filiales étrangères des sociétés américaines tout commerce avec La Havane, touchant surtout denrées alimentaires et médicaments.

Journée cruciale au procès des paillotes

Ajaccio, vendredi 30
Ouvert le 19 novembre, le procès dit des paillotes a connu aujourd'hui un point culminant avec l'audition de Jean-Pierre Chevènement. L'ancien ministre de l'Intérieur s'est montré très prudent sur le rôle que Bernard Bonnet, l'ancien préfet de Corse qui est le principal accusé, a pu jouer dans l'incendie volontaire accompli par des gendarmes le 20 avril 1999. « Il m'assurait sur l'honneur n'avoir pas donné cet ordre imbécile. Il se peut qu'il se soit laissé emporter. A moins... » Y aurait-il eu un « coup tordu », une machination ? « Je n'ai aucun élément. » Conseiller pour les affaires internes à Matignon, Alain Christnacht est, lui, venu jurer que, contrairement aux accusations de Bernard Bonnet, il n'avait rien su de l'opération. « Vous avez menti ! », lui a lancé le préfet. (→ 7.12)

11 septembre...

26. Herat. Maître de la ville, Ismaïl Khan fait disperser par les forces de l'ordre une manifestation favorable au retour du roi Zaher. **Afghanistan.** L'Alliance du Nord avertit : « Toute tentative de la coalition de perdurer dans le pays] au-delà de la guerre contre le terrorisme deviendrait une question sensible. »

27. Kaboul. Arrivée des premières troupes russes depuis le départ de l'Armée rouge en 1989. **Kaboul.** La police de l'Alliance du Nord met fin à une manifestation de femmes qui réclament le droit au travail. **Asie centrale.** Alors que les marines sont aux portes de Kandahar, 58 soldats français restent bloqués depuis le 18 en Ouzbékistan. **Somalie.** Le pays dément les affirmations de George Bush selon lesquelles il accueillerait des bases d'Al Qaida.

28. Afghanistan. 750 marines sont arrivés dans le sud. Ben Laden est désormais localisé à Tora Bora, près de Jalalabad. **Washington.** Les Etats-Unis suspectent un microbiologiste américain d'être l'auteur des envois contaminés à l'anthrax. **Etats-Unis.** Le bilan du 11 septembre est revu à la baisse : 3 711 morts et disparus.

29. Bonn. Accord entre l'Alliance du Nord et les représentants de l'ex-roi Zaher sur la constitution d'un conseil intérimaire. **Milan.** La police interpelle trois membres présumés d'Al Qaida. **Etats-Unis.** L'accession à la nationalité américaine sera plus aisée pour les étrangers livrant des informations sur les terroristes.

30. Afghanistan. Deux millions de rations alimentaires ont été larguées en une seule nuit par les Américains. **Islamabad.** Annonce de la capture par l'Alliance d'un chef d'Al Qaida : Ahmed Omar Abdel-Rahman.

Splendeur et misère de la Qaida

L'apothéose et la damnation d'Oussama Ben Laden et de son organisation, révolutionnaire à tous les sens du terme, n'auront pris que trois mois. Trois mois de fièvre et de démence qui ponctuent une évolution, lente au départ, de six décennies d'activité des intégristes islamistes. Ceux-ci sont nés d'efforts dispersés et décentralisés dans un monde musulman confronté sous des formes diverses à l'avènement de la modernité. Pourtant, ces islamistes sont ceux qui refusent cette modernité, activement et passionnément. Ils proviennent des deux courants intellectuels opposés, réformateurs et conservateurs, qui s'affrontent depuis le déclin de l'Empire ottoman. Des conservateurs, ils empruntent le rejet des valeurs occidentales et l'amour de la tradition, mais ils n'en ont ni le quiétisme ni le vrai respect du passé. Ils ne défendent plus ce qui a été, le califat ottoman par exemple, mais ce qui viendra, le califat de l'avenir, celui de la reconstruction et de la renaissance de l'Islam. C'est pourquoi certains fondateurs du mouvement, tels l'Afghan Djamal Al Din Afghani ou l'Egyptien Mohammed Abduh, sont passés par la tentation de l'Occident sous la forme d'une initiation maçonnique à Constantinople ou au Caire. D'anciens marxistes de notre génération avaient bien rejoint le mouvement en Egypte et en Tunisie, en rejetant leurs amours antérieures mais non la tentation révolutionnaire.

L'islamisme politique est révolutionnaire conservateur à la manière des fascismes européens naissants avec lesquels il entretient de très bonnes relations. Il est né à la fin des années 20 en Egypte, puis en Turquie et en Iran après 1945, au Pakistan en 1947, dès la fondation de cet Etat musulman de l'Inde, puis de manière plus sporadique au Maghreb, dans le Croissant fertile. Enfin, il a atteint le monde malais au début des années 70.

Ce développement inégal s'explique facilement. Essentiellement réactif, l'islam combat une politique, en l'occurrence celle des réformes occidentales de l'Etat. L'Egypte des khédives, héritiers de Mohammed Ali, lui a offert un terrain rêvé, en raison de son pluralisme parlementaire. La Turquie et l'Iran ont connu après 1945 des processus démocratiques qui ont suivi le despotisme éclairé d'Atatürk ou de Réza Shah. D'abord alliés aux démocrates, les islamistes turcs et iraniens ont ensuite cherché, avec succès à Téhéran, à se débarrasser d'eux. Au contraire, là où les réformateurs laïcisants luttent avec l'Occident, l'islamisme ne trouve guère sa place, car il ne peut pas légitimer son hostilité à leur endroit. Le Maroc, l'Algérie, l'Egypte nassérienne, la Palestine, la Syrie et l'Irak entrent dans ce cadre. Ainsi peut-on comprendre que le grand moment de l'islamisme radical sonne avec le milieu des années 70.

Trois phénomènes concomitants ont enfin assuré à ce mouvement les moyens d'une hégémonie politique. Tout d'abord les deux chocs pétroliers engendrés par la naissance de l'Opep. Ils ont placé entre les mains de l'Islam une richesse fabuleuse, qui pouvait interrompre le déclin et permettre un nouveau rapport de forces avec l'Occident. Ensuite, la lassitude des anciens nassériens les a conduits à pactiser avec Israël (Sadate et l'aile modérée du mouvement palestinien), enlevant au nationalisme laïque l'aura du combat anti-impérialiste. La guerre civile libanaise a engendré, à gauche, un trouble « islamo-progressiste » et l'invasion soviétique de l'Afghanistan annulé le jeu stratégique d'une partie du monde musulman avec Moscou.

Ni libéraliste ni communiste, l'islam ne peut compter que sur lui-même. Il doit renvoyer dos à dos les deux Satans du Nord : c'est l'heure de Khomeyni et de la révolution iranienne, le premier mouvement islamiste à remporter une victoire, et quelle victoire !

Pourtant, tout comme la Russie est restée isolée à l'issue de sa Révolution en 1922, de même l'Iran sera condamné à l'instauration de « l'islamisme dans un seul pays ». Certains doctrinaires de la révolution iranienne, comme l'ayatollah Montazeri, rêvaient d'une grande Internationale islamique basée à Téhéran. Mais la plupart des mollahs iraniens sont restés agressivement chiites et instinctivement des patriotes persans méfiants envers les Arabes. Ces attitudes leur ont fermé l'accès aux autres mouvements, essentiellement sunnites, d'Egypte et de Syrie. L'évolution anti-américaine de l'Iran l'a amené à s'allier avec une URSS déclinante à la fin des années 80 et à choisir la confrontation avec l'Arabie Saoudite, maîtresse des Lieux saints et du pèlerinage sacré, et avec le Pakistan, un régime militarisé qui lui a refusé tout accès à ses secrets nucléaires.

C'est là que commence l'odyssée de Ben Laden et de sa Qaida.

De par sa position, l'Arabie Saoudite appartient de droit au courant intégriste. Le royaume est issu de la fusion du pouvoir militaire des Bédouins du Nedjd, entraînés par un chef de valeurs Adbel Aziz Ibn Saoud, avec l'appui des oulémas ultraconservateurs de la secte nahabite. Il en résulte, dès la fin des années 20, la renaissance au cœur de l'Arabie d'une monarchie traditionaliste et xénophobe, en complète rupture avec le réformisme égyptien iranien ou turc de l'époque. Mais ce composé explosif restera longtemps inerte. Ibn Saoud n'est pas prosélyte. Bientôt, le pétrole le fait

Une photo de famille avant la dissolution (de gauche à droite) : Soulaiman Ghaïth, porte-parole de la Qaida. Oussama Ben Laden, calife d'un jour. Les cerveaux égyptiens sont l'un Ayman al-Zawahiri, en fuite, l'autre, Mohammed Atef, mort.

compter parmi les riches de la planète. Pour défendre son avoir, il va lui-même quérir les lointains Américains. Les menaces soviétiques et nassériennes de l'après-guerre cimenteront l'alliance des Bédouins et des pétroliers texans, faisant même passer au second plan, pour un certain temps, le fait israélien. Mais le défi de Khomeyni n'est plus celui de Nasser. Dès lors, le royaume saoudien passe d'un conservatisme islamique purement défensif à un activisme contre-révolutionnaire. En faisant mouvement vers les islamistes sunnites d'Egypte, d'Afrique du Nord, du Pakistan et d'Indonésie, il vise à interdire aux Iraniens haïs toute influence hors du château fort persan chiite et à protéger les lieux saints de La Mecque et de Médine (dernièrement aussi Jérusalem, entraînant un Yasser Arafat indécis dans l'Intifada des mosquées de l'an 2000). Ainsi commence une politique que son succès rend de plus en plus schizophrénique : de plus en plus dépendante des Etats-Unis par l'accroissement des menaces extérieures, de plus en plus hostile à toute modernité pour assurer sa stabilité interne au moment où le collapsus de l'Union soviétique fait reposer toute la modernité dans les seules mains de l'Occident.

Il fallait que quelque chose cassât : ce fut Oussama Ben Laden. Lors de l'invasion du Koweït par Saddam Hussein, ce fils de milliardaire saoudien, mal aimé de ses demi-frères, héros des volontaires saoudiens en Afghanistan dans les années 80, s'oppose brutalement à son protecteur apparent, le prince héritier Abdallah. Ben Laden ne veut ni comprendre ni excuser l'appel lancé à Washington pour protéger le royaume des Irakiens, alors qu'il se déclarait prêt à lever une armée de volontaires islamiques contre Saddam Hussein. Bientôt il rassemble un premier noyau de fidèles parmi l'aile dure des Frères musulmans égyptiens, dans l'entourage des dirigeants intégristes soudanais et chez quelques amis pakistanais du mouvement Déobandi. Il entend regrouper dans la lutte « tous les bons musulmans ». Pour cela, ne faut-il pas rompre d'abord avec les ambiguïtés saoudiennes et donner des gages à ceux qui ne voient dans l'intégrisme sunnite qu'une annexe de la CIA ? La réponse, quasi expiatoire, viendra dès 1993 avec le premier attentat au World Trade Center. Il est commis par le chiite égyptien Omar Adbel Rahman, exilé à New York, aidé des services secrets soudanais. L'enquête remonte vite jusqu'à Ben Laden, qui doit s'exiler au Soudan chez son ami le cheikh Tourabi, le chef des Frères musulmans de Khartoum.

Dès lors, la Qaida prend forme. A la manière d'une véritable multinationale, elle combine activités économiques, idéologiques et terroristes en un seul faisceau. Alors que des entreprises et des banques fournissent les fonds, le mouvement se lance dans les « start-up » de

Le prince régent Abdallah, qui faillit réformer le royaume saoudien, est devenu l'ennemi juré d'Oussama Ben Laden.

la violence en Algérie (le GIA et le groupe salafiste), en Bosnie, en Tchétchénie, aux Philippines, en Somalie et au Yémen (le mouvement Islah et les trente mille combattants du cheikh Zindani). Ces soutiens « opportunistes » aux petits mouvements visent surtout à renforcer la Qaida dans les trois grands piliers du « complot califal » : l'armée pakistanaise, la Confrérie égyptienne et le mouvement des oulémas saoudiens.

L'expulsion de Ben Laden de Khartoum en 1996 et son arrivée dans un Afghanistan quasi reconquis par les talibans furent pour la Qaida une véritable bénédiction. La secte intransigeante des Déobandis pakistanais, qui combat toute image du divin (d'où la destruction des Bouddhas de Bamiyan en 2001), avait recruté, à travers l'Association des oulémas de l'islam, son bras politique, une quantité de jeunes réfugiés islamistes pathans (ou pachtouns). L'habile ministre de l'Intérieur pakistanais Nasrullah Babar convaincra Bénazir Bhutto d'utiliser ces pseudo-étudiants (taliban en persan) pour prendre le contrôle d'un Afghanistan épuisé et déchiré par la guerre civile chronique et la crapulerie quotidienne des petits seigneurs de la guerre.

Une fois installés, les talibans se révéleront les Frankenstein de l'islam, plongeant le pays dans la terreur et une régression sans précédent. Oussama Ben Laden ne tardera pas à devenir le véritable inspirateur du régime. Ce vaste pays constitue dès lors un point fixe pour planifier des opérations, notamment dans le Caucase et en Ouzbékistan, tout en garantissant aux militaires pakistanais une frontière occidentale apaisée qui leur permet de mener leur propre Djihad au Cachemire. Ceux-ci leur rendront la pareille en adhérant clandestinement à la Qaida, en envoyant des savants

nucléaires à Kaboul pour construire qui sait quelle arme inquiétante et en complotant dans leur pays contre le pouvoir civil.

Pendant l'été 1999, l'armée pakistanaise prend le pouvoir. C'est le signal qu'attendait Oussama. Il commence dès lors à planifier l'attentat du 11 septembre 2001, qui, à ses yeux, devrait entraîner le basculement de la puissance nucléaire pakistanaise dans la lutte pour les Lieux saints.

En Egypte, l'aile dure des Frères musulmans est dirigée par un grand chirurgien, Ayman al-Zawahiri. Celui-ci a organisé en 1997 des attentats sanglants pour frapper le tourisme en son cœur. Si le courant principal de la confrérie affirme répudier les violences, il maintient un contact étroit avec les Gamaa Islamyah, qui font partie intégrante de la Qaida.

En Arabie Saoudite, en relation avec les islamistes du Yémen et du Pakistan, des oulémas commencent à critiquer la monarchie, notamment dans la province périphérique du Assir, d'où proviennent les participants à l'attentat du 11 septembre. Entre-temps, le prince héritier Abdallah, l'ennemi juré d'Oussama Ben Laden, a pris le pouvoir à Riyad. Il vient de pousser Arafat à déclencher l'Intifada des mosquées et s'est rapproché des modérés au pouvoir en Iran avec le président Khatami.

Oussama Ben Laden imagine dès lors qu'il pourra piéger la cour saoudienne, en pleine tension avec Washington, dans un affrontement d'une tout autre ampleur.

La suite est connue. Le génie méphitique de la Qaida et sa débilité militaire en Afghanistan s'ajoutent à la faiblesse de ses alliés pakistanais, que le général Pervez Musharraf a pu berner de manière gaullienne, en jouant au profit de la laïcité des menaces de l'Inde et des Etats-Unis. Il y a aussi, hélas ! la paralysie de l'Egypte, qui n'augure rien de bon, et la confusion totale en Arabie Saoudite.

Le cycle de la Qaida s'achève.

Il aura poussé jusqu'au bout de sa logique la potentialité destructrice de l'islam radical et intégriste. Il n'en annonce pas encore la fin, mais plutôt la mutation. Si l'Internationale sunnite terroriste meurt en déstabilisant l'Arabie Saoudite, elle n'a pas dit son dernier mot en Egypte et au Yémen. A tout le moins 2001 s'achèvera-t-il sur une nette victoire militaire des Etats-Unis et de la Russie. Reste à attendre le succès politique, plus douteux.

Alexandre Adler
Journaliste et historien

Décembre

Lu	Ma	Me	Je	Ve	Sa	Di
					1	2
3	4	5	6	7	8	9
10	11	12	13	14	15	16
17	18	19	20	21	22	23
24	25	26	27	28	29	30
31						

Fleury-Mérogis, samedi 1er
Pierre Falcone, le principal accusé de l'« Angolagate », est libéré après le versement d'une caution de 16 millions d'euros.

Lancashire, samedi 1er
Décès de Rachel Forber, la première patiente traitée pour la forme humaine de l'ESB.

Taiwan, samedi 1er
Déroute du Kuomintang pro-chinois aux législatives, au profit du parti indépendantiste du président Chen Shui-bian.

Suisse, dimanche 2
A 78 %, les Suisses refusent la suppression de leur armée.

France, lundi 3
Détection d'un 5e cas de la forme humaine de l'ESB.

Londres, mardi 4
Entrée en vigueur d'une loi interdisant le clonage humain à des fins de reproduction.

Marseille, mercredi 5
Le président délégué de l'OM, Etienne Ceccaldi, a le nez cassé par l'ancien directeur financier, Pierre Dubiton.

New York, mercredi 5
Espoirs de reprise économique : le Dow Jones clôt au-dessus de 10 000 points et le Nasdaq au-dessus de 2 000 points.

Macapa (Brésil), vendredi 7
Ricardo Tavares, meurtrier présumé de Peter Blake, est arrêté avec six complices. Un huitième homme est en fuite.

Ramallah, vendredi 7
Yasser Arafat annonce à la télévision israélienne avoir fait arrêter 17 des 33 terroristes réclamés par l'Etat hébreu.

France, dimanche 9
Téléthon : plus de 502 millions de francs de promesses de dons.

Picardie, dimanche 9
Les habitants de 46 communes disent non au 3e aéroport lors d'un référendum jugé illégal.

DECES

Paris, samedi 1er
Robert Scipion, créateur de mots croisés (*14.7.1921).

Chamborigaud, samedi 1er
Jean-Pierre Chabrol, conteur cévenol (*11.6.1925).

Paris, mercredi 5
Pierre de Bénouville, homme politique (*8.8.1914).

🏛 4 642,94 🛢 18,15 $

€ 0,8905 $

Les marsouins sont en territoire afghan

Mazar-e Charif, samedi 1er
Enfin ! Depuis le 18 novembre, les soldats français étaient bloqués sur la base militaire de Khanabad, vers Karchi dans le sud de l'Ouzbékistan. Les difficultés rencontrées avec les autorités locales ayant été réglées, quarante marsouins sont arrivés ce soir à Mazar-e Charif, héliportés par les Américains. Issus du 21e Rima, un régiment d'infanterie de marine, ils ont pour mission d'en sécuriser l'aéroport, c'est-à-dire de le déminer et de le remettre en état afin qu'il puisse accueillir les avions porteurs d'aide humanitaire. Ils doivent être rejoints par 160 autres Français en attente de départ à Miramas.

Le sida demeure le fléau de l'humanité

New York, samedi 1er
La Journée mondiale contre le sida s'ouvre officiellement à l'ONU, ce matin, dans un climat d'inquiétude. Malgré des progrès spectaculaires en matière de thérapie, les chiffres restent tout simplement affolants. Les dernières statistiques publiées par Onusida font état de 40 millions de personnes infectées par le virus. En vingt ans, la pandémie a fait près de 25 millions de morts – 3 millions rien que pour l'année 2001, presque 10 000 décès par jour ! Selon l'ONU, l'espérance de vie en Afrique noire pourrait être, sans le sida, de 62 ans. Elle est de 47 ans...

Enron bat le funeste record des faillites

New York, dimanche 2
Enron est – faut-il dire « était » ? – le 7e groupe américain et le numéro un mondial du commerce de l'énergie. Son chiffre d'affaires : 100 milliards de dollars. Le tribunal de commerce de New York l'a placé aujourd'hui sous la protection de la loi sur les faillites. Ses dettes s'élèvent à plus de 31 milliards de dollars, et le cours de son action est passé de 85 dollars il y a un an à 85 cents vendredi ! Le séisme est d'autant plus grand que Ken Lay, le patron d'Enron, fut l'un des principaux financiers de Bush.

Coupe Davis à la France

Hier, Pioline et Santoro (à droite) remportaient le double (2-6, 6-3, 7-5, 6-1).

Melbourne, dimanche 2
On attendait Sébastien Grosjean, et c'est Nicolas Escudé qui est arrivé, avec une rage de vaincre qui a mis à genoux les joueurs australiens. Sur leur propre terrain. La finale de la Coupe Davis, qui opposait l'équipe d'Australie à une équipe de France soudée autour de son capitaine Guy Forget, avait commencé vendredi par une très belle surprise et par une déception. La surprise d'abord, avec la victoire d'un Escudé opportuniste sur le numéro un mondial Lleyton Hewitt (4-6, 6-3, 3-6, 6-3, 6-4). Puis la déception avec la cruelle défaite de Grosjean face à Patrick Rafter (6-3, 8-6, 7-5). Tout restait possible. Samedi, en double, Fabrice Santoro et Cédric Pioline battaient Rafter et Hewitt : le saladier d'argent était dès lors à la portée des Français. Ils ne l'ont pas laissé échapper, grâce à un Escudé déchaîné qui, aujourd'hui, a signé la victoire finale en s'imposant à Wayne Arthurs (7-5, 6-7, 6-3, 6-3).

Le 1er, à Tokyo, la princesse Masako et le prince héritier Naruhito, fils de l'empereur Akihito, ont une fille. Le bébé, issu de la plus ancienne dynastie du monde, doit recevoir à son baptême, fixé au 7, le prénom d'Aiko.

L'Intifada s'est transformée en véritable guerre

Ramallah, lundi 3

Israël est entré dans une logique de guerre. Les trois attentats que l'Etat hébreu vient de connaître ce week-end, des actions commises par des kamikazes, samedi dans une rue de Jérusalem et dimanche à Haïfa dans un autobus, sont les attentats de trop pour Ariel Sharon, qui est intervenu ce soir à la télévision pour vilipender Yasser Arafat. Le chef de l'Autorité palestinienne, a affirmé le Premier ministre israélien, « est le plus grand obstacle à la paix [et est] responsable de tout ce qui se passe ». Prenant les accents de George Bush après le 11 septembre, il a ajouté : « Tous ceux qui se dresseront contre nous pour nous tuer le feront au péril de leur vie. » Quelques heures plus tôt, des missiles israéliens avaient été lancés contre l'héliport personnel d'Arafat à Gaza, détruisant deux hélicoptères et le rendant totalement inutilisable, des bâtiments officiels palestiniens étant également touchés. Ce soir, les blindés de Tsahal sont à Ramallah, à 500 m des bureaux d'Arafat. (→ 16)

Carnage samedi 1er rue Ben-Yehouda, dans le centre de Jérusalem, dû à l'attentat suicide d'un Palestinien du Hamas.

Sir Peter Blake est victime de brigands

Elizabeth II l'avait anobli en 1995.

Brésil, mercredi 5

Avec sa chevelure blonde et rebelle, sa moustache et sa stature de géant des mers (2,03 m), Sir Peter Blake évoquait quelque aventurier viking. Il est d'ailleurs mort tel un héros de saga, assassiné par des pillards alors que son bateau, le *Seamaster*, était au mouillage dans l'embouchure de l'Amazone. Né le 1er octobre 1948, le navigateur néo-zélandais s'était reconverti dans l'écologie après une extraordinaire carrière de skipper. Ses plus belles victoires : la Fastnet en 1979, la Whitbread en 1990, le Trophée Jules-Verne en 1994 et la Coupe de l'America en 1995.

La conférence de Bonn a décidé de la nouvelle donne afghane

Bonn, mercredi 5

L'accord est signé : à compter du 22 décembre, Hamid Karzaï dirigera le gouvernement afghan pour six mois, le temps que soit constituée la Loya Jirga, assemblée des chefs de tribus, qui procédera à la désignation d'un chef de l'Etat au printemps 2002. La tenue d'élections libres est envisagée pour la fin 2003. Réticente à laisser à d'autres le pouvoir qu'elle détient par les armes, l'Alliance du Nord a finalement accepté la nomination de ce royaliste pachtoun en échange de plusieurs postes clefs dans le futur gouvernement, dont les portefeuilles de l'Intérieur, de la Défense et des Affaires étrangères, dévolus à trois Tadjiks. L'ex-président Rabbani est en revanche écarté, ce qui n'est pas le cas de l'ancien roi Zaher qui, de Rome, a fait savoir qu'il reviendrait présider la Loya Jirga. Un incident a toutefois failli tout remettre en cause. Hamid Karzaï a échappé à la mort aujourd'hui près de Kandahar. Il a été blessé par une bombe larguée par erreur par un B-52, et qui a tué trois soldats américains et cinq de l'Alliance du Nord. (→ 22)

Harry Potter ensorcelle aussi les Français

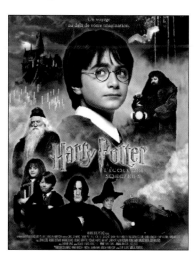

France, mercredi 5

476 836 : tel est le nombre d'entrées réalisé, pour sa première journée en salles, par *Harry Potter à l'école des sorciers* qui décroche le 3e meilleur score de tous les temps. Aux Etats-Unis, le film réalisé par l'Américain Chris Columbus d'après le 1er tome de la tétralogie de la Britannique Joanne Kathleen Rowling, pulvérise tous les records. Il a déjà rapporté 220 millions de dollars de recettes depuis sa sortie le 16 novembre. Nul ne doute que le budget (165 millions de dollars) sera vite amorti. Depuis lundi, le tournage du 2e épisode a déjà commencé. Six sont prévus...

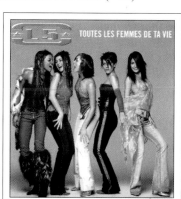

Sorti le 27 novembre, *Toutes les femmes de ta vie*, le 1er single des L5, groupe de filles créé par M6 dans l'émission « Popstars », s'est vendu le 5 à 185 000 exemplaires, record jamais atteint en France.

La chute de Kandahar annonce la fin des talibans

Déjà détruit par les Russes, le pays a encore souffert sous les bombes US.

Kandahar, vendredi 7

Au jour du 60e anniversaire de Pearl Harbor, et deux mois jour pour jour après le déclenchement des frappes américaines, Kandahar est tombée. Les talibans qui n'ont pas fui se sont engagés à déposer leurs armes. Mais la prise de leur fief historique laisse un goût d'inachevé. Car, si les chefs de guerre pachtouns se sont rendus maîtres de la ville, les conditions de la reddition des anciens maîtres de l'Afghanistan demeurent troubles. Certes, les pilonnages intensifs des B-52 avaient rendu vaines toutes les tentatives de résistance. De même la présence de marines avec les soldats de l'Alliance du Nord ne laissait pas de place pour un corps à corps qui aurait été trop inégal. Mais, s'il y a bien eu capitulation, elle a, de toute évidence, été négociée, de telle sorte que le mollah Mohammed Omar, le chef suprême des talibans, a eu le temps d'organiser sa fuite. Hamid Karzaï, qui a mené les négociations, se défend d'avoir laissé s'enfuir celui auquel il avait, comme tant d'autres,

Le mollah Omar a pris la fuite.

prêté allégeance lors de l'installation du régime taliban avant de s'exiler aux Etats-Unis. Même si, il y a deux mois, il lui promettait l'amnistie s'il acceptait de se rendre. « Le temps des amnisties est passé », affirme-t-il désormais. Pour les Américains, en tout cas, celui de la traque d'Omar et de Ben Laden continue. (→ 13)

La liberté pour des trafiquants de drogue !

Paris, vendredi 7

La justice sous surveillance ? Divers syndicats de policiers ont demandé à leurs adhérents de relever toutes les « bavures » des juges en matière de mise en liberté provisoire. Celles-ci se sont il est vrai multipliées. Le 26 novembre, deux Israéliennes sont interpellées à Roissy en possession de 9,3 kg de cocaïne, puis libérées par un juge. Elles ont disparu dans la nature, de même qu'un trafiquant d'héroïne congolais, arrêté et remis en liberté le 29 à Versailles. Lundi, l'Elysée a stigmatisé avec force des « dysfonctionnements ».

Le 8, à Mulhouse, Miss Lyon est élue Miss France. Sylvie Tellier, 22 ans, titulaire d'une maîtrise en droit des affaires, succède à Elodie Gossuin. Elle mesure 1,73 m.

Difficile de juger le génocide rwandais

New York, vendredi 7

Alors qu'une commission d'enquête mise en place à Kigali, au Rwanda, estime que le génocide de 1994 a fait 1,07 million de morts, le TPI-R, le tribunal pénal international pour le Rwanda, basé à Arusha (Tanzanie), n'a jugé que huit responsables. D'où la volonté du procureur Carla Del Ponte d'accélérer les procédures, en affectant au TPI-R des magistrats supplémentaires, ainsi qu'elle vient de le demander à l'ONU. De toute façon, estime-t-elle en réponse aux impatiences du Rwanda, la totalité des 136 inculpés ne pourra pas être jugée avant 2007. (→ 19)

Le préfet Bonnet risque trois ans de prison

Ajaccio, vendredi 7

Après trois semaines de débats, qui a menti, qui a dit vrai ? Avant-hier, le procureur a apporté sa réponse : Bernard Bonnet, « ligoté pour avoir juré sur l'honneur [à son] ministre qu'il était innocent, puis pour avoir pris l'opinion publique à témoin », s'est enferré dans le mensonge. Il a, c'est évident, ordonné d'incendier la paillote. Et de requérir quatre ans de prison contre l'ancien préfet de Corse, dont trois ferme. Ses avocats ont plaidé aujourd'hui la relaxe pour absence totale de preuve. Jugement le 11 janvier prochain.

Les gendarmes ont fait plier leur ministre

Le malaise couvait depuis des mois.

Paris, samedi 8

En bon français, cela s'appelle une mutinerie, mais personne n'a eu la malencontreuse idée de prononcer le mot... Stimulés par les avantages obtenus par les policiers au terme de leurs manifestations dans la rue, les gendarmes ont mis crosse en l'air et, par milliers, ont défilé hier à Paris et dans les grandes villes de province pour exiger une amélioration de leur condition. Et, comme les gendarmes sont des militaires, c'est le ministre de la Défense, Alain Richard, qui les a reçus aujourd'hui. Il leur a promis un coup de pouce financier (sous la forme d'une indemnité équivalant à un treizième mois) et 50 000 gilets pare-balles supplémentaires.

L'espace géopolitique de la Qaida

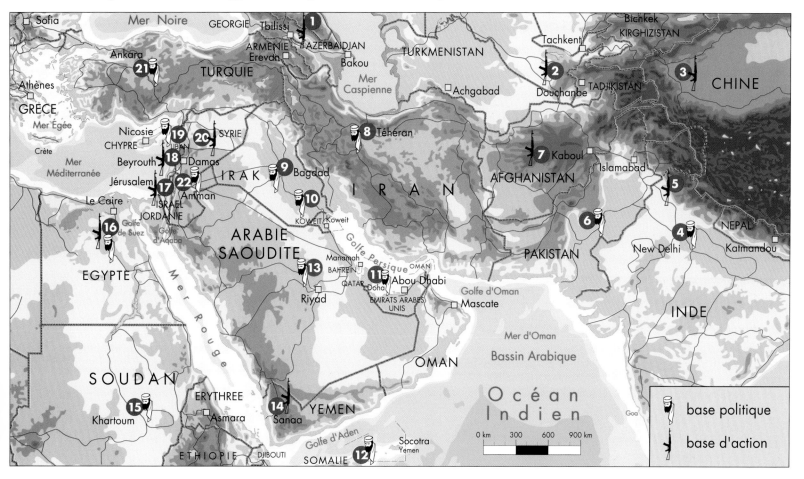

1. Tchétchénie - Chamyl Bassaïev, chef des extrémistes, est membre de la Qaida.

2. Ouzbékistan - Vallée du Ferghana. Maquis islamiste de Yuldashev, membre de la Qaida. Namangami, chef de la Qaida ouzbèke, est tué à Mazar-e Charif.

3. Xinjiang - Le mouvement séparatiste Ouïghour, membre de la Qaida, pose des bombes dans des autobus de Pékin en 1998 et envoie des volontaires en Afghanistan.

4. Inde - L'imam de la grande mosquée de Delhi apporte son soutien aux talibans. Attentat islamiste contre le Parlement indien en décembre.

5. Cachemire - Des volontaires de la Qaida, aidés des services spéciaux pakistanais, mènent la guerre contre l'Inde et contre les musulmans modérés cachemiris de Hürriet.

6. Pakistan - La Qaida soutient la Jamiat Al Oulama Al Islam, qui est à l'origine des talibans. Elle a pénétré les services secrets (I.S.I.) et l'armée avec des généraux de premier plan : Hamid Gül, Azzam Khan, Mahmoud Ahmad.

7. Afghanistan - Base principale de la Qaida, avec le mouvement des talibans centré à Kandahar.

8. Iran - Peu de sympathie pour la Qaida, mais volonté de la garde la plus extrémiste, autour du guide de la Révolution, Ali Khameneï, de préserver malgré tout Ben Laden ainsi que les liens avec la Syrie et le Hezbollah libanais.

9. Irak - Les services secrets irakiens ont établi des contacts sérieux avec la Qaida et les talibans. Saddam Hussein mène une guerre des nerfs contre l'Arabie Saoudite à la veille du 11 septembre.

10. Irak du sud - Le mouvement islamiste chiite Al Dawa pourrait bien jouer un rôle décisif au côté de l'Iran dans la chute programmée de Saddam Hussein.

11. Qatar - Le cheikh Al Thani a maintenu, par anticonformisme, le contact avec la Qaida. La chaîne de télévision Al Jezira a fait la propagande d'Oussama Ben Laden.

12. Somalie - Le mouvement islamiste Al Ittihad sert de base d'appui secondaire à la Qaida.

13. Arabie Saoudite - Puissants appuis internes à la Qaida dans la famille royale, les oulémas wahhabites et la banque saoudienne.

14. Yémen et Assir - Le mouvement Islah, intégré au gouvernement du colonel Saleh, fait partie de la Qaida. Le cheikh Zindani, son chef, est très proche de Ben Laden.

15. Soudan - Le nettoyage a été commencé par le général Omar Béchir, qui a livré Carlos à la France, mais des réseaux politico-économiques, liés au cheikh Tourabi, subsistent et ramifient en Afrique noire.

16. Egypte - Les Gamaa Islamyah, aile marchante de l'islamisme, gardent le contact avec la confrérie des Frères musulmans, officiellement modérée.

17. Palestine - Le Djihad islamique fait partie intégrante de la Qaida. Très minoritaire, il agit avec le Hamas islamiste et même le Tanzim, organisation insurrectionnelle du Fatah.

18. Liban - Le Hezbollah, bien que chiite, a envoyé des combattants en formation en Afghanistan. Oussama Ben Laden entretient d'étroites relations avec lui.

19. Liban - Le mouvement de l'Unité islamique (Towhid) de Tripoli sert de centre semi-légal aux Frères musulmans syriens, hostiles pour l'instant à la Qaida.

20. Syrie -Les services spéciaux syriens, totalement alaouites, ont exprimé un intérêt pour la Qaida. Ils abritent à Damas la logistique du Hezbollah libanais, du FPLP et du Hamas palestinien, ainsi que du PKK kurde de Turquie.

21. Turquie - Une mouvance terroriste islamiste existe en Turquie, au flanc du parti islamiste Fazilet. Le groupe dit de Kaplan (Kaplenci) soutient la Qaida et entretient des réseaux en Allemagne, où ils viennent d'être interdits.

22. Jordanie - Les Frères musulmans de Jordanie ont approuvé l'attentat du 11 septembre.

Alexandre Adler

Décembre

Lu	Ma	Me	Je	Ve	Sa	Di
					1	2
3	4	5	6	7	8	9
10	11	12	13	14	15	16
17	18	19	20	21	22	23
24	25	26	27	28	29	30
31						

Paris, lundi 10
Patrice Chéreau reçoit le prix Louis-Delluc pour *Intimité*.

Etats-Unis, mardi 11
La Fed abaisse son principal taux directeur à 1,75 %, son plus bas niveau depuis 1961.

Paris, mercredi 12
L'ex-commandant Pierre-Henri Bunel est condamné à 2 ans de prison pour trahison au profit de la Yougoslavie en 1998.

Strasbourg, jeudi 13
La Cour européenne de justice condamne la France pour son refus de lever l'embargo sur la viande bovine britannique.

Paris, jeudi 13
Frédéric Vitoux est élu à l'Académie française au fauteuil de Jacques Laurent.

Lantin, jeudi 13
Affaire Cools : l'avocat d'Alain Van der Biest obtient la libération de son client.

Somalie, jeudi 13
Deux hélicoptères américains survolent Mogadiscio : la Qaida y disposerait d'une base. (→ 19)

Millau (Aveyron), vendredi 14
Jean-Claude Gayssot, ministre des Transports, pose la première pierre du viaduc qui sera le plus grand du monde.

Paris, vendredi 14
Entrée en Bourse de Crédit Agricole SA.

Berlin, vendredi 14
Le Bundestag adopte l'abandon du nucléaire civil d'ici à 2020.

Philippines, vendredi 14
Arrivée de soldats américains dans le sud de l'archipel à la traque de membres de la Qaida.

Corse, samedi 15
Les chutes de neige privent 11 000 foyers d'électricité.

Italie, samedi 15
Ouverture au public de la tour de Pise, fermée depuis 12 ans.

New York, samedi 15
Le dernier pan du WTC encore debout est abattu.

Kaboul, samedi 15
Réouverture de l'ambassade américaine fermée depuis 1989.

DECES

Paris, samedi 15
Claude Santelli, réalisateur de télévision (*17.6.1923).

 4 340,02   18,84 $

€ 0,9027 $

Van der Biest arrêté dans l'affaire Cools

Liège, lundi 10
Alain Van der Biest dort ce soir à la prison de Lantin. Ainsi l'ont décidé les magistrats liégeois de la chambre du conseil. L'ancien ministre, qui est accusé d'avoir été le commanditaire, en 1991, du meurtre d'André Cools, ancien président du Parti socialiste belge, a certes fait preuve de trop de « forfanterie ». Si chacun s'attendait à son renvoi, comme à celui des huit autres inculpés, devant la chambre des mises en accusation, prélude à un procès en assises, leur arrestation a surpris. Quels éléments nouveaux les juges ont-ils découverts pour que la « prise de corps » ait lieu ? (→ 13)

Jean Richard s'en va dompter les anges

Il avait conquis Simenon en Maigret.

Senlis, mercredi 12
Un cancer a emporté à l'âge de 80 ans celui qui était l'un des derniers vrais saltimbanques, au sens le plus noble du terme. Aussi à l'aise sur les planches que sur la sciure, au petit qu'au grand écran, ce Poitevin à la bouille ronde aura tout fait. Né le 18 avril 1921, il créa après la guerre un type de comique paysan qui fit de lui une vedette de cinéma avec *Nous autres à Champignol* (1956). Mais il sut en sortir pour incarner Maigret à la télévision, dans la série lancée en 1967. Entre-temps, il avait fondé un zoo et s'était essayé avec succès au domptage. Il rachètera en 1971 le cirque Pinder, dont il fera le cirque Pinder-Jean Richard.

11 septembre : un Français est inculpé

Washington, mardi 11
John Ashcroft, secrétaire d'Etat à la Justice, a tenu à annoncer lui-même la nouvelle : Zacarias Moussaoui, de nationalité française, est le premier inculpé dans l'enquête sur l'attaque terroriste du 11 septembre. Agé de 33 ans, Moussaoui avait été arrêté le 17 août dans le Minnesota, où il suivait des cours de pilotage, pour séjour irrégulier. Aurait-il pu être le vingtième pirate de l'air, celui qui manquait à l'appel sur le vol AA 77 ? Le FBI ne le croit pas. Les 34 pages de l'acte d'inculpation le désignent toutefois comme ayant « comploté avec Ben Laden pour assassiner des milliers d'innocents ». Sa version ? Il préfère se taire. (→ 28)

Moussaoui risque la peine de mort.

Le Parlement indien est pris d'assaut

New Delhi, jeudi 13
Ils n'étaient que cinq mais ils étaient déterminés. Lourdement armés, ils ont pénétré dans le Parlement de la plus grande démocratie du monde et ont ouvert le feu, pas assez vite pour que l'un des trois cents députés présents soit atteint. La riposte de la garde, elle, a été immédiate. Dans la fusillade, six membres des forces de sécurité ont été tués et quatre des terroristes. Le cinquième périra peu après avec ses explosifs. Si l'action n'a pas été revendiquée, le Premier ministre indien ne doute pas qu'elle soit l'œuvre d'islamistes cachemiris soutenus par le Pakistan. (→ 31)

Une nouvelle cassette prouverait la culpabilité de Ben Laden

Washington, jeudi 13
De cette cassette vidéo diffusée par les télévisions du monde entier, on ne sait presque rien, si ce n'est ce que le Pentagone veut bien en dire, soit : 1. qu'elle a été découverte, par on ne sait qui, on ne sait quand, à Jalalabad ; 2. que l'enregistrement aurait été effectué à la mi-novembre, on ne sait où, ni par qui, ni dans quel but. Oussama Ben Laden y apparaît ravi des attentats du 11 septembre, et les propos qu'il tient à ses hôtes laissent penser qu'il était très au fait des préparatifs de l'attaque. « Nous avions été informés le jeudi », dit-il cependant, qu'elle aurait lieu le 11. Il n'a pas tout décidé seul ? (→ 28)

Shaykh: A plane crashing into a tall building was out of anyone's imagination. This was a great job.

L'interlocuteur d'Oussama Ben Laden serait le Saoudien Khaled al-Harbi.

Les Quinze nomment Giscard président

Bruxelles, samedi 15

Valéry Giscard d'Estaing est hors course pour l'élection présidentielle. Les Quinze, réunis au château de Laeken, l'ont désigné président de la Convention pour la réforme des institutions européennes. Il a battu Jacques Delors qui, candidat à cette même fonction, avait cru pouvoir se dispenser de faire campagne. VGE, assisté de deux vice-présidents, le Belge Jean-Luc Dehaene et l'Italien Giuliano Amato, doit réfléchir aux implications, tant institutionnelles que politiques, de l'élargissement de l'Union européenne à 30 membres. Il s'est dit désireux d'inventer une « Europe capable de faire rêver ».

La Qaida aurait déserté Tora Bora

Les B-52 ont tourné en attendant la reddition promise, qui n'est jamais venue.

Tora Bora, dimanche 16

La « légion étrangère » de la Qaida aura été la plus vaillante. Jusqu'au bout, les volontaires venus de Chine, du Pakistan, de Tchétchénie, voire de France (ils seraient une centaine) ont tenu bon. Jusqu'au bout, c'est-à-dire jusqu'à ce tour de passe-passe qui a consisté à faire croire à leur reddition, le temps de pouvoir fuir. L'Alliance du Nord dit avoir tué 200 combattants et fait... 25 prisonniers. Parmi eux, bien sûr, nul Ben Laden. De source sûre, il était à Tora Bora. Il se terrait dans une grotte, pris au piège. Or Ben Laden, 1,95 m, 67 kg, boiteux, malade au point d'être sous dialyse, cavale toujours. Les Etats-Unis n'ont de lui... que son ADN.

Yasser Arafat est acculé par Sharon

Ramallah, dimanche 16

A la télévision, Yasser Arafat s'est d'abord adressé à son peuple. Pour lui demander d'arrêter sur-le-champ toutes actions armées contre Israël. Celles-ci, a-t-il expliqué, ne peuvent que desservir la cause palestinienne. Puis il a demandé à l'Etat hébreu de cesser sa répression. Mais quel est encore son pouvoir ? A peine s'était-il tu qu'un obus de mortier s'abattait sur une colonie israélienne dans la bande de Gaza, affermissant un peu plus Ariel Sharon qui, jeudi, a mis Arafat « hors jeu » et déclaré caducs les accords d'Oslo. Il donnait carte blanche vendredi à Tsahal. (→ 18)

Sa radio détruite au bulldozer, ses bureaux bombardés, Arafat ne cède pas.

Un ministre aveugle à la poigne de fer

Londres, dimanche 16

Déjà critiqué sur sa gauche pour les mesures antiterroristes prises après le 11 septembre, David Blunkett, le ministre britannique de l'Intérieur, soulève encore l'ire des défenseurs des droits de l'homme. Il envisage maintenant d'exiger des candidats à la naturalisation d'avoir quelques rudiments de langue anglaise. Ce qui paraît scandaleux à quelques-uns relève du bon sens pour beaucoup d'autres. Et ces derniers de saluer la clairvoyance de ce ministre aveugle, qui n'a pas hésité à déclarer que son pays « n'est pas un ventre mou ».

Le 14, les premières pièces en euros sont mises en vente sous forme de kit : chacun contient 40 pièces d'une valeur totale de 15,25 euros (100 francs). C'est la ruée : à 18 heures, 12,5 millions de sachets ont déjà été vendus.

Le 16, le RPR fête ses 25 ans en présence de Bernadette Chirac, aphone mais heureuse de représenter son mari, qui fonda le mouvement après sa rupture avec Valéry Giscard d'Estaing. Au menu : bavarois à la mangue.

Décembre

Paris, mardi 18
Adoption définitive du projet de loi sur la Corse.

Gaza, mardi 18
La police palestinienne ferme six bureaux du Hamas. (→ 21)

Etats-Unis, mardi 18
Le juge fédéral William Yohn casse la condamnation à mort de Mumia Abou Jamal.

Washington, mardi 18
Le 11 septembre sera désormais férié. George Bush en fait le « jour des patriotes ».

Rwanda, mercredi 19
Le bilan du génocide de 1994 est de 1 074 017 morts.

Etats-Unis, mercredi 19
Pour le général Richard Myers, chef d'état-major, la Somalie serait la prochaine cible de la campagne « antiterroriste ».

Montpellier, jeudi 20
José Bové, condamné en appel à six mois de prison ferme pour la destruction de plants de riz transgénique, se pourvoit aussitôt en cassation.

Cisjordanie, vendredi 21
Le Hamas annonce l'arrêt de ses attentats en Israël. (→ 24)

Toulouse, samedi 22
Lionel Jospin se prononce pour la fermeture de l'usine AZF.

Orléans, samedi 22
Bruno Girard est champion du monde des mi-lourds : il bat l'Américain Robert Koon par arrêt de l'arbitre au 11e round.

France, samedi 22
Fermeture définitive des magasins Marks & Spencer.

Suisse, samedi 22
Après les voitures hier, le tunnel du Gothard est rouvert aux camions, en circulation alternée.

France, dimanche 23
L'abbé Pierre redevient la personnalité préférée des Français, suivi de David Douillet, Jean-Jacques Goldman et Zinedine Zidane.

DECES

Paris, jeudi 20
Jacques Mauclair, comédien et metteur en scène (*12.1.1919).

Berry, vendredi 21
Michel Honorin, journaliste, ancien de *Cinq Colonnes à la Une* (*26.2.1934).

 4 499,34   19,54 $

€ 0,8875 $

Le rêve américain de Jean-Marie Messier

Etats-Unis, lundi 17
« L'exception culturelle française est morte. » Ainsi s'exprime Jean-Marie Messier, alias « J2M », président de Vivendi Universal, alors qu'il vient de procéder à l'acquisition de USA Networks pour plus de 10 milliards de dollars, permettant à son groupe de pénétrer les marchés américains de la distribution et de la diffusion satellitaire. Barry Diller devient le nouvel homme fort de Vivendi aux dépens de Pierre Lescure, le patron de Canal +. Le tollé suscité par les propos de J2M est à la hauteur des sommes investies par Canal + dans le cinéma français : un milliard de francs par an, en vertu d'un accord renégociable... en 2004.

Et maintenant, qu'allons-nous faire ?

« Monsieur 100 000 volts » en 1953.

Paris, mardi 18
Un cancer a mis fin à la carrière du Toulonnais François Silly, connu du grand public sous le nom de Gilbert Bécaud (*24.10.1927). En 50 ans de partenariat avec des paroliers aussi talentueux que Louis Amade, Pierre Delanoë ou Claude Lemesle, il laisse plus de 400 chansons (*Nathalie, les Marchés de Provence, Quand il est mort le poète, L'important, c'est la rose,* etc.). Au fil du temps, l'idole des jeunes, pour lequel les fauteuils de l'Olympia furent cassés en 1954, n'avait rien perdu de sa tonicité, ni de sa dextérité pianistique et de son appétit de compositeur-interprète. La cravate à pois, dont la première fut taillée par sa mère dans une robe des années 40, restera son emblème. Lui aussi, « tu le regretteras »...

Léopold Sédar Senghor a voulu mourir sur sa terre d'adoption

En juin 1983, il fut le premier Africain à être élu à l'Académie française.

Verson (Calvados), jeudi 20
Jacques Chirac a su trouver le ton juste : « La poésie vient de perdre un maître, le Sénégal un homme d'Etat, l'Afrique un visionnaire et la France un ami. » Président du Sénégal de 1960 à 1980, après avoir été député et ministre français, Léopold Sédar Senghor est mort à son domicile de Normandie (*9.10.1906), au terme d'une longue existence consacrée à la défense de la négritude et de la francophonie. Mais ce dont l'agrégé de grammaire fut le plus fier était son œuvre poétique où se mêlent la spontanéité africaine et la si ardente obligation française du ciselage.

Anelka poursuit sa route vers Liverpool

Paris, vendredi 21
Vendu 76 000 euros par le PSG à Arsenal en 1996, transféré au Real Madrid trois ans plus tard pour cinq millions d'euros, racheté par le PSG en août 2000 (33 millions d'euros), l'enfant de Trappes, qui fut présenté au début de sa carrière comme « le Ronaldo français », part à Liverpool au vif soulagement de l'entraîneur parisien Luis Fernandez. Il n'est que prêté au club entraîné par Gérard Houillier, avec option d'achat à la fin de la saison. Une quarantaine de Français évoluent désormais dans le championnat anglais.

Le 19, sortie mondiale du *Seigneur des anneaux* du Néo-Zélandais Peter Jackson, premier volet de l'adaptation cinématographique de la trilogie fantastique du Britannique J.R.R. Tolkien. Elijah Wood incarne Frodon.

L'Argentine est au bord de la faillite

Le champion de l'apnée se suicide

Buenos Aires, jeudi 20

La démission ce matin de Domingo Cavallo, le très impopulaire ministre de l'Economie, a été insuffisante à calmer la colère populaire, de même que l'instauration, la veille, de l'état de siège pour une durée de 30 jours. Après deux journées d'émeutes qui auraient entraîné la mort d'au moins vingt et un Argentins, Fernando de la Rua, chef de l'Etat depuis qu'il avait succédé à Carlos Menem en décembre 1999, a remis ce soir sa démission, épilogue d'une profonde révolte populaire qu'il avait, contre toute vraisemblance, voulu attribuer à des « ennemis de la République » agissant de façon isolée. Président du Sénat, Ramon Puerta, péroniste, assure l'intérim.

Le peuple a été poussé à bout.

Les Argentins, affamés, pillent pour des denrées de première nécessité.

Buenos Aires, vendredi 21

Susceptibles d'être poursuivis pour la répression de la manifestation qui s'est tenue hier place de Mai, l'ex-président Fernando de la Rua et son ancien ministre de l'Economie font l'objet d'une interdiction de sortie du territoire. Les enseignements de cette crise sont toutefois loin d'avoir été tirés. Le FMI (Fonds monétaire international) se refuse pour l'heure à toute modification de sa politique à l'égard du pays tant qu'un « plan économique viable » n'aura pas été trouvé. Or c'est justement contre le FMI et ses « valets » argentins que le peuple s'est dressé, n'acceptant pas les restrictions imposées par la nécessité de rembourser d'ici à la fin de l'année 752 millions de dollars au FMI, plus 2,5 milliards pour la fin février. En quasi-faillite, l'Argentine a adopté un plan d'austérité qui a entraîné la réduction des traitements des fonctionnaires (jusqu'à - 13 %) et des pensions de certains retraités, et la limitation des retraits d'argent en espèces. Cette crise économique, la plus grave que le pays ait connue depuis un siècle, a été d'autant plus mal vécue que la parité fixée en 1991 d'un peso pour un dollar a interdit toute dévaluation. La paupérisation de la population, et le chômage qui touche 40 % des actifs dans certaines régions, ne pouvaient que susciter la révolte, attisée par la corruption de la classe politique. (→ 31)

Mayol avait inspiré le Grand Bleu.

Calone (île d'Elbe), samedi 22

Près de son corps, qui balançait au bout d'une corde, les carabiniers ont trouvé une lettre : Jacques Mayol, le premier homme à être descendu en apnée sous les 100 mètres, souhaite que ses cendres soient dispersées en mer. Une manière, peut-être, que ne soit pas percé son secret : l'aptitude à faire baisser son rythme cardiaque à vingt pulsations par minute ! Initié à la plongée par Clown, la maman du célèbre Flipper-le-dauphin, il ne se disait pas sportif mais s'affirmait comme philosophe. D'où quelques divergences avec Luc Besson qui en avait fait le héros du *Grand Bleu*. Il avait 74 ans (*1927).

Karzaï doit reconstruire l'Afghanistan

Kaboul, samedi 22

Au lendemain de la prédiction livrée par George Bush : « 2002 sera une année de guerre », une paix fragile s'installe en Afghanistan, où Hamid Karzaï a prêté serment sur le Coran. L'ancien président Burhannuddin Rabbani s'est résigné à lui remettre ses pouvoirs dans une vaste salle du ministère de l'Intérieur ornée d'un portrait du commandant Massoud. Karzaï et ses 29 ministres ont pour première tâche de faire procéder au désarmement de leur peuple, ce qui nécessite l'aide de la communauté internationale. Une force de 3 000 à 5 000 hommes se déploie depuis hier sous commandement britannique. Quant au coût de reconstruction du pays, il est estimé à neuf milliards de dollars sur cinq ans. (→ 24)

Hamid Karzaï a choisi une femme, Sima Samar, comme vice-présidente.

Le vol Paris-Miami a bien failli exploser

Boston, samedi 22

A 12 h 55, le vol AA 63 a atterri à Boston, escorté depuis cinq heures par deux chasseurs F-15 américains. Parti de Roissy, le Boeing 767 aurait dû rallier Miami si, au beau milieu de l'Atlantique, le passager du siège 29 A n'avait tenté de mettre le feu à ses baskets aux semelles emplies d'explosif. Les 185 passagers et les 12 membres d'équipage n'ont dû leur salut qu'à la présence d'esprit d'une hôtesse qui, sentant une odeur de soufre – celle de l'allumette – a donné l'alerte : les passagers les plus musclés sont parvenus à maîtriser le forcené à la forte carrure. Porteur d'un passeport britannique au nom de Richard Colvin Reid, il prétend être sri-lankais et s'appeler Tariq Raja ou Abdel Rahim. (→ 28)

Sa véritable identité reste inconnue.

Décembre

Lu	Ma	Me	Je	Ve	Sa	Di
					1	2
3	4	5	6	7	8	9
10	11	12	13	14	15	16
17	18	19	20	21	22	23
24	25	26	27	28	29	30
31						

Kaboul, lundi 24
Le chef de guerre ouzbek Rachid Dostom devient vice-ministre de la Défense.

Toulouse, lundi 24
Près de 3 000 personnes vivent encore sans fenêtres, alors que la ville a connu son mois le plus froid depuis 1947. (→ 27)

Parachinar (Pakistan), lundi 24
Enterrement de Hervé Djamel Loiseau, un Français de 18 ans qui avait rejoint la Qaida et a été retrouvé mort à Tora Bora.

Ankara, mardi 25
La Turquie propose son aide pour former la nouvelle armée et la nouvelle police afghanes.

Cisjordanie, mardi 25
Le Djihad islamique annonce l'arrêt de ses opérations armées contre Israël.

Montréal, mercredi 26
Selon l'OACI, Organisation de l'aviation civile internationale, le trafic aérien mondial a décru de 6 % en 2001.

Tel-Aviv, mercredi 26
Benyamin Ben Eliezer, ministre de la Défense du gouvernement d'Ariel Sharon, est élu à la tête du Parti travailliste.

Moscou, mercredi 26
39,4 millions de Russes, soit 27,2 % de la population, vivent sous le seuil de pauvreté.

Etats-Unis, mercredi 26
Le Canadien Ahmad Saïd al Kadr figurerait sur la liste des membres de la Qaida.

Toulouse, jeudi 27
Selon les experts, des déchets de chlore seraient à l'origine de l'explosion de l'usine AZF.

Europe, jeudi 27
Le P-dg de Renault envisage de fermer 50 % de ses concessions en Europe d'ici à 2004.

Tel-Aviv, jeudi 27
Ariel Sharon interdit à Yasser Arafat de se rendre à Bethléem le 6 janvier pour la célébration du Noël orthodoxe.

Le Caire, vendredi 28
L'Opep décide de réduire sa production de 1,5 million de barils par jour durant six mois à compter du 1er janvier.

Strasbourg, lundi 31
La nuit de la Saint-Sylvestre est une nouvelle fois marquée par plusieurs actes de vandalisme.

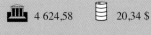 4 624,58   20,34 $

€   0,8829 $

Ariel Sharon interdit à Arafat de se rendre à la messe de minuit

Bethléem, lundi 24
Dans l'église Sainte-Catherine, qui jouxte la basilique de la Nativité, la chaise prévue pour accueillir le chef de l'Autorité palestinienne est restée vide. Ni l'intervention du Vatican ni même celle du président de l'Etat hébreu, Moshe Katsav, n'ont réussi à faire fléchir Ariel Sharon, qui avait interdit à Yasser Arafat de se rendre à Bethléem, estimant publiquement que celui-ci avait « mieux à faire » : faire arrêter les assassins du ministre israélien du Tourisme. Intervenant à la télévision, le musulman Arafat, marié à une chrétienne, a qualifié de « crime » le fait de l'empêcher de parcourir la vingtaine de kilomètres qui séparent Ramallah de la ville de naissance du Christ. (→ 27)

Un siège vide et un keffieh symbolisent sa première absence depuis 1995.

Un froid polaire s'abat sur l'Europe

Berchtesgaden, mardi 25
Le mercure est formel : dans la cité bavaroise qui abrita le « nid d'aigle » d'Adolf Hitler, la température était cette nuit de - 56°. Un record dans une Europe confrontée à une vague de froid qui a déjà fait 178 morts en Pologne et 5 en France, où le Sud-Ouest est le plus atteint : voici une dizaine de jours que la Dordogne ou la Gironde enregistrent chaque nuit de - 10 à - 15°. Selon l'Organisation météorologique mondiale, 2001 sera pourtant la 2e année la plus chaude sur Terre depuis 1860, après 1998.

Le paradis anglais au bout du tunnel

Sangatte, mercredi 26
André Segard, le maire socialiste de Sangatte, dans le Pas-de-Calais, est à bout. Il ne voit qu'une solution : la fermeture du centre installé par la Croix-Rouge dans sa ville en 1999, et qui a déjà vu passer plus de 30 000 clandestins. Hier soir, 130 Kurdes et Afghans sont partis cisailler les clôtures qui protègent le passage de l'Eurostar pour s'engouffrer dans le tunnel sous la Manche et essayer de gagner à pied l'Angleterre. Bien que repris par les forces de l'ordre, ils ont inspiré 450 autres immigrés qui, vers une heure du matin, ont tenté la même opération. En vain.

Les chômeurs sont toujours plus nombreux

France, vendredi 28
Pour le septième mois d'affilée, le chômage est en progression. 9 % de la population active est sans emploi, soit 2 200 800 personnes, en raison, a expliqué le ministre de l'Economie et des Finances, Laurent Fabius, de la « récession » qui frappe « les trois premières économies du monde » : celles des Etats-Unis, du Japon et de l'Allemagne. L'hiver, a-t-il prévenu, sera « économiquement difficile » et il n'exclut plus de revoir à la baisse sa prévision de croissance de 2,5 % en 2002. Un chiffre est réellement inquiétant : celui des licenciements économiques, qui ont augmenté de 15,6 % au mois de novembre.

Richard Reid déchausse tous les passagers

Boston, vendredi 28
La cour fédérale de Boston a décidé du maintien en détention de l'auteur de la tentative d'attentat sur le vol Paris-Miami, qui n'est pour l'heure inculpé que de « voies de fait sur le personnel de bord ». Si son identité réelle est bien celle de Richard Reid, le FBI s'est refusé à révéler la nature des 200 grammes d'explosif cachés dans ses baskets, se contentant de le qualifier de « très très sophistiqué ». D'où la conviction que l'homme n'a pas agi seul. Mais rien ne prouve à ce jour qu'il soit lié à la Qaida. Les enquêteurs ont cependant pu établir qu'il était allé au Pakistan en août, et connaissait Zacarias Moussaoui.

Les passagers doivent désormais présenter leurs chaussures au contrôle.

L'insaisissable Ben Laden parle par vidéo

En 1998, Clinton le rendait responsable des attentats contre ses ambassades.

Doha (Qatar), vendredi 28

L'arme, une Kalashnikov fort bien astiquée, est pour la première fois posée à sa droite. Derrière lui, une toile de jute de couleur ocre flotte sous l'effet d'un léger vent. Al Jezira diffusait hier soir une cassette vidéo de 33 minutes qui aurait été filmée il y a deux ou trois semaines. Rien ne prouve donc que Ben Laden soit toujours vivant. Amaigri, le chef de la Qaida s'est à nouveau félicité des « attaques sacrées » commises le 11 septembre, et a affirmé que « notre terrorisme contre les Etats-Unis est béni car il dissuade l'oppresseur afin que l'Amérique cesse son soutien à Israël ». A Washington, la perplexité est de mise. Le secrétaire d'Etat à la Défense, Donald Rumsfeld, a avoué ignorer si Ben Laden est mort, vit en Afghanistan ou ailleurs...

L'Inde et le Pakistan au bord de la guerre

Pour l'Inde, le Pakistan est complice des attentats islamistes au Cachemire.

Islamabad, lundi 31

Le Pakistan a fait un geste : Hafiz Mohammed Saeed, chef du Lashkar-e-Taiba, a été arrêté. L'Inde le tient pour l'un des instigateurs de l'assaut contre le Parlement de New Delhi le 13 décembre dernier. Ce « pas en avant dans la bonne direction » est toutefois insuffisant pour stopper les préparatifs de guerre entre les deux pays. Une échauffourée a déjà causé la mort, ce matin, de douze soldats indiens, victimes de tirs de mortier. Plusieurs centaines d'habitants des villages frontaliers ont été évacués, laissant la place aux troupes et aux batteries de missiles des puissances nucléaires rivales qui, depuis 1947, année de leur partition, se disputent le contrôle du Cachemire. Les Etats-Unis pressent Pervez Musharraf de cesser d'y soutenir les islamistes.

Le Paris-Dakar est lancé au départ d'Arras

Arras, vendredi 28

Devenu pour sa 34e édition le Arras-Madrid-Dakar, le rallye auto-moto Paris-Dakar a lâché à 20 heures ses 800 concurrents pour un périple de 9 436 km. Les deux ennemis jurés, l'Allemande Jutta Kleinschmidt et le Français Jean-Louis Schlesser, se sont fait voler la vedette par Johnny Hallyday qui, entre deux tournages, s'est offert le plaisir de s'engager sur une Nissan. Il a pour objectif, pour sa première participation, d'arriver à Dakar. Déjà habitués du rallye, le skieur Luc Alphand et le navigateur Laurent Bourgnon sont aussi partis.

Johnny Hallyday fait équipe avec René Metge, triple vainqueur du rallye.

La ville de Sydney cernée par les flammes

Sydney, lundi 31

Avec l'annonce de l'arrivée de vents d'ouest pouvant atteindre 100 km/h en soirée, cette journée s'annonçait délicate pour les 5 000 pompiers qui luttent, depuis le 20 décembre, pour protéger Sydney. Au sud et à l'ouest de la plus grande ville d'Australie, plus de 150 habitations ont déjà été détruites, ainsi que 250 000 hectares de bush. Sur la centaine de foyers de départ de feu recensés dans cet Etat de Nouvelle-Galles du Sud, la moitié est d'origine criminelle. Huit incendiaires, dont trois adolescents de 15 ans, ont été arrêtés.

Attisés par les vents, les incendies se sont propagés sur plus de 600 kilomètres.

Les pluies succèdent à la neige pour inonder l'est de la France

Vosges, lundi 31
La météo avait annoncé un « secteur pluvieux » accompagné de « risques d'avalanches » : c'est une avalanche d'eau qui est survenue au cours du week-end en Lorraine, entraînant la crue de la Meuse et de la Moselle. A Vittel et à Contrexéville, les rues ont été recouvertes par 80 cm d'eau boueuse. Sur les rives de la Meuse, près de Neufchâteau, 150 personnes ont dû quitter précipitamment leur domicile. Plus à l'est, un village du Territoire de Belfort a été envahi par une vague haute de près d'un mètre : une digue s'était rompue. La région de Commercy vit ce matin encore dans l'inquiétude : la Meuse affiche la cote de 3,90 mètres, 25 cm de plus que le niveau dit « de crue grave ».

L'eau a envahi Sarreguemines. A Bussang (Vosges), la boue a tué un enfant.

L'Argentine récuse tous ses dirigeants

San Luis, lundi 31
Le péroniste Adolfo Rodriguez Saa n'a pas regagné Buenos Aires. C'est depuis sa province de San Luis que le président argentin, désigné le 23 par le Parlement, a fait part de sa démission. Bien qu'il soit parvenu à geler le remboursement de la dette extérieure de son pays (132 milliards de dollars), les Argentins avaient à nouveau protesté en masse vendredi en découvrant qu'ils ne pouvaient toujours pas retirer leurs économies des banques. Après les démissions du directeur de la banque centrale, du gouvernement tout entier et du président du Sénat, celle du chef de l'Etat laisse un pouvoir vacant.

Le ras-le-bol des médecins de famille

Paris, lundi 31
Réputés pour leur individualisme et leur incapacité à présenter un front revendicatif uni, les médecins ont su cette fois se mobiliser. Lancée le 15 novembre, leur grève a été suivie ce week-end par la quasi-totalité de la profession. Mais l'entretien accordé ce matin à leurs représentants par le directeur de cabinet du ministre de l'Emploi et de la Solidarité n'a pas donné de résultat. Ils réclament que leurs honoraires, bloqués depuis des années, soient revalorisés, d'autant qu'ils accomplissent de plus en plus de tâches administratives.

Le centre historique de Lima est dévasté par un violent incendie

L'explosion accidentelle d'un feu de Bengale est à l'origine de la catastrophe.

Lima, lundi 31
276 morts, 20 disparus, une centaine de blessés : tel est le dernier bilan de l'incendie qui s'est déclenché samedi en fin de journée à Mesa Redonda, le quartier historique de la capitale péruvienne classé au patrimoine de l'humanité par l'Unesco en 1995. Le président Alejandro Toledo, qui a décrété deux jours de deuil national, a annoncé que l'importation et la production de feux d'artifice étaient « définitivement interdite ». D'après les premiers éléments de l'enquête, le feu serait parti d'un magasin de pyrotechnie qui a explosé lors d'une démonstration. En 1991, un sinistre semblable avait tué 12 personnes.

Le 30, alors que le Crédit Mutuel de Loire-Atlantique alimente déjà ses distributeurs en euros avec deux jours d'avance, Laurent Fabius, ministre des Finances, présente pièces et billets de la nouvelle monnaie européenne.

Le 31, des dizaines de milliers d'Afghans s'entassent encore dans des camps de fortune, ne survivant que grâce à l'aide humanitaire. Hier, une erreur de tir de l'aviation américaine a fait une centaine de morts à l'est du pays.

L'euro en poche

L'euro en poche... Ce n'est plus une information, c'est une révolution... La révolution du millénaire... Pour la première fois dans l'histoire, plus de 300 millions d'hommes et de femmes ont adopté par des voies pacifiques une seule et même monnaie. Or ces 300 millions d'Européens n'appartiennent pas à la même nation, ils ne parlent pas la même langue, ils ont même des cultures et une histoire qui ont pu dans le passé être antagonistes. C'est la première fois... Toutes les tentatives précédentes l'ont été par la force, la violence ou la guerre. Toutes ont échoué... César, Charlemagne, Napoléon, Hitler ont essayé, mais la fibre démocratique leur a tellement manqué que leurs projets de monnaies ont sombré avec leurs armes.

On n'impose pas à des peuples une monnaie parce que la monnaie est l'instrument de la confiance. Le moyen et le symbole de vivre ensemble... Il faut installer cette confiance... L'arrivée de l'euro est l'aboutissement d'une pédagogie qui a démarré il y a plus de 50 ans, quand les dirigeants de peuples qui s'étaient entredéchiré ont commencé à tisser des liens de coopération et de solidarité ; l'Europe a donc passé plus d'un demi-siècle à débattre, à se réformer et à apprendre à vivre ensemble...

Un demi-siècle pendant lequel les Européens ont découvert qu'il avaient intérêt à sceller leur avenir autour d'une monnaie.
L'euro a créé un marché unique de 300 millions de consommateurs en les mettant à l'abri des tempêtes internationales...

Les querelles intestines et politiciennes n'ont pas cessé, certes, mais les dévaluations sauvages ont disparu et c'est tant mieux... La compétition économique s'est exacerbée, mais les risques de conflits armés se sont dissipés.

Et, là encore, c'est tant mieux.
Maintenant, il est vrai qu'aujourd'hui l'euro donne du talent aux valeurs, aux grincheux, aux conservateurs de tout poil... Parce que l'euro nécessite un effort d'adaptation et que les changements inquiètent.. Mais, après tout, quand on vit ensemble, il faut aussi apprendre à bien se tenir, à ne pas tricher... Les efforts sont minimes au regard des avantages...

D'autant que l'euro n'est qu'une étape... Son application enracinera, qu'on le veuille ou non, une harmonisation progressive des fiscalités, des conditions sociales. Bref de tout ce qui fait que la vie en commun est possible. Il y aura donc d'autres changements, d'autres réformes. L'euro va peut-être générer une nouvelle façon de vivre ensemble.

Jean-Marc Sylvestre
Journaliste à TF1

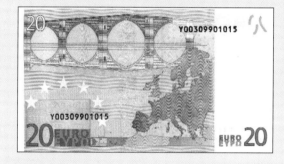

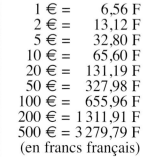

1 € =	6,56 F
2 € =	13,12 F
5 € =	32,80 F
10 € =	65,60 F
20 € =	131,19 F
50 € =	327,98 F
100 € =	655,96 F
200 € =	1 311,91 F
500 € =	3 279,79 F
(en francs français)	

9 janvier, Paul Vanden Boeynants
Voir page 6

18 janvier, Laurent-Désiré Kabila
Voir page 9

19 janvier, Charles Mérieux
Héritier dès 1937 du laboratoire de microbiologie de son père, à Lyon, Charles Mérieux (*9.1.1907) fut l'un des premiers au monde à produire des vaccins à l'échelle industrielle. Fondateur de l'Institut Mérieux et de la Fondation Mérieux, puis, en 1989, de Pasteur-Mérieux Sérums et Vaccins (avec l'Institut Pasteur), il deviendra le numéro un mondial en matière de vaccins à usage humain. Il orientera sa Fondation vers des opérations humanitaires.

25 janvier, Guy Tréjan

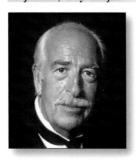

Sa carrière aura fait de bout en bout honneur au métier de comédien. Si Guy Tréjan (*18.9.1921) n'a jamais joué les vedettes, il a excellé en effet dans tous les domaines. Au théâtre, il a tout joué, de *Tartuffe* au TNP à *Heldenplatz* de Thomas Bernhard, qui lui a valu un Molière en 1991. Au cinéma, il a multiplié les rôles jusqu'à *la Chambre des officiers*, son dernier film. Et il a brillé à la radio, à la télévision et au disque (avec une très belle lecture des *Misérables*).

27 janvier, Marie-José de Savoie
Voir page 15

30 janvier, Jean-Pierre Aumont

Ancien des Forces françaises libres, Jean-Pierre Salomons (*5.1.1911) a été une révélation du Conservatoire avant d'adopter le pseudonyme de Jean-Pierre Aumont et de devenir le jeune premier idéal du cinéma des années 30 *(Lac aux dames, Hôtel du Nord)*. Il saura bien vieillir dans des rôles éclectiques et recevra un César d'honneur en 1991.

4 février, Gilbert Trigano
Voir page 15

4 février, Iannis Xenakis
D'origine grecque, ce compositeur français (*29.5.1922) s'est servi de sa formation de mathématicien et d'architecte (il fut un collaborateur de Le Corbusier) pour apporter à la création musicale une rigueur et une sophistication qui n'excluent pas la sensibilité (*Eonta*, 1963 ; *Nuits*, 1967 ; *Khoaï*, 1976). Il appliqua la théorie des ensembles à la composition et fut l'un des premiers à employer un ordinateur. Il se considérait comme un héritier de la Grèce antique.

4 février, Jay Jay Johnson
James Louis Johnson, connu sous le nom de Jay Jay Johnson, s'est tiré une balle dans la tête à Indianapolis, sa ville natale (*22.1.1924). Il était atteint d'un cancer incurable. Grand tromboniste de jazz, il avait débuté dans des formations comme celle de Count Basie avant de se révéler comme l'une des figures majeures du jazz moderne, au côté de Charlie Parker ou de Dizzie Gillespie. Il a constitué avec Kay Winding, autre tromboniste, un duo célèbre.

16 février, Balthus
Voir page 18

19 février, Charles Trenet
Voir page 19

23 février, Robert Enrico

Après s'être imposé avec des courts métrages remarquables (*Au cœur de la vie*, 1962), Enrico (*13.4.1931) a fait preuve d'un métier très sûr en tournant des films alternant action virile et drame intimiste. Il a connu un grand succès avec *le Vieux Fusil* (1975) et donné une vision originale des séquelles de la Seconde Guerre mondiale dans *Vent d'est* (1993).

4 mars, Jean Bazaine

Revendiquant son appartenance à la tradition picturale française, Jean Bazaine (*21.12.1904) s'est très tôt éloigné de la figuration sans pour autant renoncer à trouver dans la nature ses sources d'inspiration. Ses œuvres, méditatives et réfléchies, ne sont donc pas à proprement parler abstraites. Ce coloriste raffiné, doué d'un sens aigu de la lumière, a aussi créé des superbes vitraux. Il s'était récemment distingué en contestant les restaurations abusives.

23 mars, David Mac Taggart
Décédé en Italie dans un accident d'automobile, David Mac Taggart (*24.6.1932), un homme d'affaires canadien, avait rejoint Greenpeace en 1972 pour lutter contre les essais nucléaires effectués par la France dans le Pacifique. Directeur, puis président d'honneur de la célèbre organisation écologiste, il mena des campagnes internationales efficaces pour la protection des baleines et la sauvegarde de l'Antarctique menacé par l'exploitation minière.

9 avril, Jérôme Lindon
Voir page 36

19 avril, Robert Paparemborde
Voir page 38

24 avril, Brice Fleutiaux
Voir page 40

25 avril, Michele Alboreto
C'est en préparant les 24 Heures du Mans au volant de son Audi R8 que Michele Alboreto (*23.12.1956) a trouvé la mort sur le Lausitzring, près de Berlin. Très orgueilleux, le coureur automobile italien avait fait carrière en Formule 1, chez Tyrrell puis Ferrari. Malgré son talent, il ne remporta que cinq Grands Prix de 1981 à 1994, tout en se classant en deuxième position au championnat du monde des pilotes de 1985, année où il triompha à deux reprises (au Canada et en Allemagne). Michele Alboreto s'était reconverti dans les courses de voitures de sport.

16 mai, Jean-Philippe Lauer
La France et l'Egypte ont pleuré de concert la disparition, à 99 ans, de Jean-Philippe Lauer (*7.5.1902). En 1926, jeune architecte, il avait été engagé pour travailler sur le site de Saqqarah, près du Caire. Il y restera toute sa vie, consacrant ses efforts à la reconstitution du mur d'enceinte de la pyramide de Djoser, construit il y a 4 800 ans. Fonctionnaire de l'Etat égyptien, cas unique pour un étranger, il avait notamment publié *le Mystère des pyramides*.

25 mai, Alberto Korda
Voir page 51

31 mai, Fayçal Husseini
Voir page 52

3 juin, Anthony Quinn
Voir page 54

7 juin, Carole Fredericks
Voir page 55

10 juin, Leïla Pahlavi
Voir page 56

24 juin, Igor Barrère

Médecin de formation, mais homme d'image par vocation, Igor Barrère (*17.12.1931) était l'une des figures historiques de la télévision française. Réalisateur et producteur, il fit dès les années 50 du nouveau média un outil d'information, en particulier avec des émissions médicales et avec *Cinq Colonnes à la une* dont il fut l'un des créateurs en 1959. Barrère lança en 1964 *la Caméra invisible* et, en 1970, *A armes égales*.

27 juin, Jack Lemmon
Issu d'une grande famille de Boston et diplômé de Harvard, ce brillant comédien (*8.2.1925) fut longtemps cantonné par Hollywood dans des rôles comiques, où il faisait du reste merveille, avant de révéler l'étendue d'une sensibilité insoupçonnée dans deux chefs-d'œuvre de Billy Wilder, *Certains l'aiment chaud* (1959) et *la Garçonnière* (1960). Il eut un Oscar pour *Sauvez le tigre* (1973).

16 juillet, Morris
Voir page 66

25 juillet, Poolan Devi
Voir page 68

29 juillet, Edward Gierek
Premier secrétaire du Parti ouvrier unifié polonais (communiste) après la démission de Gomulka, en 1970, Edward Gierek (*6.1.1913) devait consacrer ses efforts à neutraliser la contestation populaire en favorisant la consommation. Mais ce dirigeant incontestablement ouvert, qui avait longtemps vécu comme mineur en France et en Belgique, ne put faire obstacle à la montée des grèves de 1980 dans les chantiers navals, ce qui entraîna sa mise à l'écart.

8 août, Maureen Reagan
Voir page 74

20 août, Sir Fred Hoyle
Il avait du génie, de l'humour et le don de faire enrager ses confrères. Ce brillant astronome britannique (*24.6.1915) s'opposait à la théorie de la naissance de l'Univers en un moment unique, qu'il baptisa « big bang » par dérision : il croyait en un univers stable en création continue. Ses idées restèrent très minoritaires, mais il sut les vulgariser avec talent dans des romans de science-fiction captivants (*le Nuage noir*, 1957, *A comme Andromède*, 1962, etc.)

24 août, Jane Greer

Ancienne chanteuse et cover-girl de *Life*, l'actrice américaine Bettejane (dite « Jane ») Greer (*9.9.1924) fit valoir sa beauté ténébreuse dans un superbe thriller psychanalytique de Jacques Tourneur, *la Griffe du passé* (1947). Comédienne à facettes, elle se distinguera ensuite autant dans un « polar » de série B comme *Ça commence à Vera Cruz* (1947) que dans un film de cape et d'épée tel que *le Prisonnier de Zenda* (1952). Elle fera ensuite de la télévision.

25 août, Aaliyah
Voir page 79

25 août, Philippe Léotard
Voir page 79

25 août, Ken Tyrell
Voir page 79

29 août, Francisco Rabal

C'est dans l'avion qui le ramenait du Canada en Espagne que, pris d'un malaise, ce grand acteur espagnol est décédé (*9.3.1925). Proche, dès les années 50, de la nouvelle vague contestataire du cinéma espagnol, il tourna alors notamment avec Juan Antonio Bardem et Carlos Saura. Mais c'est Luis Bunuel qui devait pleinement le révéler avec *Nazarin* (1958). Il reçut en 1984, à Cannes, un prix d'interprétation masculine pour *les Saints Innocents*.

2 septembre, Christian Barnard
Voir page 84

9 septembre, Ahmed Shah Massoud
Voir page 85

22 septembre, Isaac Stern
Voir page 92

29 septembre, Nguyên Van Thiêu
Symbole de l'échec du Viêt-nam du Sud, dont il fut le président élu de 1967 à 1975, face au Viêt-nam du Nord, le général Nguyên Van Thiêu (*5.4.1923) fut incapable d'endiguer le déferlement communiste après le désengagement américain en 1973. Il démissionna le 21 avril 1975, soit dix jours avant la chute de Saïgon. Il a vécu depuis en exil, d'abord en Angleterre, puis aux Etats-Unis.

13 octobre, Jean Daninos
Frère de l'écrivain humoriste Pierre Daninos, l'ingénieur français Jean Daninos (*2.12.1906) contribua à la création de la Traction avant, chez Citroën, avant de fonder en 1937 les Forges et Ateliers de Construction d'Eure-et-Loir (Facel). En 1954, il a lancé la Facel Vega, une voiture de grand luxe aux performances très élevées, puis en 1959 un modèle de sport, la Facellia. Une aventure qui prit malheureusement fin en 1964.

17 octobre, Rehavam Zeevi
Voir page 103

23 octobre, Daniel Wildenstein
Héritier d'une famille de marchands de tableaux, collectionneur avisé et historien d'art compétent, Daniel Wildenstein (*11.9.1917) était à la fois admiré et craint dans l'univers du marché de l'art, tant sa puissance était grande et son jugement avisé. Ce Français de renommée mondiale avait fondé l'Institut Wildenstein et publié des catalogues raisonnés de nombreux artistes. Elu à l'Académie des beaux-arts en 1971, il possédait aussi une célèbre écurie de chevaux.

24 octobre, Guy Schoeller

Né dans le sérail de l'édition, Guy Schoeller (*11.7.1915) aura marqué profondément la profession par au moins deux idées de génie. En 1952 d'abord, lorqu'il crée, avec Henri Filipacchi, le Livre de Poche. Puis en 1979, quand il lance chez Robert Laffont la collection Bouquins, sorte de bibliothèque idéale relativement bon marché, mais d'une impeccable qualité technique, forte aujourd'hui de quelque 400 titres. Il a été l'époux de Françoise Sagan (1958-1960).

25 octobre, Soraya Esfandiari
Voir page 105

31 octobre, Régine Cavagnoud
Voir page 108

29 novembre, Budd Boetticher
Moins célèbre que Howard Hawks, John Ford ou Anthony Mann, Budd Boetticher (*29.7.1916) n'en fut pas moins un maître du western. Styliste à la dramaturgie concise et à la mise en scène élégante et dépouillée, il a signé de purs chefs-d'œuvre tels que *Sept Hommes à abattre* (1956) ou *Comanche Station* (1960). Passionné de tauromachie, il a réalisé en 1951 *la Dame et le Toréador* et, en 1968, un documentaire sur le grand torero mexicain Carlos Arruza.

29 novembre, George Harrison
Voir page 117

1er décembre, Jean-Pierre Chabrol

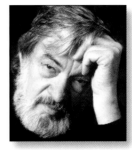

Révélé au grand public par *les Fous de Dieu* (1961), l'écrivain cévenol Jean-Pierre Chabrol (*11.6.1925) a concilié un enracinement farouche dans une culture ancestrale avec les idéaux révolutionnaires qu'il devait illustrer dans *le Canon Fraternité*. Attaché à la défense de la langue de ses aïeux, l'occitan, il fit valoir avec beaucoup de succès ses savoureux talents de conteur à la télévision.

5 décembre, Peter Blake
Voir page 121

5 décembre, Pierre de Bénouville
Militant d'Action française au côté de son ami François Mitterrand, le jeune Pierre Bénouville (*8.8.1914) adoptera le pseudonyme de Guillain de Bénouville pour signer un essai sur Baudelaire (1936). Membre de la Cagoule, il ralliera d'abord Pétain avant de devenir l'un des héros de la Résistance, qui en fera un général. Sous le nom de Pierre de Bénouville, il sera après la guerre le principal collaborateur de Marcel Dassault et sera longtemps député de Paris.

12 décembre, Jean Richard
Voir page 124

15 décembre, Claude Santelli
Décédé des suites d'un accident peu banal (sous le chapiteau du cirque Gruss, un éléphant l'avait soulevé et fait chuter de 3 m), Claude Santelli (*17.6.1923) était un pionnier de la télévision française. Animateur de diverses émissions littéraires, il avait acquis sa renommée dans les années 60, en réalisant ou en produisant des adaptations de classiques du roman populaire, notamment avec la série du « Théâtre de la jeunesse ».

18 décembre, Gilbert Bécaud
Voir page 126

20 déc., Léopold Sédar Senghor
Voir page 126

22 décembre, Jacques Mayol
Voir page 127

Index général

A

134

135

138

139

141

Rehnquist, William
- Reçoit le serment du Président Bush 20/01

Reid, Richard Colvin
- Tente de faire exploser le Paris-Miami en plein vol 22/12
- Comparaît aux Etats-Unis 28/12

Renard roux (opération)
- Déploiement de l'Otan en Macédoine 26/09

Renaudot (prix)
- Martine Le Coz pour "Céleste" 05/11

Renault (Sté)
- Renforcement de l'alliance Renault-Nissan 31/10
- Annonce la fermeture de certaines concessions 27/12

Repin, Vadim
- Concert à Nantes 28/01

Restoux, Marie-Claire
- Absente aux championnats d'Europe de judo 20/05

Reutlinger, Paul
- Démission du vice-président de SAirGroup 05/02

Ricard, Patrick
- Pernod Ricard cède Orangina à Cadbury Schweppes 21/09

Ricciardi, Alain
- Assassiné à Lucciana 05/08

Richard, Alain
- Confirme la présence d'agents en Afghanistan 08/10
- Met fin aux manifestations des gendarmes 08/12

Richard, Jean
- Décès 12/12

Richard, Jean-Pierre
- Président de la conférence épiscopale française 06/11

Ridge, Tom
- Chef de la Sécurité intérieure américaine 20/09

Ridley, Yvonne
- Arrestation à Jalalabad 28/09
- Libération 08/10

Ridway, Keith
- Prix Femina étranger 29/10

Riesel, René
- Condamné avec José Bové à Montpellier 15/03

Rinaldi, Angelo
- Elu à l'Académie française 21/06

Roberts, Julia
- Primée aux Oscars 25/03

Robertson, George
- Visite à Skopje 26/07

Rocchi, Pierre
- Assassiné à Bastia 11/09

Rochet, Marc
- Mise en redressement judiciaire d'AOM-Air Liberté 19/06

Rodwell, Fanny
- Le musée Tintin sera à Louvain-la-Neuve 09/01

Rogge, Jacques
- Président du CIO 16/07
- Refuse d'exclure les athlètes des pays suspects 20/09

Rogliano, Pascal
- Assassiné près de Saint-Florent 26/09

Rohmer, Eric
- Sortie de son film "l'Anglaise et le duc" 05/09
- Primé à la Mostra de Venise 08/09

Roig, Marie-José
- Victoire aux municipales 18/03

Rossi, Valentino
- Champion du monde motocycliste 14/10

Rouault, Valérie
- Epouse David Douillet 14/04

Rous, Didier
- Champion de France sur route 01/07

Rousseau, Florian
- Champion du monde sur piste 30/09

Roussel, Bruno
- Publie un ouvrage à scandale 20/06

Roux, Guy
- Annonce son retour à Auxerre 20/05
- Retour à l'AJ Auxerre 18/06

Rowling, Joanne Kathleen
- Sortie en France de "Harry Potter à l'école des sorciers" 05/12

RTL
- Retour de Philippe Bouvard 26/02

RTL Group (Sté)
- Repris par Bertelsmann 04/02

Rufin, Jean-Christophe
- Prix Goncourt 05/11

Rugby
- Décès de Robert Paparemborde 19/04
- Leicester remporte la Coupe d'Europe 20/05
- Le Bouclier de Brennus au Stade toulousain 10/06
- L'Angleterre remporte le tournoi des Six Nations 20/10
- Victoire du XV de France contre l'Afrique du Sud 10/11
- Victoire du XV de France contre l'Australie 17/11
- Le XV de France bat les Fidji 24/11

Rugova, Ibrahim
- Manque la majorité aux élections 19/11

Ruiz, John
- Champion du monde WBA des lourds 03/03

Rumsfeld, Donald
- Peine à convaincre l'UE sur le bouclier antimissile 07/02
- Difficultés pour capturer Ben Laden 25/10
- Ne peut empêcher la prise de Kaboul 11/11
- Préfère voir Ben Laden mort que vif 21/11
- Reconnaît avoir perdu la trace de Ben Laden 28/12

Russie
- Panne de chauffage à Novossibirsk 08/01
- Visite du président iranien 12/03
- Les Tchétchènes détournent un avion vers Médine 15/03
- Destruction de la station Mir 23/03
- Importation de déchets nucléaires 18/04
- Dennis Tito est le premier touriste de l'espace 28/04
- Décès d'Alexei Tupolev 12/05
- Pacte d'actions contre les rebelles islamistes 25/05
- Création de l'Organisation de coopération de Shanghai 15/06
- Traité de coopération avec la Chine 16/07
- Participe au sommet du G8 20/07
- Opposée à la règlementation du commerce des armes légères 21/07
- Attentat en Tchétchénie 28/08
- Perte d'un hélicoptère en Tchétchénie 17/09
- Ouvre son espace aérien aux opérations humanitaires 24/09
- Annonce de la fermeture des bases à Cuba et au Viêt-nam 17/10
- Sommet de l'Apec à Shanghai 19/10
- Appelle au règlement de la crise afghane 20/10
- Renflouement du sous-marin "Koursk" 23/10
- Refuse de réduire sa production pétrolière 14/11
- Négociations avec la Tchétchénie 18/11
- Arrivée d'un contingent à Kaboul 27/11
- Taux de pauvreté alarmant 26/12

Rwanda
- Mandat d'arrêt contre l'ancien Premier ministre 09/04
- Condamnation de sœur Gertrude 08/06
- Arrestation de Protais Zigironyirazo à Bruxelles 26/07
- Lenteur du TPI-R 07/12
- Bilan du génocide de 1994 19/12

Ryanair (Cie aérienne)
- Propose des tarifs attractifs 27/11

S

Saa, Adolfo Rodriguez
- Désigné président de l'Argentine 23/12
- Démissionne 31/12

Sabena
- Démission du vice-président de SAirGroup 05/02
- Projet de recapitalisation par SAirGroup 23/02
- Mario Corti devient président de SAirGroup 16/03
- Promesse financière de Swissair 17/07
- Cessation de paiement 03/10
- Mise sous administration judiciaire 05/10
- Déclarée en faillite 07/11
- Réclame des dommages à Swissair 23/11

Sadi, Saïd
- Son parti quitte le gouvernement algérien 01/05

Saeed, Hafiz Mohammed
- Arrêté au Pakistan 30/12

Sagnol, Willy
- Remporte la finale de la Ligue des champions 23/05

Saint-Gothard (tunnel du)
- Accident de deux camions 24/10
- Réouverture avec circulation alternée des voitures 21/12
- Réouverture aux camions 22/12

Saint-Omer
- Procès de Marius Warnecke 09/05
- Condamnation de Warnecke 22/05

Saint-Pierre, Natacha
- Représente la France à l'Eurovision 12/05

Saint-Valery
- Début du pompage des eaux 02/05

SAirGroup
- Démission du vice-président Paul Reutlinger 05/02
- Projet de recapitalisation de la Sabena 23/02
- Mario Corti remplace Eric Honegger à la présidence 16/03
- Changement de nom pour devenir Swissair Group 02/04
- Voir maintenant Swissair Group 03/04

Salomone, Jeanine
- Maman à 62 ans 14/05

Salomone, Robert
- Père et oncle du même enfant 14/05

Salomé, Jean-Paul
- Sortie de son film "Belphégor" 04/04

Salvador
- Le dollar US devient la monnaie officielle 01/01
- Tremblement de terre 13/01
- Nouveau séisme 13/02

Salvador, Henri
- Honoré aux Victoires de la musique 17/02
- Epouse Catherine Costa 26/11

Samar, Sima
- Nommée vice-présidente d'Afghanistan 22/12

Samaranch, Juan Antonio
- Quitte la présidence du CIO 16/07

Sampaio, Jorge
- Réélu président du portugal 14/01

San Marin
- Grand Prix de Formule 1 15/04

Sangatte
- Bagarres entre réfugiés 11/02

Santelli, Claude
- Décès 15/12

Santoni, François
- Condamné en appel 29/05
- Assassiné en Corse 17/08

Santoro, Fabrice
- Victoire en double en Australie 01/12

Sané, Pierre
- Quitte la présidence d'Amnesty International 17/08

Sapin, Michel
- Mise des services publics sur Internet 21/08

SAS (Cie aérienne)
- Accident d'un MD-80 à Milan-Linate 08/10

Sassone, Robert
- Champion du monde sur piste 30/09

Saumur
- Chute des remparts du château 22/04

Scarnato, Sébastien
- Remporte les 24 Heures du Mans moto 15/04

Schaaf, Karine
- Disparition 22/07
- Retrouvée morte et calcinée 02/08
- Mise en examen de Péroline 10/09
- Mise en examen de S. Krauth 17/08
- Le procureur exclut l'accident 15/11

Schmitt, Peter-Uwe
- Condamnation des amants diaboliques 26/09

Schneider (Sté)
- Annonce de la fusion avec Legrand 15/01
- Veto de l'UE sur la fusion avec Legrand 10/10

Schoeller, Guy
- Décès de l'éditeur 24/10

Schramek, Olivier
- Publie "Matignon, rive gauche" 16/10

Schröder, Gerhard
- Nomme une écologiste à l'Agriculture 10/01
- Reçoit Silvio Berlusconi 26/09

Schumacher, Michael
- Accident aux essais en Australie 02/03
- Victoire à Melbourne 04/03
- Victoire en Malaisie 18/03
- Remporte le Grand Prix d'Espagne 29/04
- Vainqueur à Monaco 27/05
- Remporte la GP d'Allemagne 24/06
- Remporte le GP de France 01/07
- Abandon à Hockenheim 29/07
- Remporte le GP de Hongrie 19/08
- Champion du monde 2001 19/08
- Victoire au GP de Belgique 02/09
- Remporte le GP du Japon 14/10

Schumacher, Ralf
- Victoire à San Marin 15/04
- Remporte le GP du Canada 10/06
- Victoire à Hockenheim 29/07

Sciences et techniques
- Présentation de fragments du Millenium Ancestor à Paris 06/02
- Course au dépistage du génome humain 16/02
- Séquençage du bacille de la lèpre 22/02
- Progrès dans la recherche contre le cancer 01/03
- Projets de clonage de Severino Antinori 09/03
- Nouvelles technologies au CeBIT de Hanovre 22/03
- Sortie du nouveau Game Boy 24/03
- La ligne ADSL accélère l'accès à Internet 29/03
- Publication des sites de plants OGM 25/04
- Greffe de cellules souches humaines sur des singes 26/07
- G.W. Bush autorise le clonage thérapeutique 09/08
- Régénération d'un cœur humain 24/08
- Les téléphones portables dépassent les fixes 30/09
- Premier clonage thérapeutique 25/11
- Loi sur le clonage humain en Grande-Bretagne 04/12

Scipion, Robert
- Décès 01/12

Scott, Ridley
- Sortie de son film "Hannibal" 28/02
- Son film "Gladiator" est primé aux Oscars 25/03

Seamaster (voilier)
- Attaqué par des pirates au Brésil 05/12

SEB (Sté)
- Reprend Moulinex 22/10

Sednaoui, Stéphane
- Naissance de sa fille 19/10

Ségara, Hélène
- Primée aux Victoires de la musique 17/02

Segard, André
- Déplore les actions des immigrés bloqués à Sangatte 26/12

Séguin, Philippe
- Campagne électorale pour Paris 03/03
- Mauvais résultat au premier tour des municipales 11/03
- Défaite aux municipales 18/03

Seillière, Ernest-Antoine
- Refuse de recevoir une délégation d'AOM-Air Liberté 18/04

Seita (Sté)
- Gagne en appel contre la veuve du fumeur décédé 10/09

Sénégal
- Conférence contre le racisme 22/01
- Retour de la dépouille de Léopold Sédar Senghor 27/12
- Funérailles de Léopold Sédar Senghor 29/12

Senghor, Léopold Sédar
- Décès à Verson 20/12
- Retour de sa dépouille vers la Sénégal 27/12
- Funérailles à Dakar 29/12

Sentier (procès du)
- Début des audiences 20/02

Serbie
- Voir Yougoslavie (république fédérale de)

Seznec, Guillaume (affaire)
- Le garde des Sceaux prône la réouverture du procès 27/01
- Requête en révision du procès 30/03

Shakiba, Maryam
- Speakerine de la télévision de Kaboul 18/11

Sharon, Ariel
- Remporte les élections 06/02
- Obtient la confiance de la Knesset 07/03
- Rencontre G.W. Bush à Washington 20/03
- Lance des opérations en Cisjordanie 07/05
- Des Palestiniens portent plainte en Belgique 18/06
- Le parquet belge juge la plainte recevable 01/07
- Fait fermer la Maison d'Orient 10/08
- Autorise la rencontre Pérès-Arafat 26/09
- Fait occuper plusieurs villes palestiniennes 18/10
- Ordonne l'évacuation 29/10
- Intervient à la télévision après deux attentats 03/12
- Dénonce les accords d'Oslo 13/12
- Interdit à Arafat de se rendre à Bethléem 24/12

Sharpless, Barry
- Prix Nobel de chimie 10/10

Shelter Now International (SNI)
- Arrestations de délégués à Kaboul 05/08
- Procès des délégués 08/09
- Reprise du procès à Kaboul 30/09
- Libération des membres de l'ONG 15/11

Shuh, Jean-Marin
- Rouvre l'ambassade de France à Kaboul 22/11

Sibir Airlines
- Un Tupolev s'écrase en mer Noire 04/10

Sida
- Décès de Nkosi Johnson 01/06
- La maladie est apparue il y a 20 ans 05/06
- Pfizer offre un médicament aux pays pauvres 06/06
- Maladie nationale en Chine 13/11
- Journée mondiale à l'ONU 01/12

Sief, Ali Saïdi
- Déchu de sa médaille d'Edmonton 18/08

Sihanouk, Norodom, roi du Cambodge
- Voir Norodom Sihanouk

Simon, François
- Battu aux municipales 18/03

Simon, Philippe
- Pris en otage en Indonésie 07/06
- Libéré 16/08

Simoni, Gilberto
- Remporte le Giro 10/06

Simonov, Yuri
- Quitte la direction de l'Orchestre national belge 25/02

Siméon II, roi de Bulgarie
- Victoire aux législatives 17/06
- Nommé Premier ministre 12/07

Sinopoli, Giuseppe
- Décès du chef d'orchestre 20/04

Sirven, Alfred
- Arrêté aux Philippines 02/02
- Appréhendé à son escale de Francfort 03/02
- Quitte Francfort pour Paris 06/02
- Obtient un mois pour préparer sa défense 07/02
- Condamné dans l'affaire Elf 30/05

Sitruk, Joseph
- Réélu grand rabbin de France 17/06

Skarmeta, Antonio
- Prix Médicis étranger 29/10

Ski
- Régine Cavagnoud est championne du monde de Super-G 29/01
- Succès autrichien aux championnats du monde 10/02
- Troisième victoire de Hermann Maier 10/03
- Super-G de Sölden 27/10
- Accident de Régine Cavagnoud 29/10
- Décès de Régine Cavagnoud 31/10

Skride, Baiba
- Remporte le Concours Reine Elisabeth 26/05

SNCB (Société nationale des chemins de fer belges)
- Accident mortel à Pécrot 29/03

SNCF
- Grève sur tout le territoire 29/03
- Mise en service commercial du TGV Méditerranée 10/06
- Mise au point du TGV Méditerranée 22/06
- Déraillement d'un TGV 31/10

SNI
- Voir Shelter Now International

Socpresse (Sté)
- Le FC Nantes est champion de France 12/05

Soderbergh, Steven
- Primé aux Oscars 25/03

Soferti (Sté)
- Suspension des activités 01/10

Solana, Javier
- Visite à Skopje 26/07

Soler, Gérard
- Suspendu suite à l'affaire des faux passeports 16/01

Somalie
- Enlèvement de six délégués de l'ONU 27/03
- Dément abriter la Qaida 27/11
- Survol de Mogadiscio par des hélicoptères américains 13/12
- Serait la prochaine cible antiterroriste 19/12

Somme
- Mise en service de trois pompes 02/05

Sony (Sté)
- Fusionne un secteur avec Ericsson 28/08

Soraya
- Voir Esfandiari, Soraya

Souaïda, Habib
- Publication de son livre "la Sale Guerre" 08/02

Soudan
- Arrestation d'un opposant islamiste 21/02
- Hassan el-Tourabi est mis en résidence surveillée 29/05
- Levée des sanctions de l'ONU 28/09

Soullier, Dominique
- Condamné avec José Bové à Montpellier 15/03

Souvré, Yannick
- Championne d'Europe de basket 23/09

Souzani, Karim
- Identifié comme l'assassin de Massoud 16/09

Spence, Michael
- Prix Nobel d'économie 10/10

Spielberg, Steven
- Sortie en France de "Jurassic Park 3" 08/08

Spinetta, Cyril
- Passager du vol Concorde 07/11

Spiritus-Dassesse, Anne
- Déclare la Sabena en faillite 07/11

Sri Lanka
- Attentat des séparatistes 21/03
- Attaque tamoule à Colombo 24/07

Stade français
- Battu en finale de la Coupe d'Europe de rugby 20/05

Staub, Ueli
- Disparaît dans la Manche 11/08

Stejner, Nico
- Avocat de Milosevic au TPI 23/08

Stern, Isaac
- Décès du virtuose 22/09

Stiglitz, Joseph
- Prix Nobel d'économie 10/10

Strasbourg RC
- Remporte la Coupe de France 26/05

Strauss-Kahn, Dominique
- Obtient un non-lieu (affaire Elf) 02/10
- Relaxé dans l'affaire de la Mnef 07/11

Straw, Jack
- Ministre des Affaires étrangères 08/06

Sud-Ouest (quotidien)
- Décès du président J.-F. Lemoine 15/02

Suède
- Prend la présidence de l'UE 01/01
- Réunion de l'ONU sur l'écologie 22/05
- Sommet du G8 à Göteborg 16/06

Suisse
- Sommet de Davos 30/01
- Réclame aux USA l'extradition de Pavel Borodine 05/02
- Référendum contre l'appartenance à l'UE 04/03
- Sauvetage des spéléologues bloqués en France 19/05
- Les vols Swissair sont cloués au sol 02/10
- Recapitalisation de Swissair Group 22/10
- Accident dans le tunnel du Saint-Gothard 24/10
- Bilan définitif du Saint-Gothard 29/10
- Crash d'un Avro RJ100 de Crossair à Zurich 24/11
- Rejet du projet de suppression de l'armée 02/12
- Réouverture du tunnel du Saint-Gothard 21/12

Sukarnoputri, Megawati
- Président de l'Indonésie 23/07
- Visite les ruines de New York 19/09

Summit (paquebot)
- Remis à son armateur 31/08

Sung, Maria
- Epouse Mgr Milingo selon le rite Moon 27/05
- Rupture avec Mgr Milingo 29/08

Sutton, Johanne
- Tuée en Afghanistan 11/11

Swissair
- Voir SAirGroup puis Swissair Group

Swissair Group (Swissair)
- Nouveau nom de SAirGroup 02/04
- Mise en redressement judiciaire d'AOM-Air Liberté 19/06
- S'engage à soutenir financièrement la Sabena 17/07
- Reprise d'AOM-Air Liberté par le groupe Corbet 27/07
- Les avions Swissair ne reçoivent plus de carburant 02/10
- Crossair reprend certains vols Swissair 02/10
- Sabena se déclare en cessation de paiement 03/10
- Sursis concordataire 05/10
- Injection de 3,1 milliards d'euros 22/10
- La Belgique et la Sabena réclament des dommages 23/11

Syrie
- Visite du pape 06/05
- Accusée de fabriquer des armes biologiques 19/11

Index icono

Malgré toute l'attention qui a été apportée à cet index, des erreurs ont pu être commises. Dans ce cas, nous demandons au propriétaire du copyright de bien vouloir nous en excuser et de nous notifier la correction aux fins de rectifications. La position des images est indiquée par des lettres : h = haut, b = bas, g = gauche, d = droite, m = milieu.

144